FÉ,
O ALIMENTO
DA ALMA

*20 sermões sobre
Salvação,
Chamado e Glória*

FÉ,
O ALIMENTO
DA ALMA

Spurgeon

CHARLES .H.

C. H. Spurgeon
Título original
Able to the uttermost forgotten sermons
©2021 Editora Hagnos Ltda.

1ª edição: abril de 2021

TRADUÇÃO
Paulo Sartor Jr.

REVISÃO
Francine de Souza (copidesque)
Luiz Werneck Maia (provas)

CAPA
Rafael Brum

DIAGRAMAÇÃO
Aldair Dutra de Assis

EDITOR
Aldo Menezes

COORDENADOR DE PRODUÇÃO
Mauro Terrengui

IMPRESSÃO E ACABAMENTO
Imprensa da Fé

As opiniões, as interpretações e os conceitos emitidos nesta obra são de responsabilidade do autor e não refletem necessariamente o ponto de vista da Hagnos.

As notas de rodapé deste livro são do tradutor, inseridas para clarificar palavras e personagens, além de contextualizar o leitor sobre aspectos históricos e culturais.

Todos os direitos desta edição reservados à
EDITORA HAGNOS LTDA.
Av. Jacinto Júlio, 27
04815-160 — São Paulo, SP
Tel.: (11) 5668-5668

E-mail: hagnos@hagnos.com.br
Home page: www.hagnos.com.br

Dados Internacionais de Catalogação na Publicação (CIP)
Angélica Ilacqua CRB-8/7057

Spurgeon, C. H. (Charles Haddon), 1834-1892.

Fé, o alimento da alma: 20 sermões sobre salvação, chamado e glória / Charles Haddon Spurgeon ; tradução de Paulo Sartor Júnior. — São Paulo: Hagnos, 2021.

ISBN 978-65-86048-75-9

Título original: Able to the uttermost forgotter sermons

1. Sermões 2. Spurgeon, C. H. (Charles Haddon), 1834-1892 — Sermões I. Título II. Sartor Junior, Paulo

21-0513   CDD 251

Índices para catálogo sistemático:
1. Sermões

Editora associada à:

SUMÁRIO

1. Ele pode salvar perfeitamente 7

2. A tristeza que leva ao arrependimento. 21

3. No lugar da escolha de Deus 33

4. Da tristeza à alegria 49

5. Seguros no cuidado do Pai 63

6. Salvação na cruz 77

7. Dando a Deus o que lhe é devido. 89

8. A insígnia do cristão 99

9. Do pessimismo à glória 111

10. A glória da graça de Deus 123

11. Quando Deus fala 137

12. No jardim do descanso de Deus 151

13. O Dia da Expiação e a festa dos tabernáculos 161

14. Seguro e guardado. 173

15. Uma oração abrangente 187

16. Satanás com os filhos de Deus 201

17. Fazer-se de tolo. 215

18. Abrindo os depósitos da graça 227

19. Enquanto a lâmpada continua a queimar. 241

20. Os chamados do Mestre. 255

I

ELE PODE SALVAR PERFEITAMENTE

Portanto, também pode salvar perfeitamente os que por meio dele
se chegam a Deus, pois vive sempre para interceder por eles
(Hebreus 7.25)

EXISTE um grande poder na defesa de um réu. Muitos homens, sem dúvida, escaparam da justa sentença da lei pela eloquência de quem os defendeu. E esperemos que com muito mais frequência a justiça tenha sido feita pela intercessão clara e sincera de um advogado perante um tribunal, sem a qual ela não seria possível. Há um exemplo notável na Sagrada Escritura do poder da intercessão. Benjamim e os outros irmãos de José já haviam deixado a corte egípcia. Ao regressarem para a casa de Jacó, seu pai, foram surpreendidos pelo encarregado de José, que os acusou de terem roubado a taça de prata que pertencia a seu senhor. A acusação, é claro, foi por eles negada. E assim lhes foi proposto que as sacas de milho fossem revistadas.

Começando pelo mais velho, o encarregado deu início à busca, até chegar à saca de Benjamim. E lá estava ela. Não havia como negar as evidências: o fato fora provado. Eles próprios foram testemunhas relutantes de que a acusação era verdadeira. O objeto roubado foi encontrado com Benjamim. Então eles voltam ao Egito. E assim são levados à sala de José, que acreditam ser o governador, sem saberem que ele é, na verdade, seu irmão. José os acusa um tanto severamente de ingratidão. Eles haviam banqueteado à sua mesa, José os havia mandado embora com provisões, e a única coisa que lhe deram em troca fora roubar sua taça.

Veja que, como eles mesmos puderam perceber, havia uma acusação clara contra eles. Benjamim deve ser mantido prisioneiro. Eles fazem uma oferta para que fiquem lá e sejam escravos, mas José diz: "[Não!] O homem na mão de quem a taça foi achada será meu escravo" (Gênesis 44.17). E então Judá se levanta e começa a interceder em favor de Benjamim. E foi maravilhoso o efeito de sua argumentação. Não tentou alegar inocência no caso de Benjamim. Pareceu-lhe muito claro que a taça estava lá: portanto, não tentou apelar nesse sentido. Contudo descreveu seu pai idoso em casa e o amor dele por aquele filho mais novo. Disse que havia dois filhos da esposa favorita de seu pai, e que um não estava mais vivo, sendo aquele o único que restara. Declarou assim que, caso aquele filho lhe fosse tirado, veria seu pai morrer de desgosto; seu pai, já em idade avançada, iria com tristeza para a sepultura. E então alegou que estaria disposto a ficar e servir como escravo no lugar de Benjamim. Ele argumentou valendo-se do recurso da substituição. "Prenda a mim", disse ele. Judá então mencionou que tinha feito uma aliança com seu pai, Jacó, dizendo: "Minha vida pela vida do menino. Serei a garantia dele". E, com toda a sua força, firmou seu próprio compromisso de servir de garantia; implorou sua disposição de cumpri-lo, tornando-se um substituto, e implorou que Benjamim ficasse livre. Tal parece ter sido o efeito sobre José que este não pôde mais se conter. Havia representado bem até aquele momento, mas de repente ordenou que os egípcios fossem embora, expulsou todos os estranhos e assim, explodindo em lágrimas, gritou: "Eu sou José, o irmão de vocês. Meu pai ainda vive?" (Gênesis 45.3).

Talvez José pudesse ter continuado um pouco mais no seu disfarce, mas a eloquência sincera de Judá impediu tudo isso, e a alma de José se derramou em amor. Temos aqui um símbolo ou tipo, ainda que sutil, do poder de defesa de nosso "José" maior, o Pastor de Israel. Ele implora por nós, seus irmãos, culpados que somos. Não nega nossa culpa, mas dá-se como garantia por nós. Apresenta os antigos compromissos de aliança que firmou com seu Pai quando deu sua vida pela nossa. E lá está Ele, agora mesmo, apresentando também seu próprio sacrifício substitutivo, afirmando não apenas que está disposto a ser preso por nós, mas que realmente o foi, não apenas que está disposto a assumir nossa culpa e ser considerado culpado, mas que foi contado com os transgressores e suportou o pecado de seu povo. Não é de admirar que o amor de Deus seja derramado em nossos corações pelo Espírito Santo, dado a nós. Não é de admirar que até mesmo o Pai derrame seu amor em abundantes rios de bênçãos sobre as almas pelas quais o Salvador suplica.

Agora, por um curto espaço de tempo esta noite, tenho de chamar sua atenção para a defesa apresentada por Cristo, e você notará no texto que há três informações dignas de sua cuidadosa observação. A primeira é que os beneficiados são mencionados: "os que por meio dele se chegam a Deus". A segunda é que o benefício em si é mencionado, juntamente com a extensão dele: "Ele pode salvar perfeitamente" (Hebreus 7.25). E a terceira é que, no que diz respeito ao benfeitor, temos um ensinamento em relação à fonte de seu poder de salvar: "pois vive sempre para interceder por eles" (Hebreus 7.25). Resumidamente, então, vamos a esses três pontos.

I

"Quem se beneficia da intercessão de Cristo?" é uma indagação muito importante para todos aqui presentes.

Respondemos dizendo, com certeza, que nem toda a humanidade, pois nosso Senhor disse isso expressamente: "Eu rogo por eles. Não rogo pelo mundo, mas por aqueles que me deste" (João 17.9). E, se você se lembra, há uma espécie de ampliação dessa fala, sem alterar o sentido. Ele diz: "E rogo não somente por estes" — que estavam ao seu redor e já estavam salvos —, "mas também por aqueles que virão a crer em mim pela palavra deles" (João 17.20). Dessa maneira, essa intercessão é por seu povo e por aqueles que serão seu povo. Ou, expressando nas próprias palavras do texto, ao qual nos ateremos, "[Ele] pode salvar perfeitamente os que por meio dele se chegam a Deus" (Hebreus 7.25). Aqui, portanto, estão as pessoas por quem Ele suplica. Ele faz intercessão por aqueles que "por meio dele se chegam a Deus".

O que é se chegar a Deus? Veja bem: todo homem, todo homem racional, que deseja sinceramente adorar, deseja, quando adora, se chegar a Deus. Quando oro, não quero que minhas palavras morram no ar, mas que possam chegar a Deus. Quando cantamos, se formos minimamente cuidadosos, não nos contentamos em acompanhar a melodia, mas queremos que nossos louvores cheguem até Deus. A adoração é uma forma de se chegar a Deus. Há um se chegar a Deus para suprir nossas necessidades. Somos pecadores. A única maneira de obter perdão é se chegar ao Deus que ofendemos para obter esse perdão. Além disso, sendo pecadores, precisamos ser purificados da propensão para pecar. A maneira de obter santidade é se chegar ao Deus santo. Aquele que sabe que todas as coisas boas provêm de Deus se chegará a Ele em oração, sempre que tiver alguma necessidade ou desejo, para o suprimento de sua necessidade. Chegar-se a Deus significa buscar perdão e desejar se reconciliar com Ele. Por natureza, estamos nos afastando de Deus, e é assim que o coração pecaminoso deseja estar: cada vez mais longe de Deus. No entanto, quando o Espírito Santo nos toca, desejamos nos chegar a Deus para pedir perdão, para que os obstáculos entre nós sejam eliminados, e para buscar a santidade, a fim de que possamos ser como Deus e assim ter comunhão com Ele. Chegar-se a Deus consiste em nosso espírito se aproximar do grande Espírito que não vemos, independentemente do motivo pelo qual nos aproximamos: para orar ou para agradecer, para pedir perdão ou para buscar santificação.

Observe que existem pessoas no mundo que tentam se chegar a Deus sem ser por meio de Jesus Cristo. Essas pessoas são excluídas do benefício da intercessão do Salvador. "[Ele] pode salvar perfeitamente os que por meio dele se chegam a Deus" (Hebreus 7.25). Por meio dele. Alguns se chegam por meio de um sacerdote terreno. Acreditam que ele tenha algum poder que os outros não têm, o que é uma ilusão e uma mentira — uma mentira muito apropriada para ser ensinada por homens que desejam obter poder sobre seus semelhantes, mas da qual um homem honesto ficaria totalmente envergonhado. Todo cristão é sacerdote diante de Deus, mas ninguém é mais sacerdote que qualquer outro. Cada cristão faz parte do sacerdócio eleito, mas nenhum deles está acima do restante dos cristãos. Você não poderá contar com Cristo se se chegar a Deus por meio de um sacerdote humano, pois o sacerdócio humano já foi encerrado. Há apenas um sacerdote, precisamente Jesus, que é "sacerdote para sempre", como lemos, "segundo a ordem de Melquisedeque". Todos os que agora se intrometem nesse ofício são simplesmente ladrões que não entram pela porta, mas ascendem por outros meios.

Existem aqueles que tentam se chegar a Deus sem nenhum mediador. Falam sobre eles mesmos se dirigirem à Divindade. Isso teria sido apropriado antes da Queda, mas agora a grande verdade escriturística foi anunciada: "Ninguém chega ao Pai, a não ser por mim". Você pode pensar que está se aproximando de Deus, mas certamente não está. Há uma intimidade arrogante nesse tipo de aproximação, que é mais uma desonra do que uma honra para Deus. "Há um só Deus e um só Mediador entre Deus e os homens, Cristo Jesus, homem", e tentar se aproximar de Deus sem o Mediador é insultar seu Filho e, assim, provocar o Altíssimo. Ai de mim! Existem aqueles que são tolos o suficiente para tentar se aproximar de Deus com base numa bondade inata. Que se acautelem para que o puro e santo Deus não se precipite contra eles, pois nisso estão provocando terrivelmente sua santidade, que é como fogo consumidor, em razão da impureza que é o homem falar de coisas santas, o pecador falar de merecimento, o culpado sonhar com algum mérito. Quem é você? Volte ao lugar que lhe pertence entre os leprosos. Cubra a cabeça e grite: "Imundo, imundo!" É o que você tem de fazer para se chegar ao templo do Altíssimo, pois "todas as nossas justiças [são] como trapo da imundícia". Isso é tudo que Deus pensa de você, e o que ele pensa é fato.

Há homens no mundo, amados, todavia, e não poucos, que foram ensinados pela graça divina a chegar a Deus por meio de Cristo. Eles buscaram perdão por intermédio do Mediador e o encontram. Buscam todas as bênçãos agora em nome de Jesus e as obtêm. Vivem agora na dependência do Filho de Deus, e por isso suas vidas não podem morrer. Esta é a maneira de chegar a Deus: confiando em Jesus, implorando por seus méritos, reconhecendo nossa própria indignidade. E Cristo salvará perfeitamente e estará ao lado de todo homem que se chegar a Deus dessa maneira, por meio dele, pois esse é o caminho traçado. Deus ordena que você, pecador, se chegue a Ele por meio de Cristo.

"E não há salvação em nenhum outro, pois debaixo do céu não há outro nome entre os homens pelo qual devamos ser salvos" (At 4.12). Passe por aquela porta marcada pelo sangue da expiação e será aceito Tente qualquer outra entrada e será expulso por violar as leis de Deus. É a maneira estabelecida e, graças a Deus, a mais adequada. Podemos chegar a Jesus, pois Ele é homem. Ele pode ir a Deus por nós, pois, como diz o Credo de Niceia, Ele é "Deus verdadeiro de Deus verdadeiro". As naturezas humana e divina que se fundem nele tornam o Senhor Jesus o meio adequado entre homens e Deus. Nenhuma sabedoria do mundo poderia ter elaborado um plano mais excelente que esse. Filho de Maria e Filho do Eterno! Ó bendito Salvador, que com a mão direita seguras a Divindade e com a esquerda lanças mão das enfermidades da humanidade, bem podemos ir ao Pai por meio de ti! Tu és a escada que Jacó viu, e os degraus são colocados de modo que possamos facilmente subir por ti ao céu. Teus pés repousam sobre a terra; tua cabeça alcança a glória excelente da Divindade.

Amados, visto que temos, então, um meio de ir a Deus que foi designado por Ele e é perfeitamente adequado, alegremo-nos também por ele ser um meio perfeitamente disponível. Qualquer alma que deseja se chegar a Deus por meio de Cristo será capaz de fazê-lo. Não há proibição na Escritura contra a aproximação de qualquer homem. "Ninguém chega ao Pai, a não ser por mim" (João 14.6) Entretanto, todos os que desejam chegar por esse caminho podem chegar, e no estado em que se encontram. Podem chegar sem nenhuma outra ajuda que não a que Deus providenciou. Que bênção! Você precisa de um mediador entre sua alma e Deus, mas não vai querer nenhum mediador entre sua alma e Cristo. Você não pode ir a Deus exceto por meio da intervenção de outra pessoa, mas pode chegar a Jesus como está, seja quem você for e independentemente do estado de seu coração. Se Deus Espírito Santo lhe der agora o desejo de se aproximar e você desejar chegar a Deus como um pobre filho pródigo, dizendo "Pai, eu pequei", venha pelo caminho manchado de sangue do sacrifício do Redentor e não haverá leão lá para o impedir, antes, em todo o tempo, os doces sinos do céu tocarão: "Venha e seja bem-vindo! Venha e seja bem-vindo! Venha e seja bem-vindo!" Toda alma pode vir se vier a Deus por meio de Jesus Cristo. Esse é o termo. Contudo venha por Ele, e os que chegam a Ele de maneira alguma Ele os lançará fora.

Até aqui tratamos das pessoas. Ah, feliz é o pregador capaz de esperar — se puder ter essa esperança — que todos cheguem a Deus dessa forma. Que ele possa esperar que alguns sejam conduzidos esta noite ao Pai por meio do Filho crucificado.

II

Agora, o segundo ponto interessante do nosso texto é este — o benefício que Cristo, o intercessor, está preparado para dar, e a extensão dele. "[Ele] pode salvar perfeitamente" — ou, como diz a outra versão: "Ele pode salvar, hoje e sempre" — "os que por meio dele se chegam a Deus" (Hebreus 7.25).

Primeiro, Ele pode salvá-los. Vejam que existem alguns que se chegam a Deus ou desejam se chegar, e dizem: "Oh! Que eu seja salvo, mas os meus pecados! Meus pecados! Meus pecados!" O precioso sangue de Cristo é apresentado perante o trono e pode eliminar todos os pecados. "Mas meus pecados", diz alguém, "excedem em muito os de qualquer outro homem. Meus pecados são muitos, dolorosos, graves. Eles clamam contra mim. Como o sangue de Abel que clamou contra seu irmão Caim, meus pecados clamam contra mim". Sim, e você é como o sumo sacerdote Josué dos tempos antigos que estava na visão com as vestes sujas, e o anjo do Senhor disse, quando aquele foi acusado por Satanás: "Tirai-lhe as vestes impuras" (Zacarias 3.4). Jesus diz o mesmo para você. Se você se chegar a Deus por meio dele, Ele pode remover todas as suas vestes imundas e agora torná-lo puro. Acredite nisso! É o próprio evangelho de Jesus. Ele pode torná-lo puro como se você nunca tivesse pecado. Se você já pecou por muito tempo, em um momento Ele pode apagar esses pecados e aos olhos de Deus será como se você nunca tivesse transgredido. O perdão que Jesus traz é perfeito e completo, limpando toda a iniquidade, de modo que se os pecados dos perdoados forem procurados, não serão encontrados, pois Ele perdoará aqueles a quem reserva a este propósito — ter a possibilidade de apresentar o seu sangue diante de Deus. Ele pode salvar dos pecados, e dos pecados mais extremos, aqueles que por meio dele se chegam a Deus.

Oh! Aquela palavra bendita, "perfeitamente" — porque há alguns que parecem ter ido perfeitamente ao extremo. Existem pessoas que parecem ter pecado tanto quanto conseguiram. Elas lançaram as rédeas sobre o pescoço de seus corcéis impetuosos e então os açoitaram para ver quão rápido eles poderiam ir. Vemos algumas que parecem desafiar todas as leis, humanas e divinas. Elas pecam avidamente de braços estendidos. Nos caminhos da transgressão, elas parecem ter asas nos calcanhares enquanto correm ao longo do caminho perigoso. Bem, mas se você quiser permanecer em seu rumo e chegar a Deus por Cristo, seus pecados, que são muitos, lhe serão perdoados. Embora sejam vermelhos como o escarlate, serão como a lã; ainda que sejam como o carmesim, serão mais brancos do que a neve. Glória a Deus! Temos um Salvador não para os pequenos pecadores, mas para os grandes pecadores — sim, os maiores pecadores que já viveram. "Esta palavra é fiel e digna de toda aceitação: Cristo Jesus veio ao mundo para salvar os pecadores, dos quais", disse Paulo, "eu sou o principal" (1 Timóteo 1.15).

Sim, mas há alguns que, quando vão a Deus por Cristo, não apenas encontram pecado no caminho, mas também encontram Satanás. "Oh!", diz alguém, "Eu tenho pensamentos horríveis. Desde que comecei a buscar um Salvador, tenho sentido blasfêmias surgindo dentro de mim, as quais me eram totalmente estranhas antes. Sou forçado a tapar a boca com a mão por medo de que às vezes diga essas coisas terríveis". Bem, você odeia essas coisas? Nesse caso, elas não são suas; elas são sopros de Satanás. Avance para Deus por meio de Jesus Cristo, pois o Intercessor vivo pode salvá-lo do inimigo. "Satanás vos pediu para peneirá-los como trigo" (Lucas 22.31), mas Jesus orou por você para que a tua fé não desfaleça. "Resisti ao Diabo, e ele fugirá de vós" (Tiago 4.7), porque ele vê Cristo atrás de você e está sempre com medo dele. "Ah, mas", diz outro, "não é só isso! Tenho uma natureza tão má, e desde que tenho buscado a Deus por meio de Cristo, minha natureza parece ser mais má do que nunca. Se é pior ou não, não sei dizer, mas me parece. Ora, quando tento orar, encontro pensamentos rebeldes. Levanto-me e vou para o meu trabalho com a resolução solene de que vou viver próximo de Deus, mas no final do dia parece que estou mais distante do que nunca. 'Quando quero fazer o bem, o mal está presente em mim'".

Trechos de velhas canções surgem quando tento louvar a Deus; e as lembranças de antigos pecados vêm e me assombram exatamente quando desejo que minha mente esteja mais unida com a pureza do Céu." Ah! Sabemos o que isso significa. Que misericórdia é esta pela qual Cristo pode salvar perfeitamente de seus pecados persistentes, de seus pecados inerentes, dessas tentações interiores, de sua tendência para o mal os que por meio dele se chegam a Deus. Cristo aniquilou na cruz não apenas nossos pecados atuais, mas também nosso pecado original. Enquanto o sangue expia a culpa, a água que flui com o sangue representa a purificação do poder e da contaminação do pecado dentro de nós. Continue se chegando a Deus por meio de Cristo, pobre alma, por mais que seja atormentada, pois certamente aquele que intercederá por você vive.

Eu gostaria de poder retratar — e se fosse possível, eu o faria — as almas que foram ao extremo. Talvez haja alguém aqui levado ao desespero. Ele veio a Deus por Cristo, mas sente que não pode vir. Ele acredita que todos podem ser salvos, mas não ele. Ele sente que ele, de todos os homens, carrega uma marca como a de Caim em sua testa. Talvez um dia ele tenha professado a fé e pensasse andar com Deus. Agora ele perdeu todas as esperanças — não apenas toda a tranquilidade, mas, como ele acredita, toda a vida da verdadeira religião em sua alma. Ele acredita ser o caso mais desesperador que já foi posto aos pés do grande Médico.

Oh, meu querido amigo! Estou feliz com isso — não estou feliz com sua tristeza, mas estou feliz porque agora há oportunidade para Cristo mostrar quão grandiosamente Ele pode salvar. Que notoriedade isso traz ao Salvador quando Ele salva perfeitamente! Ora, quando Ele o tiver salvado totalmente, você cantará mais alto do que qualquer um; você trabalhará para Ele mais do que qualquer um. Você será como a mulher que quebrou o vaso de alabastro: você vai amá-lo muito porque você foi muito perdoado, e quando você subir ao céu, onde todos os cantores se encontram, você vai querer se prostrar o mais baixo, aos seus queridos pés, e ainda assim cantar o mais docemente para o louvor de sua graça. Estou feliz por ter me encontrado com você. Só espero que o Mestre possa se encontrar com você agora e provar que "[Ele] pode salvar perfeitamente os que por meio dele se chegam a Deus". Oh! Se você tão somente se chegar a Deus por meio dele, Ele pode, e irá, salvá-lo, não importa o quanto você possa ter se afastado nem o quão desesperador seu estado seja.

Parece que ouço alguém dizer: "Tenho medo da morte". Oh, então! Como este texto deve animá-lo! Jesus pode salvar perfeitamente. Um homem está deitado há muito tempo em sua cama e está muito debilitado: os ossos estão saindo da pele. Ele tem dificuldade para respirar; o sono o abandona. Agora é a hora do julgamento. O suor da morte está frio em sua testa. Ele mal consegue orar: seus pensamentos são distraídos por suas dores. Ele não pode ouvir agora bons conselhos. A mente tornou-se fraca. Ah! Mesmo nestes últimos momentos, aquele que chegou a Deus por Cristo não precisa ficar alarmado. Ele pode salvar quando não podemos orar; pode salvar quando não podemos pensar. Não pense que o Senhor permitirá que a segurança de seu povo dependa de que estejamos conscientes quando morrermos. Ah, não! Estamos nas mãos de Cristo. Um bote salva-vidas salva o homem que está nele, ainda que esse homem esteja enfraquecido e inconsciente enquanto estiver lá. Da mesma forma, Cristo levará ao céu, não tenho dúvidas, muitas almas que estarão muito fracas para saber o momento de sua partida; as quais, após terem desfalecido, não mais se acharão no leito que recrudesceu durante sua longa enfermidade, mas com uma coroa na cabeça, louvando ao Senhor. Bem, se há algum medo após a morte, Cristo pode salvar perfeitamente, pois depois da morte vem o julgamento, a ressurreição, a apresentação diante do trono, tanto das ovelhas como dos bodes. Ah! — Dia de ira, aquele dia, será tudo cinza fria, diante da face do Juiz — aquele momento terrível sob as asas daquele que é o mensageiro da aliança eterna, vamos nos encolher e descansar em segurança. "Ele te cobre com suas penas; tu encontras refúgio debaixo das suas asas; sua verdade é escudo e proteção" (Salmos 91.4). Ele nos salvará perfeitamente. Por toda a eternidade Ele ainda viverá e, vivendo, ainda poderá salvar os que por meio dele se chegam a Deus.

III

Agora, o terceiro ponto — embora possamos ampliar com proveito todas essas coisas — é a fonte do notável poder que repousa em Jesus Cristo, nosso Salvador.

Por que "[Ele] pode salvar os que por meio dele se chegam a Deus" (Hebreus 7.25)? É porque "[Ele] vive sempre para interceder por eles" (Hebreus 7.25). Observe os termos: "Ele vive sempre". Segundo a antiga lei, quando um sacerdote morria, podia haver um intervalo antes que o próximo tomasse seu cargo. Para todos os efeitos, poderia haver algum tempo decorrido durante o qual o adorador ou penitente poderia trazer seu sacrifício, sem que houvesse alguém a quem apresentá-lo. Esse caso nunca pode ocorrer conosco. Ele vive sempre. Acho que já contei a vocês a história que Robby Flockhart, que tinha o hábito de pregar nas ruas de Edimburgo, costumava contar às vezes sobre a utilidade de um Salvador vivo e de um Salvador morto. Ele disse que, quando era soldado, um de seus camaradas foi condenado à morte. Chamando seu amigo Robby, o condenado fez seu testamento e deixou para

Robby o pouco dinheiro que tinha. Contudo, no dia marcado para o fuzilamento, o soldado foi perdoado. "Assim", diz Robby, "ele viveu, mas eu perdi minha herança, pois um testamento não vigora enquanto o testador vive". Jesus, o grande testador, foi morto. Não há dúvida disso. Portanto, o testamento de seu amor é válido. Não seria se Ele não tivesse morrido. "Bem", disse Robby, "outra vez alguém me deixou uma pequena herança e eu não a recebi, pois algum advogado desonesto a pegou e eu nunca vi um centavo dela. E", disse ele, "eu costumava dizer: 'Ah! Se ele estivesse vivo, teria corrigido isso para mim; ele teria conseguido o dinheiro para seu velho amigo Robby'. No entanto, estando morto, ele não tinha poder para ver sua vontade realizada. Ah!", disse o bom e velho pregador, "Mas Jesus Cristo vive para ver sua própria vontade realizada. Ele morreu na cruz, e isto tornou sua vontade válida. E reviveu para vê-la realizada, de forma que todas as bênçãos em seu testamento, na aliança da graça, estejam asseguradas a todos aqueles a quem pertencem"; e esses são conhecidos como os que por meio dele se chegam a Deus. Que misericórdia é ter um Salvador que foi morto! Que misericórdia é ter um Salvador vivo! Oh! Confiar naquele que foi pendurado na cruz, mas que agora está assentado no trono! Aqui está uma grande rocha sobre a qual podemos edificar nossas esperanças, e nunca precisamos temer que a fundação possa vir a vacilar conosco em qualquer momento. "[Ele] vive sempre" (Hebreus 7.25).

Observe, contudo, as palavras: "[Ele] vive sempre para interceder por eles" (Hebreus 7.25) Às vezes, dizemos de um homem: "Ora, esse homem vive para o prazer". Queremos dizer que esse é o grande objetivo de sua vida. Outro homem parece viver para seus filhos. Muito bem, diz o texto, Ele vive para interceder, como se não tivesse mais nada a fazer senão — como se vivesse para isso, colocasse toda a sua vida nisso — interceder pelos que por meio dele se chegam a Deus. Eu forço o texto quando o coloco assim? Eu acho que não. Ele vive para reinar. Ele vive para voltar novamente. Ele vive para muitas finalidades; no entanto, é justo dizer que toda sua força vital parece passar por aqui. Ele vive para interceder por aqueles que foram comprados por Ele na cruz, isso é, "pelos que por meio dele se chegam a Deus" (Hebreus 7.25).

Oh! Que todos possamos chegar a Deus dessa maneira! Que possamos chegar a Deus por meio de um salvador crucificado. Que Ele seja nosso canal de comunicação com o Senhor, pois, se assim for, a intercessão de Jesus sobe por nós — sobe por nós continuamente. Por que existe tanto poder na intercessão de Cristo? É porque Cristo é o que Ele é: Deus e Homem perfeitos. É porque Cristo fez o que fez: sofreu e guardou a lei. Seus méritos e sofrimentos conferiram poder a sua súplica. Sua natureza, seu ofício e a aliança tornam sua súplica eficaz. É isso que nos mantém sob o favor de Deus. Se o Senhor esconder o rosto de seus servos, Jesus fica na brecha e diz: "Lembra—te de que eles são o teu povo, que são osso dos meus ossos e carne da minha carne. Aceita--os por minha causa". E mais uma vez, o Pai tira a nuvem, e seu amor imutável brilha sobre seu povo. E quando seu povo está em grande necessidade, Jesus vai novamente e diz: "Meu Pai, todas as coisas são minhas. Dá ao meu povo o que ele precisa. Dá o Espírito Santo mais uma vez para eles"; e assim é feito. E na tentação, Jesus vem ao Senhor e diz: "Teu inimigo assalta o meu povo. Ele os acusa e os atormenta. Livra—os!" E o livramento é concedido. Vocês não sabem, queridos irmãos e irmãs, o que devem às súplicas de Cristo. Se você pudesse apenas colocar seu ouvido, por assim dizer, no buraco da fechadura do palácio do céu e ouvir Jesus suplicando lá... Oh! Que notas vocês ouviriam! — não suspiros e choro, é verdade —

Pois com autoridade Ele suplica.
Entronizado em glória agora.

É a súplica de um rei, não uma súplica com suor de sangue como no jardim do Getsêmani, mas é uma súplica eficaz, e conquista para nós tudo o que o Salvador obtém para nosso bem.

Que poderemos dizer diante dessas coisas? Ora, tão felizes são os que se chegam a Deus por Jesus Cristo. Que eles sejam felizes. Cristo pode — e temos certeza de que Ele deseja — salvá-los perfeitamente. Vão e sejam felizes. Sigam seu caminho. Comam e bebam do melhor que tiverem. Nunca falte óleo sobre sua cabeça nem bálsamo sobre seu rosto. "Alegrai-vos sempre no Senhor; e digo outra vez: Alegrai-vos." (Filipenses 4.4). "Alegrai-vos no Senhor e regozijai-vos, ó justos; cantai de júbilo, todos vós que sois retos de coração" (Salmos 33.1).

Se você nunca chegou a Deus por Cristo, portanto, você não tem um intercessor, você não tem parte em seu sangue. Você está perdido, você está morto em pecado. Então o que fazer? A voz do evangelho fala inclusive para você, e diz: "Crê no Senhor Jesus, e tu e tua casa sereis salvos" (Atos 16.31). Que o Espírito de Deus avance com essa palavra, e que você seja transformado para viver pelo poder do Espírito Santo, para que possa então crer em Jesus e encontrar a salvação nele!

Que o Senhor o abençoe! E que possamos nos encontrar no céu por causa dele, o intercessor! Amém.

2

A TRISTEZA QUE LEVA AO ARREPENDIMENTO

Uma grande multidão o seguia, e também mulheres, que choravam e lamentavam por ele. Jesus, porém, virando-se para elas, disse: Filhas de Jerusalém, não choreis por mim; chorai, sim, por vós mesmas e por vossos filhos.
(Lucas 23.27-28)

AQUELES que viram o Salvador eram majoritariamente mulheres. Mulheres serviram-lhe com seus bens, e agora, quando não podiam mostrar sua generosidade, demonstravam sua compaixão. É notável que, em toda a história de nosso Salvador, nenhuma mulher tenha se comportado mal com ele. Ele pode ser abandonado, ou traído, ou caluniado, ou executado, mas isso foi deixado para os homens fazerem. Era contrário à lei judaica qualquer pessoa mostrar compaixão por um condenado. Temos todos os motivos para acreditar que essa era a lei da época. Tornou-se a lei tradicional. Dizem-nos que era a lei de então. Contudo as mulheres desafiaram a lei, desafiaram-na e mostraram sua compaixão por aquele homem que estava sendo levado, como um malfeitor, para ser morto. Seus discípulos, que eram homens, fugiram como mulheres, e as mulheres foram tão ousadas quanto os homens. Elas, de quem se esperava que fossem fracas, se comportaram de forma vigorosa, e aqueles que deveriam ser fortes tornaram-se a própria fraqueza.

Nosso Salvador não considerou de pouca monta a compaixão dessas mulheres. Está registrado na Sagrada Escritura que Ele concedeu a elas seu último reconhecimento. Sei que Ele falou depois disso, antes de morrer, todavia eram mais gritos do que palavras — eram exclamações de tristeza; mas seu último discurso na terra, me permitam dizer, foi feito em reconhecimento à terna compaixão dessas mulheres ousadas, porém tristes, que se agruparam em torno dele no seu caminho para a morte.

Eu me pergunto quem elas eram. Seria errado supor que elas ouviram seu discurso, que ficaram encantadas com as coisas graciosas que saíram dos lábios dele? Foi mais do que isso? Algumas delas foram curadas? Estariam ali as que sentiram o toque poderoso dele e seguiram seu caminho restauradas após anos de sofrimento e enfermidade? Provavelmente havia algumas lá. Ou havia aquelas que tiveram seus filhos curados, seus amigos e parentes restaurados, e que lhe foram gratas por fazer aqueles que haviam sido motivo de sua ansiedade tornarem-se novamente razão de seu deleite? Não sei quais podem ter sido os milagres que ligaram essas mulheres ao Salvador, mas tenho certeza que não foi somente pena por uma pessoa prestes a ser condenada à morte, pois elas não parecem ter chorado pelos outros dois que foram levados para execução. O Salvador não disse: "Não choreis por nós", mas reconheceu que o pranto era por causa dele e para Ele somente, e disse: "Não choreis por mim; chorai, sim, por vós mesmas e por vossos filhos" (v. 28).

Não foi porque viram um homem prestes a morrer que seus ternos corações transbordaram por seus olhos, mas porque reconheceram nele algo mais do que um homem comum. Elas não o consideraram um criminoso prestes a ser executado; havia alguma ligação de amor e gratidão entre seus corações e Ele. Parece-me que seria melhor morrer em meio às lágrimas de mulheres solidárias — melhor morrer em meio à multidão que chorou e lamentou sua morte, do que deve ser viver como alguns homens terão que viver nos anos vindouros, em meio às lamentações de muitos e às acusações diante do trono de Deus de outros contra eles, como homens que fizeram guerra contra a raça humana e causaram a morte de milhares: melhor morrer com Jesus, do que viver com imperadores e reis que fazem guerra.

Fortes e pesadas maldições recaem sobre todos os que derramam sangue humano. Contudo, que a maldição recaia sobre o Salvador, como aconteceu, e ela vem em meio a gemidos e lamentações daqueles que se solidarizam com Ele em sua dor.

Vou agora chamar sua atenção para o discurso de nosso Salvador a essas mulheres quando Ele disse: "Não choreis por mim; chorai, sim, por vós mesmas e por vossos filhos".

I

Observe, antes de tudo, o desinteresse de nosso Senhor. Ele estava em uma condição em que alguém pensaria que Ele teria... desejado compaixão. Ele tinha um coração terno como o nosso e precisava da compaixão humana, mesmo assim declinou dela. Ele ordenou que elas não chorassem por Ele, não porque desprezasse a compaixão, pois, como eu mostrei a vocês, Ele amava isso; mas era tão altruísta que não queria que elas gastassem suas tristezas com ele. E essa não foi uma circunstância incomum na vida de Cristo, em que Ele estava totalmente alheio a si mesmo, e apenas com a atenção voltada para outras pessoas. Esse, de fato, é todo o segredo de sua existência neste mundo. Se tivesse pensado em si mesmo, Ele nunca teria deixado aquele trono brilhante e as cortes onde os serafins cantam. Foi por não ter pensado em si mesmo, mas em nós, que Ele desceu à terra para nascer de uma mulher, viver no sofrimento e morrer na vergonha. Ao longo de toda a sua vida, nós constantemente o vemos abdicando-se de tudo o que lhe daria conforto — que lhe daria honra, què lhe daria tranquilidade — para que pudesse fazer o bem aos filhos dos homens.

Para percorrer tudo isso, seria necessário antes uma série de sermões do que a pequena conversa que podemos manter nos poucos minutos que temos à nossa disposição esta noite. Gostaria apenas de levá-lo à mesa onde Ele se sentou com seus discípulos na última ceia. Foi a última refeição que Jesus comeria com eles antes de sua morte. Ele, contudo não pede piedade. Não há clamor como o de Jó: "Tende compaixão de mim; tende compaixão de mim". Ele se compadece deles e os conforta, e seu discurso é mais ou menos assim: "Não se turbe o vosso coração" (João 14.1) — não lhes pedindo compaixão, mas até colocando isso de lado e oferecendo toda a sua consideração cuidadosa por suas fraquezas e provações futuras. Em vez de pedir-lhes que o confortassem, seu pensamento é todo para eles e nada para si mesmo. Foi exatamente assim quando Ele foi ao jardim e deu início ao processo que culminou no seu sofrimento e na sua morte.

Quando o suor de sangue caía sobre a terra, Ele procurou os discípulos em busca de compaixão, mas quando os encontrou dormindo, com que prontidão os desculpou. "O espírito [...]", disse Ele, "está pronto, mas a carne é fraca" (Mateus 26.41). "Dormi agora e descansai" (v. 45). Ele havia procurado receber deles algum apoio, mas quando a tristeza os venceu e Ele não recebeu apoio algum, Jesus não teve palavras amargas de reprovação; e quando oficiais finalmente vieram para prendê-lo, enquanto o beijo do traidor ainda estava em sua bochecha, e aqueles que carregavam as lanternas e tochas o agarraram, Ele nem por um momento pensou em si mesmo, mas disse: "Se é a mim que procurais, deixai estes ir embora" (João 18.8). O pastor, pronto para dar sua vida por elas, pensou apenas nas ovelhas, sem fazer acordos ou estabelecer condições que o beneficiasse.

Nós vemos exatamente a mesma coisa na cruz. Lá, onde suas dores e agonia estavam no auge, Ele tem um pensamento, mas o pensamento diz respeito aos seus assassinos: "Pai, perdoa-lhes, pois não sabem o que fazem" (Lucas 23.34). Ele tem outro pensamento, e é sobre sua mãe, então Ele diz ao discípulo amado: "Filho, aí está tua mãe", e à sua mãe, "Mulher, aí está o teu filho" — do princípio ao fim, sem interesse sobre si mesmo.

E assim foi no caso do texto que está incrustado como uma joia preciosa. "Não choreis por mim", disse Ele, quando a maioria das pessoas teria apreciado lágrimas delas; "Não choreis por mim; chorai, sim, por vós mesmas e por vossos filhos" (Lucas 23.28).

Agora, nesse grande desinteresse de nosso Salvador por si mesmo, certamente há algo para nós, que somos seus discípulos, aprendermos. Nossa condição mais elevada será quando formos como nosso Mestre, e nossa melhor regra de vida é imitá-lo em todas as coisas. Quando estamos sofrendo muito, muitas vezes somos muito cobiçosos pela compaixão humana. É natural que a desejemos e sejamos afetados e animados por ela. Às vezes, contudo, o natural pode ser permitido até um ponto além do certo e do nobre. Deixe-me lembrá-lo de que existe algo mais elevado do que receber o que nos apraz. Às vezes, é uma coisa mais elevada abrir mão dela e, pensando nas dores dos outros, pedir que compaixão seja demonstrada alhures, em vez de por nós. Penso que muitas vezes, como cristãos, vocês verão ser uma coisa certa e fortalecedora para vocês mesmos oferecer a compaixão que esperavam e ir manifestá-la aos outros. "É verdade", você pode dizer, "eu me sinto muito mal, mas há outros que têm mais doenças do que eu e menos conforto para aliviar sua tristeza. É verdade que sou pobre e você pode ter pena de mim, mas existem alguns mais pobres do que eu. Se você pode ajudar e sente pena, ajude-os primeiro".

Foi um ato nobre do soldado agonizante — o capitão agonizante — quando ergueram para ele um pouco de água. Ele estava morrendo rapidamente, mas percebeu que um pobre soldado mais perto da morte do que ele se virou com olhos ansiosos, como se quisesse tomar um gole, e o capitão deixou o copo passar por ele e o soldado beber. E muitas vezes, a coisa mais grandiosa que podemos fazer quando desejamos muito é nos contentar em desejar, porque há alguns que desejam ainda mais — quando podemos dizer: "Eu sou grato a você por sua compaixão que chora por mim, mas há sofrimentos piores que os meus". "Filhas de Jerusalém, não choreis por mim" (v. 28). Ora, em pleno ato a mente se torna mais forte.

Esse ato de abnegação fará mais para consolá-lo do que o próprio consolo. Você obteve mais do que recebeu; você cingiu seus lombos com uma força que de outra forma não teria obtido. Que nobreza isso nos confere, quando nossa abnegação pode ser praticada mesmo em tempos difíceis e em épocas de terrível angústia! Você me diz que isso é mais do que se pode esperar do homem? Eu garanto que é, e a glória divina consiste em ela poder produzir o que a natureza não pode: ela pode fazer os cristãos realizarem o que, como homens mortais, eles não poderiam pensar em fazer — pode fazê-los olhar para aquele que, sendo homem, está diante de nós como nosso grande exemplo e cujas perfeições infinitas é nossa alegria buscar. Não posso dizer mais, sinto que falo indignamente de tal tema, mas recomendo-o à sua reflexão — o desinteresse dos cristãos por si mesmos levado a cabo até o fim.

II

Agora, todavia, em segundo lugar, devo dirigir sua atenção para a clareza de julgamento de nosso Senhor. A clareza de Jesus, eu acho, é vista nisto: havia motivo para chorar por sua causa e por ser condenado à morte, mas com imparcialidade julgou que havia motivo maior para chorar por outra coisa. Colocando-se, portanto, totalmente fora de questão, por seu desinteresse, Ele julga imparcialmente que havia uma causa mais profunda e mais amarga de pesar para aquelas mulheres do que o fato de Ele próprio estar prestes a ser morto. O pecado de que sua nação era culpada, o julgamento avassalador que logo viria sobre eles, e que seus filhos logo teriam de sofrer —, Ele concebeu essas coisas em seu julgamento supremo como sendo causas piores de tristeza do que sua própria morte. Não é uma das coisas mais dolorosas na terra que haja algo que seja causa mais grave de tristeza do que a crucificação? Penso que posso estar aqui e dizer que a dor pelo Salvador agonizante deve ser incomparável.

> Por que morreu meu Salvador,
> Na cruz seu sangue deu?
> Por que Jesus se deu por mim,
> Um verme como eu?
> O sol não deu a sua luz
> Ao ver o Criador,
> Que se encarnou em Jesus,
> Morrer por mim na cruz.
> Meu rosto quero esconder
> Ao ver a tua cruz;
> Derrete-se meu coração
> De gratidão, Jesus!

Não é esta a causa primária de toda dor, a maior fonte de todo sofrimento? "Não", temos que responder, "não é", há um motivo maior para a dor do que este. Temos a autoridade do Salvador para isso. Se esta noite Ele nos visse chorando diante de sua cruz, com tristeza por seu sofrimento, Ele nos diria, como disse àquelas mulheres: "Filhas de Jerusalém, não choreis por mim, chorais, sim, por vós mesmas e por vossos filhos" (v. 28). Em alguns aspectos, é agradável ver uma congregação emocionada com a história do sofrimento do Redentor. Quando alguém está descrevendo a cruz de Cristo, e todas as dores que Ele sofreu lá, parece certo — e nós pensamos que também é uma coisa santa — que os corações sejam afetados e que as lágrimas fluam, mas há algo pelo qual se deve chorar mais do que por isso. Há uma tristeza mais profunda do que essa, embora isso pareça chegar ao abismo: é o pecado. É o pecado pelo qual as filhas de Jerusalém deveriam chorar, o pecado que as destruiria. E Cristo, nesta noite, parece nos dizer que o pecado é mais motivo de choro do que até mesmo a sua morte.

Agora deixe-me mostrar como é isso. Em primeiro lugar, se choramos pelo que Ele sofreu, mas não lamentamos pelo pecado, lamentamos o efeito, mas esquecemos a causa, pois era o pecado que estava por trás de tudo o que Ele sofreu. No jardim, onde caía o suor de sangue, o que tornava a taça tão amarga, tão transbordante com a poção da morte? Foi o seu pecado e o meu. Lá estavam as transgressões de seu povo que foram postas nele. Na sala de Pilatos e no tribunal de Herodes, não foi tanto o cuspe na cara nem a zombaria quando o fizeram rei com uma coroa de espinhos que o fizeram sofrer; foi a verdadeira vergonha do pecado que recaiu sobre o Salvador. Ele nunca pecou, mas se colocou em nosso lugar, o lugar de vergonha, o lugar de desonra. Teria sido muito pouco para Ele ter sido desprezado, menosprezado e rejeitado; Ele poderia ter suportado isso muito bem, mas seu rosto estava escurecido porque "daquele que não tinha pecado Deus fez um sacrifício pelo pecado em nosso favor, para que nele fôssemos feitos justiça de Deus" (2Coríntios 5.21). E quando Ele foi para o madeiro você não deve pensar que os cravos cruéis que perfuraram suas mãos e pés ou a agonia da sede foram o ápice de seus sofrimentos. Cada um de seus pecados se tornou um prego que perfurou sua alma; e a descrença, uma lança que atravessou o mais profundo do seu coração. Seu sofrimento ali surgiu quando o rosto de seu Pai foi escondido dele, e isso foi o resultado de nosso pecado. Agradou ao Pai feri-lo. O Pai o fez sofrer e fez de sua alma uma oferta pelo pecado. O Senhor colocou sobre Ele a iniquidade de todos nós. "Por que me desamparaste?" Essa pergunta terrível que o Filho fez ao Pai Divino tem toda a aflição condensada nela, mas a base dela é o pecado, o pecado, o pecado! Não é, então, o efeito que deve ser tamanho para ser chorado, mas a causa, e, sendo assim, enxugue seus olhos ao contemplar o Salvador sangrando, ao vê-lo açoitado ou observá-lo como crucificado; não deixe cair lágrimas de tristeza ali, mas olhe mais além, e veja seus pecados que causaram isso, e incline sua cabeça em amargura também. E ainda, doce dor, posso dizer,

Meus pecados! Meus pecados! oh, meu Salvador!

Quão triste caem eles sobre ti sem fim!

Vendo a angústia terrível do teu coração,

Sinto-os dez vezes mais pesados dentro de mim.

Não choreis por mim, antes por seus próprios pecados chorais.

Pense novamente, e aqui está outra razão para chorar: que o pecado reinou neste mundo e ainda reina nele, que este mesmo Salvador, cuja preciosa morte é a fonte de nossa salvação, ainda é rejeitado. Eu já me sentei em meu quarto e pensei sobre as dores de meu Senhor até sentir minha alma derreter dentro de mim; porém, como eu continuei e meu coração se arrependeu, e mostrei a cruz àquela alma, e a fé foi dada, e aquela alma olhou para Cristo, sinto que Cristo viu o trabalho de sua alma, e eu senti o que eu sei que Ele sente quando, por causa da alegria de uma alma salva, Ele já não se lembra do trabalho — um tição tirado das chamas.

Saia, portanto, de seu quarto silencioso depois de meditar sobre o assunto, desça uma de nossas ruas e ouça juramentos e blasfêmias; pare do outro lado daquela esquina onde as luzes brilham tão intensamente e os copos circulam tão livremente; veja aqueles que entram e saem com os rostos inchados; observe os sinais do vício daquele teatro, as meretrizes em suas hordas ao entardecer... pense em tudo isso, e 10 mil vezes mais estas coisas que meus lábios não podem pronunciar, e que muitas delas seus ouvidos não devem ouvir — e tudo isso acontecendo em uma cidade onde Cristo é pregado! E feito por pessoas que conhecem o Salvador. Aquele bêbado estava em uma escola dominical; aquela mulher desgraçada tinha uma mãe piedosa; aqueles que amaldiçoam e juram pelo menos sabem o nome de Cristo. Ouça como eles usam isso! Como eles o pisam na lama! Oh, é por essas coisas que você pode chorar.

Mulheres de Londres, não chorem pelo calvário, mas chorem por causa de sua própria cidade e pelas iniquidades que a lua vê e o sol contempla. Aqui, onde Cristo é pregado, onde o sábado é separado para contar a história incomparável da redenção do homem, onde o homem recebe oração na presença de Deus, e ainda assim, o pecado corre por nossas ruas, e Deus é blasfemado! Oh, chorem por essas coisas!

Acho que sei algo pior, e é isto: esta casa está apinhada em quase todas as ocasiões em que a Palavra é pregada — apinhada de ouvintes. Esses corredores, esses assentos estão todos lotados, e se fala de Jesus Cristo; e posso dizer de maneira muito simples e clara que vocês não têm dificuldade em entender o que eu tenho a lhes dizer; posso dizer também, com muito carinho e sinceridade, que meu coração vai com cada palavra que digo — nisto, não sou um enganador. Por Deus, como gostaria de poder anunciar Cristo melhor, mas prego no melhor estilo que posso e estaria disposto a ir para a faculdade a fim de começar a aprender a pregar, se pudesse pelo menos esperar ter mais efeito. Contudo há pessoas que vêm, e aprendem, e ouvem sobre o caminho da salvação, mas não o seguem. Eles ouvem que o perdão lhes é oferecido gratuitamente, mas não o querem. Eles ouvem falar do inferno e é para lá que vão; eles ouvem falar do céu, mas viram as costas para ele. Oh, no entanto você diz: "São pessoas que vêm por acaso de vez em quando, ouvem apenas uma ou duas vezes, ou três ou quatro vezes, e vão embora e esquecem". Ah! Se fosse assim, eu ficaria triste. Contudo essas não são as pessoas a quem me refiro agora. São aquelas que estão sempre aqui — senão sempre aqui durante a semana, sempre aqui nos dias de sábado. E eles também são ouvintes atentos e têm um grande amor pelo ministro, e não esquecem seus sermões, e falam sobre o que ouvem; mas eles não amarão o amável Salvador, nem virão e depositarão seus fardos a seus queridos pés, mas ano após ano e ano após ano eles ouvem, mas não ouvem. O encantador encanta, mas eles são cobras surdas a seus encantos.

III

E não é só o pregador que tem essa decepção. Alguns estão em aulas, onde homens e mulheres cristãos fervorosos lhes falam. Alguns deles tiveram pais piedosos, mães no céu, e eles próprios estavam a caminho do céu. Eles foram criados cercados por influências do tipo mais sagrado, desde a mais tenra infância. O que os afetará? Que meios podem ser inventados para alcançá-los, pois é como se estivessem revestidos de ferro e aço, com uma armadura de metal impenetrável. Eles ouvem, eu digo, mas não ouvem; eles veem, mas não veem. Seus corações parecem pesados a tal ponto que temo que tenham negligenciado a Cristo por tanto tempo que Ele, em sua justiça, disse: "Deixe-os em paz; Eu vou desistir deles; eles verão seu próprio delírio". Oh, aqui está algo pelo que chorar! Você que está inclinado a pensar na cruz e no corpo do Salvador retirado todo ensanguentado daquela cruz, e envolto em linho, e colocado na sepultura, ponha de lado suas lágrimas e pense nesses que jazem nas cavernas do pecado até que se tornem deteriorem, e Deus os coloca fora de vista.

Mais uma vez e deixe-me seguir este caminho de pecado um pouco mais, e acho que você ouvirá o bendito Mestre dizer mais enfaticamente do que qualquer palavra minha pode dizer: "Não choreis por mim; chorai, sim, por vós mesmas e por vossos filhos" (Lucas 23.28). Ouvintes do evangelho, vocês não serão para sempre os ouvintes do evangelho. A hora de sua partida desta terra se aproxima. Temo que haja alguns neste momento que costumavam ouvir o evangelho neste mesmo lugar, que agora estão onde nunca terão outro aviso e outro convite. Seus pensamentos ousam segui-los? Você ousa pensar que eles estão presos para sempre nas trevas exteriores, onde há choro, pranto e ranger de dentes? Você se atreve a se lembrar das palavras de julgamento, "eles irão para o castigo eterno" (Mateus 25.46)? Você consegue se lembrar daquela expressão terrível: "Onde o verme não morre e o fogo não se apaga" (Marcos 9.48)? Oh, não é o calvário que deve ser chorado, mas o inferno, as almas perdidas, perdidas, perdidas, almas que ouviram falar da salvação, almas que foram convidadas ao Salvador — perdidas, perdidas para sempre! Os anjos podem chorar aqui. Eu digo que os próprios serafins podem se curvar de seus tronos dourados para chorar pelos espíritos expulsos por aquela terrível sentença: "Malditos, afastai-vos de mim para o fogo eterno, preparado para o Diabo e seus anjos" (Mateus 25.41). Filhas de Jerusalém, não chorem lágrimas sentimentais, mas derramem lágrimas de verdadeiro pesar pelas almas que estão dirigindo-se para esta destruição, destruindo-se ao rejeitar o amor do Salvador. Eu gostaria de poder falar mais sobre isso, mas não posso, só posso colocar isso diante de vocês dessa forma rude, e que Deus toque seus corações.

Contudo a última coisa é: acho que vejo neste texto a praticidade de nosso Senhor. Veja, eu dei a você o desinteresse, a clareza e o julgamento dele, e agora vou falar da praticidade de nosso Senhor. Ele nunca teria nada que não fosse de uso prático. Mesmo que elas chorassem, Ele não poderia parar — Ele precisava morrer. Todas as lágrimas derramadas eram de uma compaixão muito fraca para que lhe fosse útil. Contudo, "chorai por vós mesmas", disse Ele, "e por vossos filhos" (Lucas 23.28), como se houvesse algo prático aqui.

Deixe-me observar que chorar pelo pecado é uma coisa muito mais prática do que chorar pelo Salvador, pois, primeiro, as lágrimas pelo pecado — se, por Deus, eu pudesse vê-las em todos os olhos — indicam algum grau de vida espiritual. Aqueles que choram por seus pecados, que se arrependem e lamentam por terem transgredido, certamente possuem algo que estremece em suas almas e que me dá esperança. Quando se pode dizer de qualquer homem: "Veja como ele vive sem pecado", embora ainda não tenha encontrado o Salvador, há muito encorajamento em seu caso. Quando falo em lágrimas, não me refiro às que fluem apenas dos olhos, pois alguns não poderiam chorar — quero dizer, as lágrimas do coração, o arrependimento da alma. Onde elas estão, eu digo que há sinais de alguma vida, e é por meio delas nas mãos de Deus, quando obtemos vida, que alcançamos algo mais elevado. Acredito que quando alguém ama Cristo e encontra o perdão perfeito, a continuação do arrependimento é o grande meio de atingir uma condição ainda mais elevada. Continuar lamentando o pecado é continuar crescendo em graça. As lágrimas são abençoadas regando as flores da graça. Embora nossos pecados sejam perdoados, agora nós os lamentamos mais do que nunca, e, lamentando o pecado, vamos do estado mais baixo da vida espiritual para o estado mais elevado.

Deixe-me acrescentar que o caminho do estado superior ao mais elevado é em grande parte uma estrada regada por lágrimas. Não acredito que homem algum se tornará um cristão evoluído, a menos que haja muito lamento pelo pecado. Se a sua vida espiritual não tem nada do orvalho do arrependimento, ela é uma coisa pobre — temo que seja uma ficção. Bem, não devo julgar nenhum homem, mas teria dúvidas em meu próprio caso se ele assim o fosse "Orgulhamo-nos em Cristo Jesus."

No entanto aí vem o restante: "Orgulhamo-nos em Cristo Jesus, e não confiamos na carne" (Filipenses 3.3). Onde não há confiança na carne, há muita tristeza e luto pelo pecado. Rowland Hill costumava dizer que esta era a única coisa sobre o céu que ele lamentava: que não haveria arrependimentos.

"Os seus olhos são como pombas junto à beira de um riacho" (Cântico dos Cânticos 5.12) — não me deixes nunca perder aquele olhar de arrependimento. Não me deixes chorar por nada além do pecado, e por ninguém além de ti; e então que eu possa, oh, que eu possa não ter ninguém além de ti! Há algo prático aqui.

Vocês notaram que nosso Salvador disse: "Chorai por vós mesmas" (Lucas 23.28)? Todavia Ele também disse "Chorai por seus filhos" (v. 28). Todos nós estamos ansiosos para que nossos filhos sejam salvos, e Deus provavelmente nos concederá essa bênção sempre que nossa ansiedade for profunda, pois não acredito que pais chorosos terão filhos ímpios por todos os seus dias. Ou se o pai que chora não vive para ver seus filhos salvos, ainda assim suas orações serão registradas no céu, e Deus abençoará seus filhos mesmo depois que o pai tiver ido para o céu. De qualquer forma, algum de vocês pode pensar em seus filhos vivendo uma vida sem Deus ou em sua filha sem salvação — e você o faz sem sentir ânsia em suas entranhas por seus próprios filhos? O Salvador ordena que você exercite essa emoção natural e dê a ela uma língua espiritual: exercite seu amor por seus filhos, suplicando por eles diante de Deus por amor de Cristo, e então haverá algo prático em seu choro que não haveria apenas em chorar por Cristo. Se você chorar por si mesmo, chore por seus filhos, e então a graça virá disso e a salvação virá dela; Deus será glorificado, e você, abençoado.

Que o Senhor, em sua infinita misericórdia, permita a todos nós nos escondermos sob a cruz de Cristo, e que nossos queridos filhos também possam vir até ela por meio de Jesus. Amém!

3

NO LUGAR DA ESCOLHA DE DEUS

Como a ave que vagueia longe do ninho,
assim é o homem que vaga longe do lar
(Provérbios 27.8)

NÓS temos aqui a sabedoria de Salomão. Ela se refere principalmente aos assuntos humanos, pois muitos de seus provérbios não se destinam aos olhos espirituais, mas a um emprego literal por nós nos negócios da vida. Contudo eu acredito que alguém maior que Salomão está aqui, pois este escreveu sob inspiração divina e, portanto, podemos tomar uma passagem como esta a fim de obter algum outro significado além do que encontraremos na mera letra dela, e o princípio que isso envolve pode ser levado a uma esfera mais elevada do que a dos negócios humanos. Vou me esforçar para misturar os dois. Não há menos Salomão aqui porque temos o Espírito Santo, nem há menos Espírito Santo porque temos Salomão. Vamos acreditar que temos algo de ambos e encontrar o significado que pode ser transmitido no texto tanto do lado humano como do divino.

I

Primeiro, acho que o princípio do texto pode ser aplicado a um homem em seu lugar na providência. Como uma ave que vagueia longe de seu ninho, assim é um homem que pronta, constante e apressadamente vagueia do seu lar. Há ocasiões em que um homem pode ir longe, e ir muito longe, em seu próprio benefício e cheio de razão. É sempre difícil para aqueles que amam sua terra natal e as ligações com seu lar serem levados a um novo lar, mas desde o momento em que Deus desceu para ver a torre de Babel, tem sido sua estratégia que toda a terra deve ser preenchida de novo com habitantes, e

Ele intenciona, por um processo ou outro, que os homens sejam dispersos dos densos centros populacionais, e que toda a terra seja povoada. Se todos os nossos ancestrais tivessem ficado em casa, se fosse errado eles deixarem suas terras, onde estariam as vastas populações que agora estão fervilhando no outro mundo, do outro lado do Atlântico, na América? E a Austrália ainda poderia ter apenas alguns nativos e feras selvagens perambulando pelo lugar. Não é, portanto, errado que as pessoas se mudem de seus lares. Há ocasiões em que é eminentemente certo que o façam.

Quando é certo, então, um homem se mudar? Eu respondo que ele não contraria o espírito deste texto se sair de seu lar não tendo ninho de onde ir embora. Uma ave vagueia longe de seu ninho, mas quando um homem não tem ninho, quando está em uma terra onde não pode ganhar o pão de cada dia, quando não pode sustentar seus filhos, quando descobre que seu lugar não tem conforto, que ele não pode obtê-lo por nenhuma vocação legítima ou legal, então não se pode dizer que ele é uma ave que vagueia de seu ninho porque não tem nenhum ninho de onde partir. Deixe-o vaguear até que ele encontre um ninho. Você verá as gralhas nesta estação do ano. Elas experimentam uma árvore, e, se depois de colocarem alguns gravetos, ela não servir, elas a deixam e, com razão, partem para outra. Seria tolice prosseguir numa impossibilidade; e às vezes um homem é tolo por ficar em um lugar onde não é possível para ele prover-se de coisas honestas aos olhos de todos os homens.

Um homem, digo novamente, não infringe o espírito deste texto se Deus destruir seu ninho por ele, pois se o ninho for desfeito por uma mão superior, a ave deve voar. E assim, se Deus, na providência, evidentemente torna insustentável a posição atual de qualquer homem cristão, ele não deve ter medo de se aventurar, mesmo que seja até os confins da terra, em rios desconhecidos para uma canção. Se Deus o mandar ir, ele pode ir com segurança suficiente; ele não é um andarilho. Pois quando Deus diz "Vá", não saímos de casa porque queremos. Sempre que a nuvem se movia no deserto, Israel se movia. Eles teriam pecado se tivessem se movido sem a nuvem; e teriam sido igualmente pecado se tivessem parado quando a nuvem abriu o caminho. Se você pode sentir que a providência de Deus o está direcionando para mudar sua posição, mudar sua habitação, mudar seu comércio, mudar seu lugar... se você pode sentir que está fazendo isso visando unicamente à glória de Deus, faça; e o Deus que estava com Abraão quando ele saiu da Caldeia e entrou em Canaã irá com você. O Deus que ordenou a seus servos que andassem para cá e para lá, e esteve com eles em suas andanças, estará com você. Você não precisa ter medo. Vá, e o Senhor vai com você.

Contudo o texto chega com força total para aquelas pessoas de disposição inquieta. Há aqueles que estão sempre mudando de lugar. Eles não conseguem se conformar com nada. Por um instante eles são tudo, mas por muito tempo são nada. Eles estão aqui, ali e em todos os lugares. Essas pessoas não podem prosperar. Uma árvore que é frequentemente transplantada provavelmente não dará muitos frutos. Nosso ditado inglês diz que "Três mudanças são tão ruins como um incêndio", e você pode ter certeza de que é assim, que mudar-se constantemente significa perder constantemente, e, no fim das contas, isso significa ter um constante decréscimo em seu conforto. Deus nos livre desse espírito incapaz de estar contente. Tendo comida e vestuário, estejamos contentes com isso. Não estejamos sempre suspirando por novas vistas — novas vistas e novas pastagens.

O texto condena aqueles, digo outra vez, que mudam por meros motivos de avareza ou ambição. Porque, apesar de poderem receber mais, embora tenham o suficiente, eles destruirão todo conforto de seu lar. Desejar ganho não é pecado. Há um limite até o qual é lícito, além do qual se torna cobiça, que é idolatria, mas estar sempre preocupado com os bens deste mundo, esperando ser rico e capaz de mudar para outra condição, é não buscar primeiro o reino de Deus e a sua justiça, mas buscar o mundo; e aqueles que buscam o mundo descobrirão que ele os enganará. Não tenho o direito de dar nem um passo simplesmente por egoísmo. Eu devo ter um motivo muito mais elevado que isso. Para o cristão, a primeira coisa na vida é fazer o bem — glorificar a Deus fazendo o bem, e quando sentir: "Lá eu posso fazer o bem que não posso fazer aqui, e mais além está um ramo mais amplo e mais adequado para mim, onde espero trazer mais honra ao meu Senhor e Mestre", então você poderá ir; mas ir por causa da inquietação ou do egoísmo é ir como a ave que vagueia longe do seu ninho: não será bendito pelo Senhor.

II

Também é assim se a mudança for por causa da covardia ou da indolência. Muitas vezes um homem foge da batalha: ela não lhe agrada. Em vez de lutar bravamente como um soldado da cruz, ele tenta chegar aonde nenhum disparo possa alcançá-lo, um local onde ele não precise desferir um golpe sequer. Muitas pessoas, sem estarem muito conscientes disso, são culpadas de covardia dessa mesma maneira. Você diz: "Minhas tentações, em certa situação, são muito grandes; portanto, vou mudar minha situação". Tem certeza de que você está certo? Se as tentações são grandes, a graça também é. Lutar contra essas tentações talvez não seja para a glória de Deus e para o seu próprio benefício, e você, portanto, está certo em ir? Muitas pessoas, ao mudarem, pioram suas tentações. Eu teria muito medo de mudar qualquer uma das minhas tentações; pois as que tenho, começo a conhecê-las um pouco, mas se eu tivesse uma porção nova de tentações, não sei como poderia suportá-las. Nossas tentações são muito parecidas com os mosquitos dos quais se comenta quando você está viajando: é melhor você deixar os antigos lhe picarem, pois se você os afugentar, haverá outros novos com mais fome do que os que foram afugentados, e você estará em uma situação ainda pior. Você conhece as tentações da pobreza, meu irmão, mas não conhece as tentações da riqueza. Você conhece as tentações da família e se propõe a fugir para a solidão. Contudo você não conhece as novas tentações que estão por vir e pode não ser capaz de resistir-lhes. Deus ajustou o peso às costas e as costas ao peso.

De todas as cruzes do mundo, a sua própria cruz é provavelmente a mais fácil de carregar. Se você tivesse de levar a cruz de outra pessoa, poderia muito bem lamentar-se por ter feito uma troca muito infeliz. Fique onde está, não seja covarde nem busque seu próprio conforto. Na vida a prioridade não é ser tranquilo e ser feliz, ser alegre e ser rico, ser admirado e ser próspero. Existe algo mais nobre do que isso. Muitas vezes, é algo muito mais grandioso não saber nada do que o descanso significa na vida, exceto o descanso em Deus, não saber nada sobre a tranquilidade, sobre a prosperidade, exceto a prosperidade da alma, e assim, por meio de muitas tribulações, glorificar a Deus nas dificuldades e encontrar seu caminho para a felicidade eterna por meio da essência da questão, como na questão da providência. O Deus que designou os limites de nossa habitação foi sábio ao fazê-lo. Às vezes, é sensato mudar-nos: tomemos cuidado para não nos mudarmos até que isso seja sensato. Não sejamos como aqueles que são como o fogo-fátuo, constantemente esvaindo-se, mas lembre-se de que, como uma ave que vagueia longe do seu ninho, assim é um homem que vagueia longe do seu lar.

Bem, agora vamos alcançar um nível mais alto do que este. Até agora foi Salomão e sabores do mundo; mas, em segundo lugar, o texto pode muito bem ser aplicado ao homem que vagueia de seu lugar no mundo religioso — seu lugar na igreja. Há ocasiões em que um homem faz bem em deixar a igreja em que está ligado, quando o melhor a se fazer é romper as ligações de sua juventude. Além disso, se eu estou em uma igreja e estou persuadido de que as doutrinas ensinadas não são as doutrinas da Escritura, quanto mais cedo eu entrar em minha discordância contra elas, melhor. Se eu fui criado em uma igreja, e até mesmo convertido em uma igreja, e edificado em uma igreja na qual vejo que alguma outra autoridade é reconhecida além da autoridade de Cristo, e algum outro ensino além do ensino do Espírito Santo na Palavra... se estou convencido do erro daquela igreja, a partir desse momento serei culpado, serei cúmplice do pecado da igreja se permanecer nela. A voz de Deus para a minha consciência deve ser: "Saiam do meio deles! Estejam separados. Não toquem em coisa impura" (2Coríntios 6.17). Será um dos dias mais felizes de sua vida, embora possa envolvê-lo em muitos problemas, se você puder se manifestar e protestar pela verdade como ela é em Jesus.

Às vezes, novamente, um homem pode muito bem mudar de congregação para ser mais bem alimentado, realmente mais bem instruído ou instruído de uma forma em que obtenha mais proveito com a instrução. Um homem não edificará todos. Se ele o fizesse, onde todos seriam reunidos para ouvi-lo? É uma grande misericórdia que, embora os ministérios que são verdadeiros concordem no que ensinam, ainda existam diferentes modos de ensino adequados a diferentes disposições. O Antigo Testamento fala das ovelhas que se alimentam à sua maneira, e não tenho dúvidas de que diferentes tipos de ovelhas têm diferentes maneiras de se alimentar, e que Deus designa diferentes pastores auxiliares para diferentes encargos. Os homens que podem ouvir um homem e beneficiar-se podem não ser capazes de ouvir outro e podem não suportar um terceiro. No entanto, o primeiro, o segundo e o terceiro serão todos homens igualmente bons e úteis. É errado dizermos qual deles é o melhor — Paulo ou Apolo. É errado estarmos discutindo sobre esse sacerdote, ou aquele, ou o outro. Deus designou os homens que serão adequados a seus servos, para que todos possam ser alimentados; e se eu descobrir que, no geral, não posso ouvir um certo homem bom (sem dizer uma palavra desagradável sobre ele, ou ter um pensamento rude) sem colocar toda a culpa em mim porque não sou edificado por ele quando vejo que outros são, pode ser, talvez, que a coisa mais sábia que eu possa fazer seja ir aonde minha alma é alimentada e lá me estabelecer. Contudo devo hesitar e me questionar a esse respeito, e não ser como alguns conhecidos andarilhos espirituais que por vezes estão aqui, ali e acolá, mas em nenhum lugar por muito tempo; e são tão úteis para a igreja quanto os andarilhos são para a nação, isto é, são um estorvo para ela, ao invés de qualquer aparato ou auxílio.

Sem dúvida, também, alguém pode muito bem mudar no mundo religioso sua posição de uma congregação para outra por questões que têm mais a ver com os outros do que com ele mesmo. A esposa, talvez, diga: "Outro dia, eu ouvi com grande deleite tal e tal ministro; porém, meu marido não iria lá. Ele iria a qualquer lugar antes de ir lá. Mas ele iria a tal e tal lugar e, portanto, desejo filiar-me àquela igreja na esperança de que meu marido frequente lá e receba uma bênção". Às vezes, você também pode dizer: "Bem, na verdade, eu, talvez, fosse uma pessoa melhor sob os cuidados de tal ou tal pastor; porém, posso ajudar na escola dominical em outro lugar", ou "Eles são fracos e precisam de fortalecimento, e devo tentar minha sorte lá e mudar da igreja mais forte para a mais fraca, não por mim, mas para o bem de outras pessoas — para que eu possa fazer o bem". Agora, eu acredito que este texto não se aplicaria de forma alguma a um caso como esse, e que esse querido irmão ou irmã seria justo e sábio ao se afastar de seu lugar — na verdade, não seria se afastar de seu lugar, mas seria simplesmente encontrar o lugar certo e entrar nele.

III

Agora, contudo, quando é que este texto atinge o coração de alguém ou deve fazê-lo? É quando alguém está constantemente indo de uma igreja para outra,

No lugar da escolha de Deus

e de um ministério para outro, por amor à novidade. Há uma nova estrela no Oriente e viemos adorá-la. Eis que uma nova voz se levanta, e nossos ouvidos estão coçando; assim precisamos partir e dar ouvidos a essa voz e a nenhuma outra. Oh, isso é infantilidade! Isso é leviano para com a ordenança da pregação. Quase me atrevo a dizer que é profanar a Palavra de Deus ao fazer com que o ouvir seja meramente uma oportunidade para satisfazer nossa curiosidade. A curiosidade pode ser satisfeita em certa medida sem pecado, mas não ao ponto de alguém ou a multidão ir simplesmente porque fulano é mencionado — oh, que não seja assim entre nós! Pois como uma ave que vagueia de seu ninho, assim é o homem que desse modo se desvia do seu lugar. O coração de muitos ministros quase foi quebrado pela conduta de alguns que agiram dessa forma imatura.

Alguns também mudam seu lugar religioso ansiando por maior respeito. Eles não são reconhecidos o suficiente na congregação em que estão: eles tentarão encontrar um lugar onde serão mais valorizados. Queridos amigos, vocês provavelmente não confessariam tal motivo; mas gostaria que vocês às vezes questionassem a seus corações (que é enganoso acima de todas as coisas) se esse motivo não pode surgir para mudar seu lugar de uma igreja para outra. Na verdade, o mais alto respeito que qualquer um pensa merecer ainda é muito, pois não somos dignos sequer de desatar as sandálias de Cristo; e caso consigamos uma posição tão boa quanto pareça, caso recebamos um serviço degradante por causa de Cristo, já será alto o suficiente. Deveria haver mais luta pelas posições inferiores na igreja e menos desejo pelas superiores, e haveria, se houvesse mais cristianismo entre nós. Conheci alguns que frequentavam um lugar de culto quando eram mais pobres, quando tinham um pequeno negócio; que costumavam ir a um lugar de culto onde se sentiam muito bem e gostavam muito da companhia dos cristãos e da comunhão com eles. Eles prosperaram no mundo, e agora não há um número suficiente de pessoas de sua posição e status na vida. Eles se tornaram tão elevados e dignos que os cristãos que antes eram suficientemente bons para ser seus companheiros, agora são seus inferiores. Se eu chamei de infantil o andarilho por curiosidade, como devo chamar esse tipo? Não vou insultar as crianças usando uma palavra como essa. É totalmente degradante para um homem se importar com essas coisas. Como habita o amor de Deus em uma alma movida por tais motivos?

Conhecemos, também, alguns que mudaram igreja devido a algum pequeno descontentamento mesquinho, e são como aves que vagueiam de seu ninho. Alguma bobeira insignificante, algo que poderia ter sido explicado com bastante facilidade, algum mal-entendido puro pôde tê-los levado a se sentir desconfortáveis, e eles foram para outro lugar. Lembro-me de ter ouvido falar de um homem que estava muito descontente com seu pastor, e quando a investigação foi feita, descobri que seu pastor tinha realmente passado por ele na rua sem reconhecê-lo. Ele guardou raiva em seu coração por algum tempo por causa disso, e ficou muito surpreso quando seu ministro disse a ele: "Você sabe, eu sou tão míope que, se não estivesse de óculos, dificilmente poderia ver um ou dois palmos à frente do meu nariz". Então ele começou a ver o quão tolo ele tinha sido por ter deixado a raiva tomar conta de si, ou o desejo por afeto, o que fora meramente causado por uma enfermidade. Contudo coisas insignificantes tão pequenas como essas frequentemente têm feito com que as mentes tolas desta geração mudem de um lugar para outro como uma ave que vagueia longe de seu ninho.

Já estou cansado de falar dessas coisas e, portanto, mencionarei apenas mais uma. Existem alguns que irão vagar de igreja em igreja, e de ministério em ministério, simplesmente porque outros vão. É estranho que, quando as pessoas não conseguem entrar em um lugar, estão sempre querendo entrar e, se houver espaço em algum lugar, elas não ocuparão o espaço. Se outros vierem, elas virão, e se outros não vierem, elas não virão. Há muito disso — porque outros vão. Agora, meus irmãos, que cada um julgue por si mesmo. Vocês estão mais felizes? Sua alma se alegra em Deus? Você vê que o ministério é um ministério da verdade? O Espírito Santo está sobre o pregador? Ele é ungido por Deus? Ele é uma bênção para as almas de seus filhos? Você acha que pode chegar lá com a esperança de que, por meio do ensino dele, você possa servir melhor a Deus? Então vá, se ninguém mais for. Se você é o único ouvinte, seja honesto com a pessoa e consigo mesmo. Mas não vá apenas porque outros vão. Não o fazemos em nossas relações normais. Julgamos os bens por nós mesmos e não os compraremos simplesmente porque outros os compram. E assim deve ser com as coisas de Deus. Devemos descobrir por nós mesmos onde Cristo é mais bem proclamado e honrado, onde seu Espírito está mais atuante, e ali, se aquele for o nosso lugar, permaneçamos. Que os outros vão para onde quiserem, quanto a nós, digamos juntos com o Dr. Watts:

Aqui encontro eu descanso,
enquanto outros vão e vêm
Não mais um estranho à sua mesa,
mas um filho seu, sei bem.

Bem, agora vamos dar um salto mais alto e obter um pouco mais de Salomão e um pouco mais da verdade espiritual. O texto é mais aplicável, em terceiro lugar, àquelas pessoas que vagueiam de seu ramo de serventia. Existem tais. Eu presumo que todo cristão tem algo a fazer por Cristo. Eu gostei de uma observação que vi outro dia: que um homem cristão não deve esforçar-se para encontrar argumentos do porquê ele deve ser um ministro, do porquê ele deve ser um pregador do evangelho, mas pensar que é necessário encontrar razões para não ser um. Creio que há verdade nisto: que todos nós temos, se tivermos alguma habilidade, um chamado para anunciar o evangelho de Cristo, e nossa única desculpa para não fazer isso deve-se a não sermos capazes de fazê-lo, e como todos nós temos algum tipo de habilidade para propagar o evangelho, cada um de nós é obrigado a fazê-lo. Contudo há pessoas que estão bastante dispostas a fazer algo por Cristo; na verdade, elas são muito apressadas em desejar fazê-lo, e começam imediatamente, e como correm rápido. Não é à toa que logo ficam sem fôlego, e então descobrem que a forma de serviço que empreenderam não é adequada e assim assumem outro serviço; e com uma corrida vigorosa elas vão trabalhar nisso, e estacionam de repente, e descobrem que, no fim das contas, o que existe é um terceiro modo de servir a Deus melhor do que os outros dois, então elas vão por aí. Ah, e com que zelo! Com que rapidez elas param por aí! Elas são isso, elas são aquilo, elas são aquillo outro, mas elas nunca logram êxito em nada. E, infelizmente, existem alguns cristãos que, se por algum tempo foram bem-sucedidos em um bom trabalho, de repente desistiram. Ou ficam desanimados por não terem conseguido sucesso, ou então têm a noção de que já fizeram o suficiente e que é hora de descansar. Caros irmãos, se o lavrador desistir de sua fazenda porque, depois de lavrar em outubro e novembro, não tem colheita em abril — se desistisse do arrendamento e renunciasse sua fazenda logo que começasse maio, onde estaria sua sensatez? No entanto, é assim com alguns: eles não conseguem continuar fazendo o bem. Eles parecem querer colher imediatamente, esquecendo-se de que colheremos se não desfalecermos, mas que colheremos apenas "no tempo oportuno".

Alguns desistiram de seu trabalho porque, como eu disse, acham que já fizeram o bastante. É um argumento estranho para qualquer homem cristão utilizar. Se o mesmo argumento se aplicasse à natureza, em que triste estado estaríamos! O sol poderia dizer: "Já brilhei o bastante"; a lua poderia dizer: "Já alegrei a noite o bastante"; o mar poderia dizer: "Já fui para lá e para cá como a pulsação da vida no universo e já fiz o bastante"; a terra poderia cessar seu estoque de pão e dizer: "Já produzi colheita o bastante"; e o próprio Deus poderia dizer (e oh, quão bem e justamente Ele poderia dizer!) "Já fiz o bastante por esta geração ingrata!" Meu irmão, se você tiver apenas mais um fôlego para respirar, expire para Deus. Se você ficou grisalho e decrépito enquanto servia ao Mestre, continue servindo e não tire licença, mas persevere até que o último átomo de vida se vá, como John Newton, autor do hino Maravilhosa graça, que, quando mal conseguia subir as escadas do púlpito da igreja de St. Mary Woolnoth, e tinha de ser ajudado a subir, erguido e praticamente deitado na plataforma; foi persuadido a não pregar mais porque ele era muito velho para isso. Aí respondeu: "O quê? O antigo blasfemador, traficante de escravos deixará de louvar a Deus e pregar a Cristo enquanto houver respiração em seu corpo? Não! Nunca!" Ainda devemos continuar a trabalhar para o Senhor. Pois, queridos irmãos e irmãs em Cristo, vocês que estão trabalhando para o Mestre, quero que observem duas ou três coisas. Aqueles que mudam seu ramo e seu modo de servir são como uma ave que vagueia de seu ninho porque perdem a adaptação que foram ganhando lentamente. A ave se adapta ao seu ninho ao aninhar-se nele. Torna-se um ninho adequado para ela. Um obreiro cristão começa a se acostumar com seu trabalho e, se vagueia, perde isso. Não consigo aprender de imediato a arte de ensinar crianças. Portanto, devo trabalhar gradativamente nisso. Bem, se renuncio a esse trabalho e começo outro, tenho de começar do começo novamente. Sou como uma pessoa que aprendeu um ofício e depois de dois anos desistiu e teve de começar um novo aprendizado para algum outro emprego. É uma pena perder a aptidão para qualquer serviço. Pior do que isso, quem muda seu trabalho perde muito: ele perde o resultado do que fez, e nós queremos que cada pedra que colocamos para Cristo guarde o seu lugar. Aquele que começa uma casa e não a termina perde o que gastou nas fundações e nas paredes. Quem semeia, mas deixa de colher, perde a semente que lançou nos sulcos. Não saia dessa classe de meninos: fique com eles. Você os ensinou tantos domingos, você orou por eles tantas vezes — fique com eles até vê-los convertidos. Não abandone aquele pequeno ponto de pregação nos becos. Você tem algumas pessoas reunidas. Continue trabalhando; não perca o que você fez. Pense: "Eu não posso jogar tudo isso fora — esses meses, esses anos de serviço; eu aguentarei até que Deus estabeleça meu trabalho e me dê algum sucesso nele". Não perca o esforço que você já dispendeu.

IV

Além disso, tal pessoa mostra, ao passar de serviço em serviço, que tem um espírito instável. Você sabe que está escrito: "Turbulento como as águas, não conservarás a superioridade" (Gênesis 49.4). Ninguém se sobressai se carecer de perseverança. E, irmãos em Cristo, eu oro para que todos os membros desta igreja se sobressaiam. Eu gostaria que vocês não fossem cristãos comuns, mas cristãos de um tipo especial. Se não podemos todos atingir "os três primeiros lugares", que cada um de nós, todavia, seja alguém valoroso para seu Senhor e Mestre.

Além disso, estou convencido de que qualquer homem que deixa o serviço de seu Senhor, e não o deixa para exercê-lo em outro ramo, mas vagueia de seu lugar, com certeza entrará em um mundo de problemas. Eu gentilmente daria um sacudidela em um irmão que estivesse tentado a desistir do trabalho para seu Mestre, e sussurraria uma palavra em seu ouvido, e essa palavra seria "Jonas!" Se ele me pedisse uma explicação, eu lhe diria: "Jonas não foi mandado a Nínive, e ele não quis ir?" No entanto, consequentemente ele foi enviado para um lugar inesperado! Jonas nunca teria de gritar do fundamento dos montes, com juncos enrolados na cabeça, se tivesse ido para onde Deus o tinha enviado. Se não fizermos o que Deus nos manda fazer, mas tentarmos fugir para Társis, descobriremos que Deus tem uma vontade, e embora, talvez, Ele possa nos trazer para cima, em terra seca, como fez com Jonas, podemos descobrir que Ele nos deixará em grandes apuros por deixarmos seu serviço. Não sejamos tão falsos ou infiéis como sempre para nos esquivarmos do serviço de Deus. Às vezes, o cristão mais fervoroso em momentos de fidelidade depara-se com isto: "Oh! Se eu pudesse sair dessa! Não estou fazendo o trabalho do meu Mestre como desejaria. Não vendo a prosperidade que desejaria, grito com Elias: 'Toma agora a minha vida, pois não sou melhor que meus pais!'" (1Reis 19.4). Que Deus nos cure dessa doença! E eu não conheço nenhuma cura melhor do que ele nos deixar ver o crucificado com a coroa de espinhos sobre a cabeça, trabalhando continuamente ante a vergonha, o sofrimento e a repreensão, e nunca desistindo de sua obra de vida até que, entregando seu espírito, Ele disse naquele momento: "Está consumado". Que possamos nos empenhar até que esteja consumado, sendo "firmes e constantes, sempre atuantes na obra do Senhor, sabendo que nele o vosso trabalho não é inútil" (1Coríntios15.58).

Agora, em quarto e último lugar, subimos ao nosso ponto mais alto. Como uma ave que vagueia longe de seu ninho, assim é um homem que vagueia de seu lugar no que diz respeito à alma, espírito, vida e graça. Onde, queridos irmãos, está nosso ninho? Onde fica nosso lugar? Eu respondo: está ao pé da cruz. Não temos um lugar seguro de descanso, exceto lá. Pecadores descansando em um Salvador; culpados, perdoados pelo sangue; perdidos, resgatados pela mão do Redentor, aí está o nosso lugar. A tentação é se afastar disso, como os gálatas, que, tendo começado no Espírito, pensaram ser aperfeiçoados na carne; eles primeiro caminharam por uma fé simples em Deus, mas esperavam que suas obras e circuncisão, e outras cerimônias, os tornassem perfeitos. Oh, pobre avezinha imperfeita: se você caiu do seu ninho, o que você deve fazer? Você é a imagem do meu pobre espírito incompleto. Nunca crescerá até a perfeição e nunca será capaz de voar para o céu, a menos que permaneça dentro do ninho da expiação, coberto com as asas do amor eterno. Não há lugar algum de crescimento, de segurança, de conforto para um pobre pecador, exceto em Cristo e somente nele.

Alguns de nós estamos tentados esta noite a ir a algum lugar além desse? Estamos buscando a santificação a ponto de esquecer que Deus fez dele santificação para nós? Sabíamos ser pecadores antes, e começamos a pensar que somos grandes santos. Agora, temos a noção de que somos anjos, ou algo muito maravilhoso? Oh, vamos abandonar isso! Não somos nada disso. Quando nos confundimos com alguém muito bom, é melhor olharmos para o espelho. Se fizermos apenas um rápido autoexame mais uma vez, logo descobriremos que em nós, isto é, na nossa carne, não habita bem algum (Romanos 7.18). Como um velho lavrador sempre me disse: "Se você ou eu chegarmos a uma polegada acima do solo, ficamos com essa polegada a mais, no entanto para baixo, para baixo, e para baixo é nosso lugar, deitado com rosto em terra perante a cruz". Nada tendo, mas possuindo tudo; sendo menos do que nada, encontramos o nosso tudo em Cristo.

Amados, o mesmo pode ser dito de nosso lugar como cristãos quanto a nossa crença, a nosso credo. Agora, existem certas grandes verdades ensinadas na Escritura, como eu acredito, muito claramente — as doutrinas da graça, como são comumente chamadas. E alguns de nós conhecem essas verdades há vinte anos e, quanto mais as conhecemos, mais as amamos. Existem outros que estão prontos para acreditar em concepções novas e desnecessárias.. Tudo começa como outra descoberta. Quantas descobertas ocorreram durante os últimos vinte anos, e quase todas se desfizeram, assim como as demais que permanecerem no decorrer de mais alguns anos. Elas vêm e vão como as colheitas das aboboreiras de Jonas; elas surgem e perecem em apenas uma noite. Será bom para nós se não formos como aves que vagueiam de seu ninho. Quanto a mim, minha bandeira está presa ao mastro; ela não sobe nem desce. Onde aprendi de Cristo, ali permanecerei, e então

> Que tudo que o homem puder inventar
> de arte traiçoeira para minha fé atacar,
> Vaidades e mentiras hei de as chamar
> E o evangelho ao meu coração atar

Afinal, há algo ensinado neste livro, e não é um livro que não possamos entender se buscarmos o Espírito de Deus para nos iluminar. Existem certas verdades que foram gravadas em nossa experiência mais íntima. Não acreditamos nelas agora apenas porque estão aqui, mas porque estão escritas nas tábuas de carne de nossa alma. Não podíamos desistir delas. Elas não são questões de escolha para nós quanto ao fato de mantermos essas doutrinas ou não; Deus as ensinou para nós e as entrelaçou em nosso próprio ser, de modo que devemos e iremos mantê-las. Deus conceda que não possamos vaguear de nosso lugar em nenhuma dessas coisas.

Mais uma vez, contudo, que o cristão tome cuidado para não se desviar de seu lugar de caminhada e comunhão com Deus. O lugar do cristão é viver com Jesus. Cada um de nós tem um trabalho a fazer na terra, mas nossa verdadeira vocação é celestial. Quando eles perguntaram a Jonas na tempestade: "Que ocupação é a tua?", você se lembra da resposta dele? Ele disse: "Eu sou hebreu, adorador do Senhor" (Jonas 1.9). Essa era a sua ocupação. E a verdadeira ocupação do cristão é adorar seu Deus. Oh! Que todos os dias possamos ter o Senhor diante de nós e nunca nos afastar dele! Pois, se o fizermos, seremos como a ave que deixou o seu ninho: batendo asas de um lado para o outro, e não encontraremos paz. A pomba de Noé é a verdadeira imagem do cristão. Ele pode voar o mundo todo, mas há apenas um lugar onde há descanso para a planta do seu pé, e esse lugar é na arca com Noé — na salvação com Cristo. Se você perdeu sua comunhão, amado, ore a Deus a fim de reavê-la. Se você está se tornando desleixado e não espiritual, se você negligenciou a oração, perdeu o senso de perdão e se afastou de Deus, não fique apenas lamentando que está longe e se perguntando como você chegou a esse ponto, mas diga: "Voltarei ao meu primeiro marido, porque eu estava melhor do que agora" (Oseias 2.9). "Voltai, ó filhos rebeldes, diz o Senhor, pois sou como o vosso esposo" (Jeremias 3.14). E oh, amado! Espero que nunca possamos nos afastar de outro lugar, e esse é o lugar de amor supremo a Jesus — a consagração completa a Ele. Nós já chegamos lá? Alguns cristãos não. Eles amam a Cristo, mas não segundo o modelo que Ele estabeleceu diante deles. Eles não parecem amá-lo acima de todas as coisas. Contudo se o fizermos, se Ele for a nossa vida, a nossa alma, o nosso tudo, se vivermos para Ele, se em tudo o que fizermos, o fizermos para a sua glória, se nos esforçarmos para chegar ao ponto de sermos totalmente consagrados com a marca de sangue na orelha, e no pé, e na mão, e no coração — tudo de Cristo e tudo por Cristo —, se comermos, bebermos e dormirmos a vida eterna, oh! Jamais desceremos daquele monte. Que Deus conceda que nunca desçamos daquele lugar, pois, se o fizermos, iremos sofrer por isso e seremos como uma ave que vagueia longe de seu ninho. Aqueles que nunca estiveram lá — bem, eles não terão tanto pecado quanto nós teremos se uma vez fomos elevados, e então voltamos novamente para os princípios elementares fracos e pobres. Aquela cabeça que antes se apoiava no seio de Cristo, caso se contente com qualquer outro travesseiro, não é digna dele.

Bem, tudo isso diz respeito àqueles que se afastam de seu ninho. No entanto, infelizmente há alguns aqui esta noite que não têm nenhum ninho de onde vagar. Eles não têm nenhum Cristo; eles não têm nenhum Salvador; eles não têm casa. Uma pobre criança se senta à noite em uma porta. O policial chega e diz: "Saia daqui!" "Aonde devo ir?", ela diz. "Vá para casa, criança." "Não tenho casa." "Vá para a sua cama." "Não tenho cama." Bem, agora, isso pode ser solucionado. Podemos encontrar uma casa para a criança: podemos arranjar um refúgio para ela em algum lugar, coitadinha! Supondo, todavia, que na eternidade, quando o dia da graça terminar, você tenha de se sentar, por assim dizer, na soleira da porta, e você não tenha casa, e o mensageiro angelical lhe diga: "Você não pode ficar aqui: você deve sair. Vá para sua casa." "Oh!", você diz, "Não tenho casa, e é tarde demais para eu encontrar uma, pois o Mestre da casa se levantou e fechou a porta, e Ele nunca a abrirá novamente. Eu não entrei quando pude, e não posso entrar agora". Ah, então você não terá de perguntar para onde você terá de se mudar, pois a terrível certeza é esta: se você não tem um lugar em Cristo, você deve fazer sua cama no inferno.

Deus conceda que você nunca precise fazer isso, pelo amor de Cristo. Amém!

4

DA TRISTEZA À ALEGRIA

A vossa tristeza se transformará em alegria.
(João 16.20)

NOSSO Senhor era muito honesto com seus seguidores quando qualquer um se alistava sob sua bandeira. Ele não disse que eles achariam um trabalho fácil se o aceitassem como seu líder. Repetidamente, Ele deteve alguns jovens espíritos entusiasmados ordenando-lhes que calculassem o custo e, quando alguns disseram que o seguiriam aonde quer que Ele fosse, Ele os lembrou de que, embora as raposas tivessem covis, e os pássaros do céu tivessem ninhos, ainda assim, Ele não tinha onde reclinar a cabeça. Ele nunca enganou ninguém. Disse toda a verdade a eles e poderia dizer-lhes honestamente: "Se não fosse assim, eu vos teria dito" (João 14.2). Ele não escondeu nada que fosse necessário que eles soubessem ao se alistarem sob seu nome.

Nesse versículo, Ele lembra a seu povo que eles sofrerão. Que nenhum cristão se esqueça disso. Seja ele idoso seja jovem, a tristeza é uma parte designada para toda a humanidade. E há uma tristeza que é uma bênção especial para os santos. Eles terão essa tristeza se ninguém mais a tiver. Oh, espírito jovem! Você acabou de encontrar um Salvador, e seu coração está muito feliz. Seja feliz enquanto pode, mas não espere que o sol brilhe sempre. Considere dias de chuva, e dias de geada, e dias de tempestade, porque eles virão, e eu lhes digo agora para que, quando vierem, não se tornem estranhos para vocês e os sobrecarreguem de confusão. E oh, filho de Deus! Você tem prosperado por muitos anos; você andou na luz do semblante de Deus, e o Senhor fez uma cerca ao seu redor e de tudo o que você tem, até que você prosperou na terra como o patriarca da terra de Uz. Lembre-se de que, assim como vieram para Jó, dias maus virão até mesmo para você, e espere por eles, porque "no mundo tereis aflições" (João 16.33). Esta parte da herança dos filhos, a saber, a vara, com certeza cairá sobre você se pertencer à família sagrada.

Nosso Salvador, no versículo anterior, não apenas diz a seus discípulos que eles terão tristeza, mas também os adverte de que às vezes eles teriam uma tristeza específica. Quando o mundo estivesse se regozijando, eles ficariam tristes. "O mundo se alegrará" (v. 20), disse Ele, "em verdade, em verdade vos digo que chorareis e vos lamentareis" (v. 20). Agora, isso às vezes é difícil para a carne e o sangue. Não podemos compreender este mistério — o povo de Deus suspirando, e os inimigos de Deus rindo; um santo no monturo com cachorros lambendo suas feridas, e um pecador vestido de escarlata e saindo suntuosamente todos os dias; um filho de Deus suspirando e gemendo, castigado todas as manhãs, e um herdeiro do inferno fazendo o mundo tilintar com sua alegria! Essas coisas podem ser assim? Sim, elas são assim, e devemos esperar que assim sejam; e se interpretarmos este mistério com os olhos da fé, o compreenderemos. No entanto, veremos Deus trabalhando mesmo nessas circunstâncias misteriosas, e distribuindo o melhor aos melhores no final, e dando ainda o pior aos piores no futuro.

Vejam que nosso Senhor, a fim de sustentar seus servos sob as más notícias de tristeza e de tristeza excepcional, deu-lhes duas reflexões. A primeira Ele colocou em duas palavras: "um pouco". E aqui está toda uma riqueza dourada: "um pouco". Quando as coisas são apenas temporárias, nós as toleramos. Se estivermos viajando e chegarmos a uma pousada desconfortável, partiremos no outro dia e, portanto, não faremos muito alarido a respeito se for preciso fazer uma operação demorada, mas o cirurgião nos diz que só vai demorar uns poucos instantes, nós nos submetemos a ela. "Um pouco" — isso tira o extremo da tristeza. Se durar apenas um minuto, e depois houver bênçãos sem fim advindo dela, oh! Então nos gloriamos na tribulação e não a consideramos digna de ser comparada com a glória que será revelada em nós. Aflito filho de Deus, recomendo a você estas três palavras, "mais um pouco". Suplico-lhe que as enrole na língua como um pedaço de doce quando sua boca estiver cheia do amargor da tristeza. "mais um pouco", e depois desse pouco tempo, então será "para sempre com o Senhor" (1 Tessalonicenses 4.17).

A outra reflexão que Ele lhes deu para seu conforto é a que é fornecida por nosso texto, "vossa tristeza se transformará em alegria" (João 16.20). Que Deus, o Espírito, nos dê conforto enquanto meditamos nessas palavras.

I

E primeiro, irmãos, esta linguagem era estritamente verdadeira com respeito à notável tristeza que então se abateu sobre eles quando nosso Senhor falou. Você conhece o capítulo. O Senhor estava lhes falando sobre sua morte. Eles estavam sentados ao redor da mesa, e Ele lhes havia revelado o fato de que estava para ser entregue nas mãos de homens ímpios e ser crucificado, e que isso os faria chorar e lamentar; mas a respeito disso, Ele diz: "Vossa tristeza se transformará em alegria" (v. 20). Nós temos também outra tristeza vindo disso, a saber, a tristeza de que nosso Senhor ressuscitado se afastou de nós, ressuscitou no monte das Oliveiras e deixou sua igreja viúva; no entanto essa tristeza também se transforma em alegria. Vamos falar, então, sobre essas duas coisas.

Em breve vocês verão diante de vocês, irmãos, uma festa santa. Estamos nos preparando esta noite para nos achegarmos à mesa em que temos o pão e o vinho que celebram a morte de nosso Salvador. Observem ser um pensamento muito agradável que, para celebrar a morte de Cristo, não tenhamos uma ordenança cheia de tristeza. Não há nenhum lembrete que nos diga que devemos vir vestidos de luto, que devemos nos reunir para um funeral, que cantos fúnebres devem ser cantados, que cores escuras ou que representam a tristeza devem ser usadas. Pelo contrário, a ordenança que comemora e mostra a morte de Cristo é de alegria, se bem usada. Achegamo-nos à mesa e nos sentamos à vontade, e comemos, e bebemos, pois a morte que foi tão dolorosa se transformou em alegria, e o seu memorial destina-se a apresentá-la não pelo lado triste, mas, como é para nós, pelo lado alegre. Nossa tristeza está no símbolo transformado em alegria.

Agora, vamos pensar na tristeza da morte de Cristo por um momento. Foi uma grande tristeza vê-lo sofrer, tristeza indescritível vê-lo morrer. Mães que amam seus filhos, que espada teria atravessado seus corações se fosse seu filho pregado no madeiro! Irmãos que amam seus irmãos, que angústia teria dilacerado seu espírito se Ele fosse seu irmão pendurado ali. Se fosse possível, o teríamos poupado da sede, o teríamos poupado da vergonha e da cusparada; o teríamos poupado dos pregos e da coroa de espinhos. Nunca podemos pensar em seus sofrimentos sem bater em nosso peito com tristeza e dizer —

Ai de mim! Meus pecados, meus pecados cruéis,
seus principais algozes foram.
E ao olharmos para seus sofrimentos, perguntamos:
— Oh, por que o homem deve pecar,
E fazer o Senhor seu Salvador morrer?

Quão amargo deve ser nosso pesar por termos nos desviado do caminho correto e tornado necessário que nossas más andanças fossem colocadas sobre a cabeça do Pastor. Ai, ai, ai, que coisa indizível! Os eleitos de Deus assim multiplicaram suas transgressões e forçaram seu Salvador a ser ferido até à morte por causa deles!

Lamentamos, também, outro pensamento: que, na morte de Cristo, o pecado pareceu por um tempo ter domínio sobre o bem. Lá estava Ele, o Homem perfeito, o defensor de tudo o que era verdadeiro e divino; mas seus inimigos hipócritas, seus inimigos covardes, o caçaram até à morte, e não puderam se contentar até que lavassem as mãos no sangue dele. Quando o vejo na cruz, parece que Satanás, a velha serpente, mordeu o calcanhar da verdade e a envenenou. Eu começo a tremer pela verdade e pela justiça quando vejo o puro e perfeito deitado no pó, mas todas essas três tristezas juntas, por seus sofrimentos, por nossos pecados e pelo triunfo temporário do mal, são imediatamente transformadas na alegria quando sabemos que agora o Salvador terminou a obra expiatória, que Ele é aceito por seu Pai, que Ele esmagou a cabeça da velha serpente, que Ele deu ao pecado, e à morte, e ao inferno uma derrota total.

Irmãos, não há motivo para tristeza quando olhamos para a cruz agora, pois Jesus está novamente vivo. Agora Ele tem sobre si a glória que não recebeu antes, e não poderia tê-la recebido se Ele não tivesse se rebaixado para vencer e curvado sua cabeça para a morte. O homem Cristo Jesus agora está assentado à direita do Pai, exaltado muito acima dos principados e potestades e de todo nome que é nomeado. Ele vê o trabalho de sua alma e fica satisfeito, e em vez de lamentações pesarosas, dizemos: "Tragam o tamborim de Miriam mais uma vez e cantemos ao Senhor, porque Ele triunfou gloriosamente! O cavalo e seu cavaleiro foram lançados ao mar. Todo o exército de seus inimigos Ele afogou no mar vermelho de seu sangue expiador".

Além disso, irmãos, somos vencedores agora. É verdade que nosso pecado o crucificou, mas nosso pecado se foi. O último ato do pecado foi a sua própria destruição. Ele derrubou a casa sobre si mesmo como Sansão, e ali morreu. Nosso pecado foi eliminado pela morte de Cristo. Ele fez "cessar a transgressão, para dar fim aos pecados" (Daniel 9.24). E quanto à verdade e à retidão, elas também são vencedoras, pois, na cruz, a crise da grande batalha acontece. Agora o príncipe deste mundo é expulso. Agora que realmente a justiça, a santidade e a verdade vencem, e isso para sempre. Glória a Deus! Chegamos ao memorial da morte de Cristo como um festival. Nossa tristeza se transformou em alegria.

E quanto ao nosso Senhor ir embora de nós para o céu, à primeira vista tem um aspecto muito triste. Deveríamos ficar contentes se Ele ocupasse aquela cadeira esta noite e dissesse: "Tomai, comei; isso é o meu corpo" (Mateus 26.26). Oh, que multidão feliz seriam todos vocês que o amam se Ele se colocasse neste púlpito esta noite e mostrasse a vocês suas mãos e seus pés! Nós ficaríamos juntos nas soleiras de suas portas por uma semana só para vê-lo. Se Ele tivesse seu trono em Jerusalém hoje, que peregrinações faríamos se pudéssemos chegar perto de sua pessoa abençoada e beijar o pó que Ele pisou! Pois que precioso Senhor era Ele! Oh! Em nossos momentos de tristeza, se pudéssemos ver sua face apenas uma vez e aqueles queridos olhos brilhantes que parecem dizer: "Eu conheço as suas tristezas, pois tenho sentido o mesmo", aquele semblante abençoado que nos consolaria, embora não dissesse uma palavra, e diria a cada enlutado: "Eu ajudarei você. Eu carreguei o seu fardo antigo" — não seria uma alegria vê-lo? Certamente eu ficaria feliz o suficiente em cessar meu ministério, e você poderia ficar feliz, por mais útil que você seja, em desistir de seu trabalho enquanto as estrelas escondem suas cabeças tolhidas quando o sol nasce.

II

Contudo, irmãos, não há motivo para tristeza. Estou falando à toa por enquanto, pois nossa tristeza é transformada em alegria. É um grande ganho para nós não ter o Salvador aqui. E você vê como é? Ele disse: "Se eu não for, o Consolador não virá a vós" (João 16.7). Agora, é uma coisa mais nobre ter o Espírito de Deus habitando em nós do que seria ter Jesus Cristo habitando na terra. Pois, como sugeri, se Ele estivesse na terra, nem todos poderíamos chegar até Ele; Ele só poderia estar em um lugar por vez; e como os pobres seriam capazes de chegar onde Ele está? E se Ele perambulou por todo o mundo ainda na ordem natural das coisas, é apenas de vez em quando que Ele poderia ir a um lugar, e então alguns de nós teríamos que ansiar por toda a vida para vê-lo. Contudo agora o Espírito Santo está aqui. O Espírito Santo está onde quer que os cristãos estejam. "Não sabeis que Ele habita em nós para sempre?" E, embora não vejamos nada, isso é ainda melhor para nós. Uma vida de visão é para bebês; viver pelos sentimentos é para pobres e frágeis recém-nascidos, mas a vida de fé é para os homens em Cristo Jesus, e nos enobrece nos tirando tudo o que é para ser visto e nos proporcionando andar após o invisível. "Ainda que tenhamos conhecido Cristo segundo os padrões humanos", diz o apóstolo, "agora não o conhecemos mais desse modo". Não temos Cristo entre nós segundo a carne, e estamos felizes por isso, pois agora nossa fé é exercida e Deus ama a fé, e a fé torna os homens verdadeiros homens aos olhos de Deus, e os enobrece e os torna amigos de Deus. Pois quem foi "amigo de Deus" como Abraão, que creu em Deus? A fé, então, nos é muito mais útil do que a visão mais agradável. Temos motivos para agradecer a Deus porque Jesus se foi e o Espírito nos foi dado.

Além disso, amados, Cristo pode melhor nos servir onde Ele está do que aqui. O que Ele está fazendo por nós lá na terra invisível? Ora, vocês não sabem que Ele foi tomar posse para nós — foi adiante para poder dizer: "Este céu pertence ao meu povo; vim aqui como seu representante legal". No momento em que colocou aquele seu pé trespassado nas ruas de ouro, Ele disse: "Estas ruas pertencem a todos os que remi com o meu sangue, a todos os que meu Pai me deu, e eles as possuirão, pois eis que eu tomo posse disso!" E visto que havia algo a fazer para tornar o céu adequado para nós — não sei o que era —, que alegria ouvi-lo dizer: "Vou preparar-vos lugar". Ora, irmãos, o céu não era adequado para nós, assim como nós não éramos adequados para o céu, até que Jesus foi para lá, e Ele está preparando o céu de modo que, quando voltarmos para nossa casa, a encontraremos mobiliada e toda preparada.

Quando Deus fez Adão, Ele não o fez primeiro e o suspendeu no ar até que o Éden fosse feito para Adão viver, mas Ele fez o jardim, preparou-o e então fez o homem e o colocou lá. E assim nosso grande Senhor partiu a fim de tornar o céu adequado para nós, mas Ele virá novamente e nos levará para si para que nós também estejamos onde Ele está. Agora, por causa disso, estamos felizes por Ele não estar aqui. Nós confortamos uns aos outros com estas palavras, e vemos o quão verdadeira era esta promessa dele: "A vossa tristeza se transformará em alegria" (João 16.20). Tristeza por sua morte, tristeza por sua partida do mundo — essas duas tristezas agora "se transformaram em alegria".

Façamos uma pausa e mudemos de assunto. Vejo diante de mim ainda a preparação para a festa — para a ceia, e, portanto, deixe-me lembrá-lo de que, ao ir àquela mesa, experimentamos uma transmutação das emoções espirituais em relação a Jesus. Eu vou mostrar a você o que quero dizer. Algum tempo atrás, o Senhor nos deixou com fome e sede de justiça. Não podíamos mais estar satisfeitos com o mundo. Passamos a sentir-nos péssimos. Nosso coração ansiava por algo. Outrora, ficamos muito contentes com as alegrias do presente, mas, de repente, ficamos insatisfeitos e sentimos um desejo que nunca havíamos sentido antes. Você não se alegra porque, quando se senta a esta mesa, vê que há pão para comer e vinho para beber, emblemas do corpo e do sangue de Cristo? Você sabe pelo que me sinto grato quando me sento a uma boa mesa? Duas coisas, se eu as tiver. Primeiro, pelo que está à mesa; mas, em segundo lugar, pelo apetite. Pois um banquete é algo pobre quando não há apetite. Então, veja você, a fome e a sede que Deus nos deu depois de nos dar Cristo se transformam em alegria quando viemos ver Cristo, pois agora dizemos: "Como estou feliz, como estou grato por não poder mais permanecer satisfeito! Estou muito feliz por Deus ter me dado aversão por todas as alegrias do mundo, pois agora sou o homem que pode desfrutar de um Salvador crucificado. Agora posso comer sua carne, que é verdadeiro alimento, e beber seu sangue, que é verdadeira bebida!" Pois bem, ao mesmo tempo em que sentíamos a nossa fome, tínhamos outra tristeza, a saber, que, famintos como estávamos, não tínhamos uma casca de pão em casa: não podíamos saciar a nossa própria fome, não importando o que fizéssemos. Percorremos o mundo para tentar encontrar algo que satisfizesse nossas necessidades, mas não conseguimos encontrar absolutamente nada. As cascas de vegetais que satisfazem os porcos não nos satisfariam. Queríamos algo mais. Sei que naquela época eu não tinha um centavo sequer em méritos, embora tivesse uma enormidade de pecados. Tentei orar, mas minhas orações não podiam encher minha alma mais do que o vento. Tentei ser diligente em ouvir a palavra e fazer o bem, mas, por mais que façamos, não há nada que aquiete uma alma faminta. Todavia hoje, hoje, ao ver aquela mesa e lembrar deste pão e vinho, ao imaginar Cristo crucificado, o alimento da alma, fico feliz por não ter recebido nada para comer, porque agora fui levado a alimentar-me de Cristo. Oh, que coisa bendita é despensa vazia quando leva uma alma ao Salvador! Nossa tristeza se transforma em alegria e chamamos isso de fome abençoada, um vazio abençoado, quando podemos ter o vazio e a fome removidos alimentando-nos de um Salvador todo-suficiente.

Então, você vê novamente, nossa tristeza se transforma em alegria. E esta noite, na mesa da comunhão, vemos a taça de vinho que, embora represente para nós nosso Salvador como nosso refrigério, também nos lembra que já fomos imundos e precisávamos ser lavados em seu sangue. Agora, foi uma grande tristeza nos sentirmos sujos; foi um horror descobrir que estávamos sujos da cabeça aos pés com pecados escarlatas. Contudo, da minha parte, agora que me lavei na fonte cheia de sangue, esqueci minha tristeza pelo pecado. Isso se transformou em alegria. Oh, a bem-aventurança de ser purificado em Cristo Jesus! Ora, acho que se eu fosse Adão e nunca tivesse pecado, sempre teria tido algum medo de que talvez tivesse ficado aquém em algo, se tivesse que depender de meus próprios méritos, mesmo que esperasse ser perfeito. Agora, pecador que sou, não tenho medo, pois sei que a justiça de Cristo é perfeita; eu sei que sua morte limpa de todo pecado; e assim a tristeza pelo pecado é transformada em alegria no sentido de perdão perfeito e justiça completa que pertence a nós por meio do precioso sangue de nosso querido Senhor e Salvador. Oh, quando vierem para a mesa, meus queridos irmãos e irmãs, deixem de lado todas as suas tristezas, sejam elas quais forem. Sintam que, se vocês devem trazê-las consigo, elas são transformadas e transmutadas no caminho; pois a sua tristeza, desde que você creu em Jesus, foi transformada em alegria.

III

Agora, por um momento ou dois, deixe-me lembrá-los de que esta verdade será válida para as tristezas de todos os que creem. Suas tristezas serão transformadas em alegria. Será bom para alguns de vocês hoje. Deus fará com que suas tristezas presentes se transformem em alegrias. Dirijo-me, esta noite, a uma pessoa que foi perseguida por causa de Cristo? Eu falo com uma jovem cujos pais a tratam mal porque ela segue Jesus? Irmão, irmã, sua tristeza é transformada em alegria nesse exato momento, porque, se você for perseguido por causa da justiça, feliz é você. Não "feliz será você", mas feliz é você. Nesse momento, você carrega consigo uma grande honra: você é considerado digno não apenas de crer no Senhor Jesus, mas de sofrer por Ele. Ao pensar nele, então, aquela tristeza é transformada em alegria. Talvez eu me dirija a alguns que estão sob graves aflições. Amado irmão, se o Senhor se revelar em suas aflições, você ficará muito triste por livrar-se delas; você sentirá que agora elas estão transformadas em alegria. Constantemente, ao ler as cartas do reverendo presbiteriano Samuel Rutherford, você se depara com a expressão de sua admiração por seus inimigos serem tão gentis com ele. Ele fala com uma espécie de sarcasmo santo. Eles o baniram, mandaram-no para longe de onde ele costumava pregar o evangelho, mas ele disse: "Acho que meu Senhor vive aqui e eles me enviaram para os braços dele. Eles não me deixaram pregar "diz ele" e agora meu Senhor recompensa meus sábados silenciosos, pois, embora eu não possa falar, Ele fala comigo e alegra minha alma", e parece por suas cartas que, quanto mais seus inimigos o perseguiam, quanto mais intensa a perseguição, mais elevada se tornava sua alegria.

Eu também sei de algo: que a dor pode vir sobre você e com a dor pode vir a graça, de modo que você se sente grato por ela. Tenho ouvido santos de

Deus dizerem que sofreram grandes perdas, mas que o amor de Deus fluiu para suas almas de modo que consideraram suas perdas como ganhos. Ouvimos falar de um que disse: "Deixe-me voltar para a minha cama novamente; deixe-me ir para a minha dor novamente, pois eu tinha tanto de Cristo ali que preferia estar sempre doente a estar são e perder o amor do meu Senhor."

Sim, amado, Ele pode, neste momento, transformar suas tristezas em alegrias. Se você tem incontáveis tristezas, você terá incontáveis alegrias, pois Ele transforma toda tristeza em alegria. Um toque de seu dedo pode transformar as pedras de granito em ouro; traga-as aos pés dele; peça a Ele para fazer isso, e você será rico em alegria esta noite. Bem, se não for feito agora, será feito em breve. Às vezes, leva um pouco de tempo para que uma tristeza se transforme em alegria. É uma imagem bastante estranha do poeta William Cowper, mas é verdadeira: "O botão pode ter um gosto amargo, mas doce será a flor".

Demora um pouco para nossos amargores florescerem em doçura, mas eles irão. Se você está orando por seu filho querido, orando pela conversão dele, mas não a vê, ainda assim ore, pois sua tristeza se transformará em alegria. Se você está com grandes problemas por causa de seu marido, ou de seu irmão, ou de seu amigo, cuja conversão você está buscando, esforce-se ainda, pois ela virá. Um dia você terá a alegria do seu coração, e sua tristeza se transformará em alegria. E aquela provação pela qual você está passando nesse instante — não desfaleça sob ela; espere um pouco. É um vento forte, mas está soprando em direção ao porto. É uma onda violenta, mas está levando você para a rocha. Não é hoje que você vai ver, nem amanhã; mas depois, e aos poucos, a provação produzirá os frutos agradáveis da justiça, e você se alegrará.

E, observe, se nunca neste mundo, todavia no país abençoado "além do Jordão", sua tristeza se transformará em alegria. Será uma das delícias do céu, não duvido, olhar para trás, para as tristezas da vida e ver como elas serviram à nossa resignação por uma terra melhor. Lá nós faremos canções de nossos suspiros e música de nossos lamentos; apenas vamos esperar e ser pacientes. As pessoas do mundo têm o riso hoje, e nós temos o suspiro; contudo eles terão o suspiro e o adeus, e nós teremos o riso.

Deus é como um homem ilustre que tinha em casa dois jogos de taças. Umas taças eram para seus amigos, e outras eram para seus inimigos; mas eles podiam pegar a que quisessem. Ele sabia que seus amigos eram sábios; seus inimigos eram tolos. Agora, aquelas taças que eram para seus inimigos eram muito doces; elas cintilavam na borda; elas brilhavam. O vinho era tinto e o aroma era bem agradável. Contudo eles foram avisados de que, quem quer que bebesse dessas taças descobriria que a borra estava cheia de morte. E os seus inimigos entraram e beberam, e beberam e riram, e disseram que o bom homem da casa os amava mais, pois havia lhes dado os vinhos mais doces. Na outra mesa, no entanto, estavam as taças que foram preparadas para os amigos dele, que eram sábios; eles foram até elas, e as taças estavam muito amargas — muito amargas! Ah, como eles cerraram os dentes e encheram a boca de amargor! Contudo eles sabiam que eram taças de saúde que os purificariam de todas as doenças e encheriam seus corpos com uma vitalidade e força que a magia não poderia proporcionar; e, portanto, esses seus amigos beberam as taças com alegria e gratidão, pois sabiam que elas haviam sido preparadas com amor; e enquanto ouviam os inimigos rindo deles, suportaram o riso com compostura, pois sabiam qual seria o fim.

Hoje, os santos e pecadores do mundo são como dois exércitos na véspera da batalha. Você passa por ali. No lado esquerdo você ouvirá o som da folia; você deve vê-los curtindo a dança. Eles bebem tigelas cheias, alegremente. Dizem eles: "Vamos para a batalha e para a vitória amanhã!" Esse é o campo do pecado e do inimigo. Aqui você vê o outro campo; e os soldados ali não se divertem. Eles são homens sóbrios. Eles têm uma alegria sólida dentro deles, pois esperam vencer amanhã; mas eles não se gabam. Cada homem olha bem para seu broquel, vendo que seu peitoral está completo e sua espada bem afiada; e você ouvirá em intervalos a oração, o clamor a Deus: "Fortaleça nossos braços e envie-nos como raios sobre nossos inimigos". Agora, na véspera de amanhã, eu sei, vocês saberão o que aconteceu com eles, pois vocês, cavalheiros alegres e arrogantes, com toda a sua alegria, espalharão o campo, e suas carcaças serão dadas aos cães e às aves do céu. Contudo, vocês, exércitos ali suplicantes, embora sejam insultados como puritanos, enfrentarão as hostes de seus inimigos e conduzirão seu cativeiro cativo.

Em que campo você gostaria de estar? Eu fiz minha escolha e oro para que meus irmãos façam a deles, e que o Espírito de Deus governe sua escolha para que tomem as taças amargas que estão cheias de saúde e que possam ir com o sóbrio acampamento de oração, cuja canção de vitória deve transformar suas tristezas em alegrias.

Irmãos, se as tristezas dos santos se transformam em alegrias, quais são as suas alegrias? Se seus amargos são doces, quão doces são seus doces! E se o dedo de Cristo tocando as coisas da vida pode torná-las doces, quão doce deve ser o próprio Cristo! Se Ele transforma a água em vinho, quão rico Ele deve ser! E se na terra Ele transforma nossas tristezas em alegria, quais podem ser as alegrias onde não há tristezas, mas onde as alegrias são imaculadas, e sólidas, e duram para sempre! Bendito sofrimento, benditas alegrias! Quem não seria um fiel quando até mesmo suas tristezas se transformarão em alegrias?

IV

Por último, este pequeno versículo é uma boa nova. Eu penso que é uma boa nova para todos os meus ouvintes esta noite. Suas tristezas serão transformadas em alegrias. Todo aquele entre vocês que vier esta noite aos queridos pés que foram perfurados pelos cravos, e confiar em Jesus Cristo para salvá-lo, terá sua tristeza transformada em alegria. Você está sofrendo por causa do pecado? Ele será perdoado, e em um momento a alegria encherá seu espírito. Você se entristece porque tem medo de não ser um dos eleitos? Venha e confie em Jesus, e você terá certeza de sua eleição, e a doutrina que lhe pareceu tão horrível será cheia de consolação. Você está pesaroso porque não está apto para vir? Venha com toda a sua inaptidão, e você agradecerá a Deus porque foi salvo de ser feito apto e foi habilitado a vir como pecador a Cristo. Você lamenta porque tem um coração duro? Venha e confie em Jesus, e Ele lhe dará um coração de carne e você bendirá o nome dele, pois você foi outro exemplo de seu poder todo-poderoso para mudar o coração dos homens.

Eu gostaria esta noite que você provasse meu Senhor e Mestre. Eu já o conheço há mais de 22 anos. Há 22 anos, sexta-feira passada, confessei minha fé nele no batismo e não falaria bem dele se Ele não o merecesse. Eu não mentiria nem por Ele, acredite. Oh! Nunca houve, contudo, um Senhor como Ele é! Ele nos disse que nós deveríamos ter tristeza, e nós a temos, mas Ele sempre a transformou em alegria, e, até este momento, posso dizer dele: se eu tivesse que morrer como um cachorro e não houvesse outra vida, eu preferiria ser cristão; e se não houvesse alegria na religião, mas a alegria presente que ela dá a um coração que crê, deixe-me tê-la além de todas as alegrias da riqueza, ou fama, ou honra. Não há ninguém como Cristo. Gostaria que alguns de vocês viessem e o aceitassem.

Que seu Espírito os guie e que vocês, esta noite, tornem-se seus discípulos, e sua tristeza será transformada em alegria. O Senhor conceda isso por amor de seu nome. Amém!

5

SEGUROS NO CUIDADO DO PAI

*Assim me diz o SENHOR: Do mesmo modo que o leão ruge, como o leão forte
ruge sobre a presa, e, quando se reúnem muitos pastores contra eles, não se
assustam com a sua voz nem se abatem com sua gritaria, assim o SENHOR
dos Exércitos descerá para lutar sobre o monte Sião e sobre a sua colina. Como
aves que protegem seus filhotes sob as asas, assim o SENHOR dos Exércitos
protegerá Jerusalém; ele a protegerá e a livrará; quando passar, ele a salvará.*
(Isaías 31.4–5)

O REINO de Israel nos dias de Isaías e posteriores a ele — os dias aos quais essa profecia se referiria — ocupava uma posição entre os dois grandes reinos da Assíria e do Egito. Na verdade, era como o milho entre duas pedras de moinho. Contudo, por alguma estranha obsessão, o povo sempre teve mais medo da Assíria e mais oposição a esse estado; e estava constantemente desejando uma aliança com o Egito, acreditando que o Egito era o mais forte dos dois e esperando que, com a ajuda dos egípcios, os assírios pudessem ser controlados. Você verá repetidas vezes que, ao contrário da ordem dos servos de Deus, os profetas, eles tentaram estabelecer aliança com os egípcios, quando deveriam, de acordo com a direção divina, ter se submetido ao domínio dos assírios. Repetidamente eles foram repreendidos por isso, e nunca de forma mais incisiva do que na linguagem com que este capítulo começa. Eles são informados de que a desgraça chegará até eles por permanecerem com o Egito, e são lembrados de que os egípcios são homens e não Deus; e seus cavalos são carne e não espírito. O profeta lhes fala sobre o lugar certo para pôr sua confiança. Onde a força for encontrada, é lá que sua fé deve ser depositada. O infinito Senhor era maior do que os assírios ou egípcios, pois Ele é o Senhor de todos. E Isaías queria que seu povo confiasse no Senhor e colocasse sua confiança nele. Para esse fim, o profeta apresenta ao povo, nos versículos perante nós, profecias da proteção divina em que Deus é representado sob duas imagens.

E aqui, deixe-me dizer o quão condescendente é da parte de Deus que Ele se represente a nós por meio de metáforas, pois nada do que existe pode ser uma imagem verdadeira, nada do que existe por meio de sua criação pode ser uma imagem verdadeira de Si mesmo, daquele que existe por si mesmo. O mar inteiro é um espelho muito pequeno para o Todo-poderoso espelhar nele o seu rosto: todo o universo é restrito demais para expressar os atributos de Deus. Que seja uma questão de espanto para nós que o Senhor selecione até mesmo os animais para serem imagens dele — animais selvagens e passarinhos. Isso é frequentemente feito em toda a Escritura e em nosso texto. Primeiro, o Senhor é comparado a um leão, e no versículo seguinte Ele é comparado a pássaros. Ao leão — esse será nosso primeiro ponto —, pela força; aos pássaros voando —, pela solicitude, pelo bem de seu povo.

I

Primeiro, então, o Senhor, pela defesa de seu povo, é representado como um leão — indicativo de seu poder. Leremos o versículo novamente. "Do mesmo modo que o leão ruge, como o leão forte ruge sobre a presa, e, quando se reúnem muitos pastores contra eles, não se assustam com a sua voz nem se abatem com sua gritaria, assim o Senhor dos Exércitos descerá para lutar sobre o monte Sião e sobre a sua colina" (v. 4).

Observe, então, pela força, o Senhor aqui, pelo bem de seu povo, se compara a um leão. Um leão — um animal com tal força e coragem incomparáveis, o qual é declarado o rei dos animais, o imperador da floresta. Ele parece ter sido formado e moldado pela sabedoria criativa com o propósito de ter força. Aqueles que examinam sua forma observam o desenvolvimento de seus músculos, veem quão poderoso é seu salto e quão rápido ele é para devorar, e quão terríveis são seus dentes para quebrar os ossos de sua presa. Não há nada que possa se igualar a ele. Entre os animais selvagens, ele ainda usa a coroa. O rei das criaturas que Deus fez na floresta é o leão. Contudo, oh, irmãos! O que é o leão quando comparado com o grande Rei dos reis?

O que é um leão? Ora, um mero inseto de uma hora de vida é maior em comparação com um homem do que um leão em comparação com Deus. Todo poder pertence a Deus. Quando falamos do braço dele, queremos nos referir à Onipotência; quando falamos de seu poder, queremos dizer que Ele é Todo-poderoso. Nenhum de nós pode ter qualquer concepção do poder que habita no Senhor dos Exércitos.

Agora, todo esse poder está dedicado à preservação daqueles que confiam nele. Não há um grão de força no Senhor que não seja comprometido, empenhado e certificado para a defesa de todos os seus santos. Da próxima vez que você duvidar, lembre-se de que você duvida da onipotência. Da próxima vez que você tremer temendo que Ele não seja capaz de cumprir suas promessas, lembre-se de que você desconfia do próprio Todo-poderoso. Se houvesse um limite para o poder do Senhor, poderia haver um limite para nossa fé, pois seria justo medir nossa fé pelos recursos de Deus; mas, uma vez que não há margem para o mar de sua força, nenhum cume para a montanha de seu poder, para nós, sermos desanimados, cabisbaixos, abatidos e desconfiados significa esquecer o Deus poderoso que alimenta a força de cada santo. Para a defesa de todos os seus escolhidos e de toda a sua igreja coletivamente, Deus se manifesta como o forte, o "Senhor forte e poderoso, o Senhor poderoso na batalha" (Salmos 24.8), o Senhor, só Ele faz maravilhas, cujo nome seja bendito para todo o sempre.

O texto, tendo-nos dado a imagem de um leão, passa a falar de um leão jovem. Muito frequentemente, quando a ideia de majestade e força deve ser transmitida a nós de maneira intensa, não apenas o leão é trazido, mas o leão jovem; com isso se quer dizer o leão no auge de sua força, no frescor de seu vigor juvenil — não o leão velho que viu muitas lutas, passou por muitos anos e está começando a ficar decrépito. Pois o leão jovem pula e salta com toda a agilidade da juventude, e rasga e dilacera sua presa com todo o fervor da força recém-descoberta. Ora, o Senhor Deus, em nome de seu povo, não é apenas o leão — forte —, mas o leão jovem para sempre forte: o leão jovem cheio de força, no frescor de seu vigor; o leão jovem se deleita em usar sua força, em quem ela não falha e nem decai em qualquer grau.

Como gosto de pensar nisso! Somos muito propensos a pensar que nos dias dos patriarcas a fé em Deus poderia fazer maravilhas, e nos dias de Davi poderia matar gigantes, mas agora... agora caímos em tempos degenerados, e como se conta que os homens foram outrora maiores em estatura do que são agora, e somos anões em comparação com nossos antepassados, então pensa-se que o poder da fé é muito mais fraco agora e suas realizações devem necessariamente deteriorar-se e, portanto, parece que a segurança do povo de Deus não tem sido tão boa quanto costumava ser. Ele pôde livrar naquela ocasião; Ele livrará agora? Ele pôde preparar uma mesa no deserto outrora, e Ele pôde dividir um mar Vermelho para engolir os inimigos de seu povo; mas agora podemos esperar algo desse tipo? Não chegamos, por assim dizer, ao fim da festa, quando o grande Mestre traz o que é pior, tendo já posto o melhor vinho? Amado, não é assim. É injusto de nossa parte pensar que é assim. Se houver algum fracasso por aí, se formos angustiados por aí, tenhamos a certeza de que não somos angustiados por Deus. Se a fé faz menos maravilhas hoje do que nos séculos passados, é porque a própria fé é mais fraca; mas se ela pudesse lidar com Deus como Abraão lidou com Ele, se ela pudesse se apoiar nele como Davi se apoiou, ela encontraria o mesmo Deus, capaz de fazer as mesmas maravilhas, sim, e pronto para fazê-las, e se deleitando em fazê-las em prol de seu povo.

Envelhecer! Não, isso nunca pode ser dito de nosso Deus. Ele não é mais velho agora do que miríades de séculos atrás. O tempo não faz diferença para Ele. As eras que ainda estão por vir estão presentes com Ele, assim como as eras passadas. Ele é sempre o mesmo. Foi dito sobre o Senhor Jesus Cristo: "Como o orvalho do alvorecer virá a tua juventude". Ele ainda é jovem. Embora ele seja descrito em um lugar na Escritura como tendo uma cabeça e cabelos como lã, brancos como a neve para mostrar que Ele é o Ancião de dias, ainda em outro lugar é dito dele: "Seus cabelos são... pretos como o corvo", para mostrar que Ele ainda está com toda a força e vigor que já possuiu. Oh! Não vamos pensar que Deus mudou. Desta fonte não houve diminuição; sobeja como antigamente. Não é dito: "Pois eu, o Senhor, não mudo; por isso, vós, ó filhos de Jacó, não sois destruídos"? Não é Ele "o Pai das luzes, em quem não há mudança nem sombra de variação"? Amado, deve ser nosso prazer pensar que nosso Protetor não é apenas forte, mas tão forte como sempre foi — não apenas o leão, mas o leão jovem para a defesa de seu povo.

II

Agora, passe para uma parte muito importante da metáfora. O Senhor, pelo bem de seu povo, é como o leão, e o leão jovem, rugindo sobre sua presa. Agora, não há condição em que o leão seja mais terrível. Sabemos que qualquer criatura quando está se alimentando se torna feroz, se tentarmos perturbá-la. Tente tirar um osso da boca de um cachorro, e você logo verá que a força que ele tem vai atiçar a fúria dele, pois ela logo se desperta. Contudo um leão, quando abate sua presa e começa a devorá-la, e os pastores vêm para tirar as ovelhas ou arrebatar o cordeiro dele, está todo desperto. Se for possível, ele certamente se defenderá, e àquilo que obteve com tanta dificuldade; pois todo o leão está ali! Ele está todo acordado, inflamado e furioso para a guerra. E assim é Deus para a defesa de seu povo. "Aquele que tocar em vós estará tocando na menina dos seus olhos" (Zacarias 2.8); isto é, tocar um santo é tocar Deus em seu lugar mais sensível.

Agora, existem muitas coisas que provocam Deus. Todo pecado faz isso; mas este é um pecado peculiarmente capaz de provocar Deus a qualquer momento: tocar seu povo — molestar seus servos. Ele pode ter paciência com você, mas se lembra disso. Ele pode não vingá-los no momento; mas há uma resposta para esta pergunta: "Deus não fará justiça aos seus escolhidos, que dia e noite clamam a ele, mesmo que pareça demorado em responder-lhes?" Gosto de pensar nisto, na imagem de Deus protegendo seu povo, estando tão totalmente desperto e inflamado como o leão jovem quando se prepara para proteger a presa que os pastores lhe tirariam. É a imagem da intensidade do propósito. Ele pretende ter a presa, e ela não será tirada dele. Todas as suas forças serão empregadas para evitar isso. A mesma intensidade de propósito que vemos em nosso Deus. Ele determinou salvar seu povo antes que a estrela da manhã começasse a brilhar, e desse propósito Ele nunca se desviou. Em vez de se desviar de seu propósito, deu seu Filho para morrer, enviou seu Espírito para habitar no coração de seu povo, e nada o desviará desse propósito agora. Veja como Satanás sai contra Ele! Veja como os poderes das trevas surgem com toda a sua força! Veja como eles saem para tomar a presa do Deus poderoso, para retirá-la das mãos de Deus em uma terrível destruição! Eles devem vencê-lo? Ah, não! Pois Deus inteiro está determinado a defender sua igreja. Não é um atributo só que está ali; estão todos. Como eu disse do leão jovem sobre sua presa, ele é um leão todo; cada nervo, músculo e osso de seu corpo parece queimar de indignação contra seus inimigos, então cada atributo de Deus — todo o seu poder, a sua sabedoria, a sua justiça, a sua santidade —, tudo isso é intensamente despertado e colocado com intenso propósito a favor da defesa e libertação de seu povo.

Quão seguros, então, estão aqueles que confiam em Deus! Você não tem apenas Deus para defendê-lo, mas aquele mesmo Deus mais firme e decidido quanto à vontade eterna de sua mente — aquele Deus que concentra todos os seus atributos majestosos neste ponto: Ele salvará seu povo. Ele preferiria que o mundo quebrasse e a roda sólida da natureza fosse arrancada, a aquele que é seu decreto mais íntimo — o propósito secreto do mais íntimo de sua alma — falhar: a salvação de seu povo. Ó meu Senhor! Se eu já duvidei de ti, deixa esta imagem afugentar as dúvidas de minha mente. Tu me trouxeste para o vínculo da aliança e aspergiste-me com o sangue de teu querido Filho, e não devo depender de ti? E agora isso vejo, que tu acordaste e te mostraste forte em favor de teu povo, despertaste toda a tua natureza para a plenitude de sua potência majestosa para a libertação e salvação de teus redimidos; assim, meu espírito não deve ficar quieto, e tranquilo, e calmo? "O Senhor dos Exércitos está conosco; o Deus de Jacó é nosso refúgio" (Salmos 46.7). "Se Deus é por nós, quem será contra nós?" (Romanos 8.31).

Ainda assim, vamos prosseguir com a imagem. Esse leão é representado como estando rodeado por uma multidão de pastores que foram chamados contra ele. O clamor correu entre os pastores: "Um leão! Um leão agarrou um cordeiro! Venham, pastores! Tirem a presa dos dentes do monstro!" Você os vê chegando — alguns timidamente, avançando lentamente, outros mais bravamente, cada um com seu cajado na mão ou com os instrumentos que puderem reunir. Eles descobrem o matagal onde o leão jovem está se alimentando e se aproximam o máximo que podem e fazem um grande estrondo, um barulho que pode assustá-lo. Observe, todavia, como é colocado: "Ele não terá medo da voz deles." Ele escuta, olha em volta, vê quem é, se levanta e, percebendo que eles não são nada além de uma companhia de homens fracos, ele apenas se deita sobre sua presa novamente e continua com sua refeição. "Ele não terá medo da voz deles." Parece-me um grande quadro da sublime indiferença de Deus para com seus adversários. "Por que as nações se enfurecem, e os povos tramam em vão? Os reis da terra se levantam, e os príncipes conspiram unidos contra o Senhor e seu ungido, dizendo: Rompamos suas correntes e livremo-nos de suas algemas. 'Aquele que está sentado nos céus se ri; o Senhor zomba deles'" (Salmos 2.1-4). Ele não se incomoda com eles. Que passagem grandiosa essa na canção de Miriam, onde o inimigo disse: "'Perseguirei, alcançarei, repartirei os despojos; o meu desejo se fartará deles'. Ouça a fúria dessa ostentação, e o que se segue? 'Sopraste com o teu vento, e o mar os cobriu; afundaram como chumbo em águas profundas'" (Êxodo 15.9,10). Oh, como é plácido! Quão calmo está Deus! Seus inimigos estão furiosos: eles se agitam como esses tantos pastores — todos inflamados — e vêm contra o leão, e fazem ruídos estranhos para assustá-lo; mas o poderoso rei da floresta ainda está deitado, e volta seus olhos reais sobre eles, e os deixa ameaçar como eles querem.

III

Para a defesa de sua igreja, portanto, hoje e todos os dias, nos tempos passados e em todos os tempos que virão, o Senhor dos Exércitos não teme todos os seus inimigos nem se perturba por causa dos seus adversários. Às vezes você encontra na história grandes comoções. Parecia que o mundo inteiro estava agitado para sufocar o evangelho nos dias de Lutero, e os trêmulos filhos de Deus não tinham nem um pouco de medo. Contudo quão silenciosamente o Senhor continuou! Ele apenas capacitou seus servos a pregar o evangelho, a traduzir as Escrituras, a ensinar os Salmos às crianças — meios simples e caseiros, mas por meios como estes Ele deteve todo o poder de Roma e toda a astúcia do Colégio dos Jesuítas. E hoje, às vezes, quando olhamos para o exterior, nossos corações afundam, e dizemos: "Ai da igreja de Deus! O que acontecerá com sua verdade na terra? Certamente veremos de volta os dias dos mártires!", e todo esse tipo de coisa. "No sossego e na confiança estará a vossa força" (Isaías 30.15). "Acalmai-vos e vede o livramento do SENHOR" (Êxodo 14.15). Aquele em quem confiamos não tem medo. Oh, se fosse possível pensar em Deus, se nossas mentes pudessem concebê-lo! Como Ele deve desprezar as maquinações dos homens! Eles se reúnem na câmara do conselho; estão traçando um plano pelo qual estabelecerão o anticristo como uma rocha, e Deus olha e vê que a rocha nada mais é do que areia, e que o próprio edifício está todo esburacado e, se uma raposa passar por ele, cairá. E então eles se reúnem e dizem: "Não há Deus", e em sua sabedoria eles inventam métodos pelos quais "os tolos que acreditam em Deus" serão reduzidos a nada, e a causa de Deus será eliminada como uma faísca sob um pé de homem!

Oh, quão desprezíveis devem parecer ao Altíssimo! Que vermes miseráveis ao se reunirem e pensarem que podem de alguma forma afetar o reino de Deus! Deixe 10 mil gotas de spray conspirar para mover uma rocha de sua base no meio do oceano! Que uma companhia de formigas se una para sacudir um continente e removê-lo do lugar onde Deus o plantou! Seus esquemas e artifícios seriam infinitamente mais racionais do que as tentativas dos homens de impedir a trajetória de Deus.

> Quando Ele estende seu braço,
> Quem o resistirá?
> Quando Ele defende a causa de seu povo,
> Quem sua mão deterá?

Ele olha para seus adversários com desprezo e desdém. Irmãos, esperem nele, então. Tenham bom ânimo, pois o Senhor é confiável; e que seus corações se gloriem na força daquele que abraçou sua causa.

Para completar nossa interpretação disso, é necessário notar que Ele diz: "Não se assustam com a sua voz nem se abatem com sua gritaria" (Isaías 31.4). Um vira-lata, ao ver tantos pastores saindo armados, encolheria o rabo e se esconderia; mas não o leão. Ele não se rebaixa; ele não se encolhe e choraminga, como se pedisse por sua vida a eles; ele nem mesmo se vira e olha para o matagal para encontrar um abrigo onde possa se esconder, mas ele segue em silêncio com sua tarefa e oferece o seu pior a eles. Deus não alterará seu propósito para agradar ao diabo nem moldará seus planos por causa do poder que é usado para detê-los. Tudo o que já foi feito neste mundo não afetou o propósito divino — não, nem um único átomo. Até este momento, Ele fez o que quis entre os exércitos do céu e os habitantes deste mundo inferior. Os mais violentos antagonistas do domínio divino ainda têm sido subservientes à sua supremacia. Ele subjugou a tempestade que se abateu sobre sua igreja. Ele a subjugou, eu digo, até acalmá-la, e cavalgou sobre as asas do vento e fez das nuvens sua carruagem. Sempre será assim. Os poderes do mal serão servos do domínio do Altíssimo. Ele não se rebaixará a eles.

Agora vocês, que são filhos — filhos do Deus vivo, filhos da luz e do sol —, não se humilhem; não andem no meio dos adversários de Deus de cabeça baixa. Sejam como Mordecai, que desprezava a reverência bajuladora aos homens. Saibam que vocês mesmos são da semente real, descendentes do Rei dos reis, e vocês devem assumir o que realmente são. Não estremeçam quando lhes disserem que a ciência descobriu a inadequação da Revelação; não temam quando disserem que algum grande da terra perturbou a própria pedra angular do arco cristão. Vocês são tolos e lentos de coração para pensar isso? Vocês mesmos degradam sua própria linhagem duvidando de seu Pai e desconfiando do poder do Rei eterno? Não, em vez disso, sigam em frente com confiança, em forte confiança no Deus todo-poderoso, e vocês descobrirão que Ele certamente defenderá os que são dele, alcançará seus próprios propósitos e obterá vitória, e no final será visto que o Senhor reina, sim, o Senhor Deus onipotente reina.

Agora, a segunda metáfora tem em si solicitude. De uma forma ou de outra, a força não parece nos confortar quando está sozinha. Que Deus é forte por seu povo é uma verdade muito preciosa, mas somos tão brandos e trêmulos que queremos ver unidos ao poder algum atributo brando e, portanto, temos uma imagem mais branda aqui. "Como aves que protegem seus filhotes sob as asas, assim o Senhor dos Exércitos protegerá Jerusalém" (Isaías 31.5). Suponho que isso se refira a aves voando em defesa de seus filhotes e, nesse caso (e acho que é), significa o seguinte: primeiro, a ave, quando tem filhotes em seu ninho, nunca está longe dele. Ela voa em busca de comida para os filhotes, mas nunca voou tão rápido antes como então. Seu coraçãozinho nunca esquece o ninho, e se a necessidade faz com que se ausente por alguns minutos, ela volta rapidamente, e por longas e cansativas horas as avezinhas ficarão ali sentadas sobre seus filhotes, emprestando aos pequeninos o calor de suas próprias vidas. Contudo quando vão para fora do ninho, voam rapidamente. Agora, é assim com Deus. Se pudéssemos considerar necessário que Ele deixasse seu povo por um tempo para atender a outras preocupações, ainda assim, seu coração estaria com o povo, e Deus voaria de volta para ele. A ave pensa na larva, mas só pensa na larva para os seus pequeninos e, assim que o consegue, volta a voar para o ninho com asas ansiosas. Portanto, se você tem que imaginar Deus como quem tem de pensar na administração do mundo e nos arranjos da providência, ainda assim, Ele só pensa nessas coisas para o bem de seu povo; seu coração ainda está com seus escolhidos, e Ele volta para eles. Só que a figura fica muito aquém, pois o Senhor nunca tem de deixar seu povo. Ele pode pensar em todas as outras coisas e, ainda assim, pensar nelas como se não houvesse nada no mundo além do seu povo. Muitas vezes me divirto com este pensamento: que o Senhor pode pensar em alguém de seu povo como se não houvesse outro ser além daquele indivíduo. Se você fosse o único ser que Deus criou, como Ele pensaria em você e que cuidado teria por você! Ele pensa tanto e cuida de você como se você fosse o único, embora não tenha necessidade de negligenciar nada porque sua mente poderosa abrange todas as coisas. Ele nunca deixará seu povo. Você conhece aquela palavra preciosa: "Eu, o Senhor, protejo-a e a rego a cada momento; eu a protegerei dia e noite, para que ninguém lhe cause dano" (Isaías 27.3). O Senhor está sempre com seu povo. "Eu estou sempre com vocês", é a palavra de Deus para seus filhos. "Nunca te deixarei, jamais te desampararei" (Hebreus 13.5). Contudo o argumento é elaborado a partir da ave, que, se partir por um momento, volta voando. Portanto, os pensamentos e cuidados do Senhor estão sempre voltados para seus filhos.

As avezinhas, no entanto, voam muito rapidamente, no caso de seus filhotes estarem em perigo. Esse, talvez, seja mais o ponto da imagem. Se descobrem por algum grito de seus pequeninos que algum ladrão está prestes a danificar o ninho, com que rapidez elas voltam! Apenas deixe o som chegar aos seus ouvidos e imediatamente elas estão de volta para a defesa daqueles que amam tanto. Agora, o Senhor vem rapidamente para a defesa de seu povo. Você se lembra daquele salmo encantador em que Davi diz que afundou em muitas águas e clamou ao Senhor; o Senhor veio, e Davi disse: "Montou num querubim e voou; sim, voou sobre as asas do vento" (Salmos 18.10). Foi o jeito mais rápido que pudesse ser encontrado e, portanto, Deus o usou. Ele às vezes parece que demora, mas nunca o faz. Ele está sempre pronto para a defesa de seus filhos. Clamamos: "Não te demores, ó nosso Deus!", e quando chegarmos a ver a história em sua verdadeira luz, descobriremos que Ele não demorou, mas veio rapidamente, sim, veio imediatamente para defender seus filhos.

IV

As aves não voam apenas para socorrer seus pequeninos, mas também lutam voando, e bravamente. Eu estava lendo outro dia a história de um homem que foi ao ninho de uma águia para pegar seus filhotes. As aves jovens começaram a gritar assim que ele as tocou, e ele foi imediatamente atacado pela ave mãe. Ela disparou em seus olhos e cabeça, e ele quase perdeu a vida. Na verdade, embora tenha escapado, ele ficou muito tempo acamado em consequência dos graves ferimentos causados. Ele conseguiu usar sua arma e matar a ave, se não o fizesse sua própria vida certamente teria sido tirada. E não é só com as águias. Os naturalistas nos dizem que os pássaros menores parecem reunir uma coragem incomum e uma força maravilhosa para a defesa de seus pequeninos. Aves que normalmente fugiriam de uma aproximação, ao mero som de passos humanos, costumam atacar e se defender até que seus pequeninos possam escapar. Agora, Deus lutará assim por seu povo: Ele não permitirá que ninguém nos faça mal. Ele nos defenderá contra Satanás; Ele nos protegerá contra perseguidores; Ele vai nos vingar dos caluniadores; Ele aplicará todas as suas forças para que seus filhos sejam protegidos. Pense nos passarinhos no ninho; ali está a mãe pássaro voando em círculos ao redor do ninho, observando para ver se há um inimigo próximo, e se um inimigo vier, então esse mesmo pássaro

74   Fé, o alimento da alma

irá voando contra o inimigo para todos os lados. Do mesmo modo, Deus está cuidando de seu povo para que ninguém o prejudique; e quando um inimigo se aproxima deles, então Ele voa com as asas do amor e os ataca, mostrando-se forte para a defesa de seu próprio povo. Como as aves voam, assim o Senhor defenderá Jerusalém. Essas aves, sejam grandes, sejam pequenas, expõem-se ao perigo antes de seus filhotes serem feridos. Elas parecem prontas para sacrificar suas vidas por eles, a fim de preservar a vida de seus descendentes. E Deus, embora Ele não possa se expor ao perigo, ainda assim, ainda assim — devo dizer —, se sacrifica por seu povo. Ele não o fez na pessoa do Unigênito? Ele não veio e deu sua vida por seu povo para que este fosse preservado? Assim como a ave voa para o perigo para salvar seus filhotes, Jesus voa para as garras da morte para poder salvar seu povo.

E os pássaros usam muitas artimanhas para a defesa de seus filhotes. Alguns fingirão estar feridos. Você, talvez, já tenha caminhado pela manhã e visto um pássaro que parecia estar ferido, e pensou: "Eu posso pegar aquele pássaro". Você o seguiu, e ele parecia cair bem no meio do seu caminho, onde você poderia facilmente pegá-lo. Porém, ele realmente não estava ferido; estava apenas atraindo você para longe do ninho de seus filhotes. Eles têm muitas dessas artimanhas. O amor os torna sábios para a defesa de seus pequenos. E o Senhor tem planos infinitos de sabedoria, desígnios profundos de providência, toques maravilhosos de supremo amor e sabedoria pelos quais Ele certamente livrará seu povo da armadilha do passarinheiro e os levará com segurança ao desejado descanso. Oh! Vamos nos sentir bem seguros. Os passarinhos estão seguros o suficiente com sua mãe. Com o melhor de sua força, ela os protegerá. E estamos suficientemente seguros com nosso Deus. Não vamos temer e tremer; vamos calma e pacientemente esperar, sempre totalmente, inteiramente, acreditando nele.

Agora observe as duas últimas sentenças de nosso texto, pois elas são muito dignas de nossa observação: "Ele a protegerá e a livrará; quando passar, ele a salvará" (Isaías 31.5). Agora, é um pensamento precioso que "Ele a protegerá e a livrará." Às vezes, há uma proteção que não termina em libertação. Valentes guerreiros protegeram cidades, mas depois de tudo tornaram-se vítimas dos sitiantes; mas Deus protegerá sua igreja e a defenderá até que a tenha livrado do último ataque. Deus protegerá seu povo e manterá seu escudo sobre eles até que nenhuma outra espada seja forjada contra eles e nenhuma flecha voe para feri-los. Deus não começa e logo para.

A obra que a sabedoria efetua
A misericórdia eterna nunca abandona.

"Ele a protegerá e a livrará." E então a última frase: "Quando passar, ele a salvará". Ora, isso me leva de volta aos dias do Egito; pois Deus preservou seu povo ali ao passar. Foi a Páscoa que preservou Israel. Adiante, na escuridão da noite, foi o anjo da vingança com sua espada desembainhada, mas a marca de sangue estava na verga e nas duas ombreiras da casa de Israel; e o anjo passou silenciosamente e não perturbou a casa. Em todas as casas intocadas com sangue, ele entrou e deixou os mortos como uma marca de que esteve lá. Contudo Israel foi preservado. Glória a Deus! Naquele último dia, quando o anjo destruidor vier, passando, Ele preservará seu povo. Eles não serão feridos — não, nem um fio de cabelo de suas cabeças. A terra vacilará; as estrelas cairão como folhas de figueira murchas do ramo; toda a natureza à vista do grande Juiz se preparará para fugir; mas naquele momento, o povo de Deus estará seguro no seio de Senhor; eles entrarão na câmara e fecharão a porta até que passe a tempestade. "Quando passar, ele os libertará."

E até então, aquela grande e última Páscoa, sempre será assim. Nada deve nos machucar. Deus nos protegerá. Oh! Venha e se esconda sob as asas eternas. Como vi ao cair da noite, todos os pintinhos se reúnem ao cacarejo da mãe e ali, sob as penas, escondem suas cabecinhas e descansam; ó, vinde, filhos! Ó povo de Deus, venha e abrigue-se sob o seio de seu Senhor! Não está escrito: "Ele te cobre com suas penas; tu encontras refúgio debaixo das suas asas; sua verdade é escudo e proteção" (Salmos 91.4). Venham, então, e se escondam ali durante a noite. E algo os tentará a sair? Não, fiquem aí até o dia raiar e as sombras fugirem. Descansem sempre lá até que o orvalho da última noite tenha caído e a última ave de rapina, o último falcão, tenha sido visto no céu e desaparecido para sempre. Fiquem aí e confiem no Senhor para sempre, porque no Senhor Deus há força eterna.

Lamento profundamente que qualquer um de vocês agora aqui presente seja incapaz de confiar no Senhor; mas eu oro para que vocês possam. É uma vida abençoada, uma vida de fé simples em Deus. O caminho para Deus é por meio das feridas de Cristo. Existe uma porta para o céu e essa porta está no lado de Cristo. Vá e descanse no sacrifício expiatório e então confie no sempre abençoado Pai de seus espíritos e não tenham medo, mas vão em frente e cantem: "O Senhor é minha força e meu cântico; ele é minha salvação" (Salmos 118.14). E deixe este espírito estar sobre vocês para sempre. Amém!

6

SALVAÇÃO NA CRUZ

Todas as famílias da terra prantearão em separado: a família de Davi e suas mulheres;
a família de Natã e suas mulheres; a família de Levi e suas mulheres; a família de
Simei e suas mulheres; todas as demais famílias e suas mulheres em separado.
(Zacarias 12.12-14)

SEGUNDO essa profecia, esperamos nos últimos dias a conversão dos judeus ao cristianismo e sua restauração à sua própria terra, mas isso não acontecerá de outra maneira senão pela maneira pela qual a conversão de outros é realizada: será por uma visitação do Espírito de Deus. Ele virá a eles e será derramado sobre eles, de acordo com as palavras desta profecia: "Mas derramarei o espírito de graça e de súplicas sobre a casa de Davi e sobre os habitantes de Jerusalém" (v. 10). Como resultado dessa visitação do Espírito, eles voltarão seus olhos para Cristo, a quem uma vez rejeitaram e crucificaram; eles virão a acreditar nele, e essa fé produzirá o mesmo resultado neles que produziu em outros: os levará a chorar — chorar por seus pecados — não com o remorso desesperado que não vê misericórdia, mas com aquela doce penitência evangélica que é luto por Cristo e luto em conexão com Cristo — luto que logo se transformará em alegria e se verterá em intenso deleite e paz.

Agora, não vou falar mais sobre esse assunto. Devemos trabalhar e orar pela conversão dos judeus, e esperar que este seja o resultado. Contudo esta noite vamos falar para nós mesmos, para a presente congregação aqui.

I

E começaremos observando que toda a verdadeira graça na alma sempre vem por meio da atuação do Espírito Santo. Não há conversão que valha a pena que não seja realizada por Ele. Nem a eloquência do pregador, nem a força de seu raciocínio jamais comoverão uma alma para gerá-la de novo. Deus deve operar, e só Deus pode operar para recriar uma alma. Amados, não temos esperança para esta congregação: nenhuma esperança em suas orações, nenhuma esperança no próprio evangelho, a não ser naquele que é o único que pode ministrá-lo aos corações e às consciências dos homens e torná-lo o poder de Deus para a salvação deles.

E a próxima observação é que aonde quer que a verdadeira graça chegue, ela sempre leva a alma a Cristo. Se alguma vez o Senhor der a um homem os olhos da fé, estes olhos olham para aquele que foi traspassado. Qualquer fé que não chegue à cruz é uma fé que o levará para longe do céu. A menos que o sacrifício expiatório seja entendido e você se apoie nele, a menos que, como o judeu de outrora, você venha e coloque sua mão sobre esse sacrifício e o aceite como seu, você não poderá ter uma fé que acredita na Bíblia nem muito sobre Deus; você poderá até ter uma fé que lhe dá uma confiança presunçosa, mas não terá a fé dos eleitos de Deus. Irmão, Cristo é seu tudo em tudo para você? Pecador, você olha para Cristo total e exclusivamente para a sua purificação do pecado? Do contrário, que o Espírito de Deus venha sobre você e permita que você desvie o olhar de tudo o mais para o Salvador erguido no calvário, pois, até que você o faça, não há esperança para sua alma.

E então, a seguir, o contexto dos versículos que escolhemos nos leva a dizer que todo olhar verdadeiro e genuíno de fé para Cristo é acompanhado de mais tristeza por causa do pecado. Tenho cada vez mais medo daquela fé de olhos secos que ouço ser pregada tão continuamente. Fiquei alarmado quando ouvi alguém falar tão levianamente sobre o arrependimento. É uma mera mudança de mentalidade, dizem eles, e citam a palavra grega para isso. Acredite em mim, é uma mudança de mentalidade, mas não é uma mudança superficial da mente. Não é uma mudança de mentalidade como alguns supõem que seja. Se você nunca chorou pelo pecado, eu choro por você; e se você tem uma fé em Cristo que nunca o fez se arrepender de suas transgressões e se odiar aos olhos de Deus porque você as cometeu, então sua fé é apenas um sonho; você nunca olhou para aquele a quem você traspassou; do contrário, lamentaria e ficaria amargurado como aquele que está amargurado pelo seu primogênito. Ora, amados, o arrependimento do pecado não é algo que ocorre apenas durante o período de convicção; o arrependimento é uma dor perpétua; e quanto mais evoluído é o cristão, mais ele se arrepende do pecado e mais se lamenta de ter caído nele e de poder cair nele novamente. Se não houver lágrimas no céu, e suponho que não haverá, mesmo assim, se eu pudesse fazer uma exceção, eu quase pediria permissão para derramar a doce lágrima da penitência mesmo lá. Ó amados! Torna-se uma doce e bendita amargura lamentar o pecado, que eu diria com nosso poeta:

> Senhor, não me deixe chorar por nada além do pecado,
> E por ninguém mais, exceto por ti,
> E então eu iria, oh! Eu poderia
> um pranteador incessante ser.

Sim, a verdadeira fé tem uma lágrima em seus olhos. A fé dos eleitos de Deus vê Cristo através das gotas da penitência, e é uma visão abençoada a fim de olhar para aquele que sangra enquanto nosso coração sangra por Ele.

Agora, para nenhuma dessas coisas estou prestes a chamar sua atenção especial, mas apenas para um ponto — foi necessário mencionar todas essas coisas para chegar a isto: que na verdadeira tristeza pelo pecado, aquela verdadeira tristeza que acompanha a fé, sempre haverá um grau de separação, um grande grau de personalidade e individualidade e, consequentemente, de solidão — da própria família e de suas esposas à parte; e minha oração especial esta noite é que Deus dê a esta congregação aquele tipo de luto pelo pecado que viria para famílias e indivíduos à parte.

Primeiro, para famílias à parte: vamos falar sobre isso. Ele começa com a família da casa de Davi em separado. Essa era a família real. No dia em que a graça visita as famílias, ela traz o mesmo luto a todas as casas. Um rei deve chorar pelo pecado tanto quanto um camponês. O homem segundo o coração de Deus e sua família devem estar prostrados com a mesma tristeza pela transgressão do que os mais pobres em todas as tendas de Judá. Portanto, irmãos, há famílias aqui neste país que são da realeza, e eu gostaria que houvesse luto na realeza, pois houve pecado na realeza. Que Deus assim o envie! E há casas nobres e principescas nesta terra. Seria a melhor notícia que deveria ser ouvida se entre eles viesse o luto pelo pecado, pois nos lugares altos desta terra o pecado ainda tem sua fortaleza, e que Deus conceda que o arrependimento chegue até lá. Não temos nada parecido aqui esta noite e, portanto, é pouco necessário falar sobre isso; mas compararei as famílias entre vocês que são ricas e influentes à casa de Davi. Existem pecados específicos que pertencem a famílias ricas, e eu gostaria que famílias ricas se unissem e confessassem seus pecados específicos. Existem pecados de luxo, pecados de mundanismo, pecados que vêm de seguir as modas do mundo.

Existem pecados que surgem da prosperidade com a qual Deus nos cerca, pecados que surgem da falta de cumprimento de nossa administração piedosa, quando a causa de Deus não foi lembrada em proporção justa, quando os pobres não foram socorridos, quando os enfermos não foram cuidados. Deixe-me dizer a todas as famílias aqui as quais Deus prosperou: vocês não têm pecados para se lembrar diante do Senhor? Seria um bendito sinal de graça se o pai e a mãe reunissem a família e dissessem: "Reconheçamos pessoalmente nossa transgressão e clamemos ao Senhor para que em sua piedade ele nos salve". Pois alguns de vocês ainda não salvaram todos os seus filhos. Vocês ainda não converteram seus serviçais. Que a família da casa de Davi se separe para pranterar. Não há necessidade de começar a se confessar sobre os pecados dos pobres e sobre a agitações de muitos. Deixe isso de lado e confesse os seus. Casa de Davi, confesse seu próprio pecado; mantenha isso, e seja humilde por isso diante do Senhor.

Então veio a casa de Natã, e ela teve que se separar para pranterar. Suponho que seja o profeta Natã. E na casa do profeta deve haver confissão de pecado, pois o profeta e sua família também pecam. Ai de mim! Quantas vezes os ministros de Deus foram pais de filhos ímpios, e o que o pai construiu no sábado, seus filhos derrubaram durante a semana. O nome de Eli surpreende alguns de nós. Seria melhor para nós que alguns de nossos filhos morressem ao nascer do que agirem como os filhos de Eli agiram na porta do tabernáculo; no entanto, pode ser assim se na casa do profeta não houver confissão de pecado e oração em separado. Que o ministro convoque; assim como o Senhor fala ao povo por ele, cuide de que fale ao povo também por meio da administração da sua própria casa; pois, se não governarmos nossa própria casa, como governaremos bem a casa de Deus? E se não nos preocupamos com a salvação de nossos próprios filhos, como seremos pais zelosos na casa de Deus? Seria um sinal feliz para a Inglaterra se amanhã todos os seus ministros tivessem este luto em separado no meio de nossas famílias, e eu pediria a Deus que assim o fosse.

O texto, todavia, passa a falar da casa de Levi; e espero não forçar as metáforas quando digo que isso pode se referir espiritualmente a todas as famílias do povo cristão, pois não temos nenhum sacerdócio agora, exceto o sacerdócio geral de todo o povo de Deus. Cristo nos fez sacerdotes e reis. Então, eu digo que todo homem cristão à frente de uma família reúna seus filhos e seus empregados, e que haja oração e súplica em separado.

Agora, eu volto à base de tudo para muitos de vocês. Você está trabalhando como professor de escola dominical, está trabalhando como evangelista, está indo de casa em casa distribuindo folhetos. Amados irmãos e irmãs, nunca permitam que nem mesmo a língua do escândalo possa dizer de vocês que cuidavam de outras famílias, mas não da sua. Lembro-me bem de um homem — o sossego dele foi um aviso para mim, e assim o considero. Ele estava sempre pronto para auxiliar o pregador ao ar livre e ajudar com as músicas; ele estava sempre feliz ao ir à zona rural quando o pregador leigo ia a uma reunião em uma casa de campo. Quase não houve uma reunião de oração em que ele não estivesse presente. Contudo tratava-se de um homem com uma grande família em condições precárias. Ele muitas vezes deveria ter trabalhado com suas botas e sapatos em vez de estar participando de uma reunião de oração, e ele deveria estar orando com seus filhos em casa com mais frequência do que ajudando outros a fazerem o bem na rua; pois vi seus meninos crescerem um por um. Eu sabia e muitas vezes lhe falara disso que, quando crianças, frequentavam a taberna e, quando ficaram rapazes, eram encontrados no teatro. Ele parecia totalmente devoto e sério, e eu acredito que ele era, também era cuidadoso com os filhos de todos, exceto com os seus; aquele homem orou pela conversão de todos os outros, exceto pela conversão de seus próprios filhos. Para os próprios filhos, ele nunca pregou — eles disseram que ele nunca pregou. Com eles, certamente, ele nunca orou; e ele estava constantemente fora, de modo que, qualquer que fosse o bom exemplo que dava aos seus filhos, eles não podiam ver. E seus filhos cresceram e morreram, um ou dois deles, na minha presença, pela embriaguez antes de completarem a maioridade — pela embriaguez e pelo vício — e ninguém poderia dizer àquele pai uma palavra de consolo, porque ele guardou a vinha de outros, mas sua própria vinha ele não guardou. É certo que você assista a uma aula na escola dominical, mas não se seus próprios filhos forem negligenciados. É certo que você saia e trabalhe para os outros, mas não se sua própria casa estiver abandonada. Portanto, eu digo a todo cristão: reúna seus filhos e sua família, e faça uma abordagem solene ao Altíssimo com esta oração: "Ó Deus! Salve esta família, por amor de tua misericórdia".

II

O profeta então menciona a casa de Simei, e como não sabemos nada sobre Simei, embora muitos tenham suposto quem possa ter sido, pode ser suficiente dizer: que essa casa represente todas. Assim como a casa de Levi pode representar o cristão, a de Simei pode representar aqueles que não professam ser cristãos. E ali, eu poderia desejar que, onde ainda não há um altar da família erguido, onde ainda não há profissão de fé em Cristo, eu poderia desejar que o Espírito de Deus incomodasse os pais da família para, nesta mesma noite, reunir a casa e dizer: "Oremos!" Seria um bom começo se alguém que entrou aqui esta noite, não acostumado com a casa de oração no sábado, dissesse: "Isso faz sentido! Sou pai de família e para onde vai minha família? Tenho medo de que seja para o inferno! Para onde eu estou indo? Certamente não é para o céu. Esta mesma noite, direi à minha esposa: 'Esposa, vamos orar juntos; vamos orar pelas crianças'. Receio que seja uma oração simples, mas tudo deve ter um começo." Oh, senhor! Que esperança eu teria de você se já tivesse conseguido fazer pelo menos isso! Confiaria que o Senhor nunca mais o deixaria voltar, mas que, tendo começado a orar, você continuaria a orar até encontrar paz e perdão. Ora, há alguns que podem dizer: "Esta minha casa tem sido a casa de um bêbado. Perdoe o pecado! Esta casa ouviu sons de palavrões; a blasfêmia contaminou esta casa. Deus nos perdoe! Esta casa tem sido uma casa para violadores do sábado. Esta casa tem sido a casa da desonestidade. Esta casa tem sido a casa de disputas, de cólera, de inveja, de contenda e de amargura! Senhor, perdoe-nos!" Oh! Que se possa dizer esta noite: "A salvação chegou a esta casa", se Deus vir aqui e ali nesta cidade reuniões de famílias que fecharam as portas e as cortinas, e agora, em separado, estão se voltando ao Deus vivo! Ó tu, bendito Espírito! Concede que seja assim, e tu receberás todo o louvor.

Agora, contudo, devo continuar, porque o ponto principal são os indivíduos em separado. "A casa de Levi e suas esposas." Onde quer que haja verdadeiro arrependimento pelo pecado, haverá oração, confissão e clamor secretos a Deus. Vou falar sobre isso agora. Ninguém fica realmente impressionado com um senso de religião verdadeira até que comece a sentir que deve se separar. Eu vi o caçador com sua arma com a intenção de pegar um cervo. Ele tem um bando diante dele; ele está cavalgando. Eles o conhecem e não ficam muito alarmados; mas o objetivo do caçador ao passar pelo bando é destacar um. Ele deve separá-lo e ficar sozinho se quiser tê-lo para si mesmo; o caçador deve separá--lo. Muitas vezes, quando estou pregando, sinto como se estivesse cavalgando no meio de um grande bando de cervos, e quero destacar um. Não posso deixá-lo perceber; eu não o conheço, mas, oh, o Senhor o conhece, e eu soube que muitas vezes o homem foi separado, e a arma do evangelho disparou, e ele caiu. O Senhor salvou aquele homem e o derrubou. Quando o homem se separa e se sente sozinho, é certo que Deus está agindo. Se você ouvir em uma grande multidão, nada de bom virá disso, e quando você vier e orar com várias pessoas e se sentir como se fosse apenas uma parte do todo e não você sozinho orando, nada de bom vem disso. O cristianismo é nossa religião nacional! Bem, quanto vale a religião nacional da Inglaterra? Se fosse vendida por um botão sem a argola, não teria um preço mais caro do que vale? Não há nada nela: é apenas um nome. Você pode chamá-la de "um país cristão" ou qualquer outra coisa que você goste com quase tão grande convicção. A religião pessoal é a única religião que tem algum valor, e até que você faça alguém sentir: "Preciso ter isso para mim! Devo nascer de novo! Devo ter um novo coração! Devo ter um espírito reto! Devo ser lavado no precioso sangue de Cristo! Devo escapar da ira que está por vir!" —, até que essa pessoa tenha isso, não há nada de bom em sua alma. Contudo o separar-se é um dos primeiros sinais de uma obra da graça. Pois, meu querido ouvinte, você não tem pecados pessoais que não gostaria de contar a alguém, mas que devem ser confessados a Deus em separado? Tenho certeza de que se alguém aqui pudesse contar para mim ou para qualquer outro homem vivo todas as suas ações, essa pessoa deveria estar tão envergonhada quanto pudesse. Enquanto a alma ainda tem algum pudor, a confissão a um sacerdote é impossível. Somente quando se é descarado e totalmente desavergonhado é que se pode despejar-se diante de seus semelhantes. Mesmo assim, até hoje eu questiono se isso já foi feito; mas diante do Senhor nossos pensamentos são descobertos. Ó Deus! Tu conheces os pecados da minha juventude. Tu conheces as transgressões que meu pai desconhecia. Tu sabes para onde foi meu coração, e para onde foram meus pés, e o que minhas mãos e membros desta minha carne fizeram. Tu sabes tudo. E eu digo, queridos amigos: é apenas em separado que um homem pode dizer o que realmente sente.

Se alguém estivesse ouvindo, você não poderia dizer ao Senhor: "Senhor, tu sabes como me sinto! Eu iria a ti, mas não posso. Eu me derramaria diante de ti, mas minha alma está como se fosse feita de aço que foi endurecido nas câmaras do inferno! Meu Deus, eu me arrependeria, mas meu coração é como uma rocha: só tu podes feri-lo e fazer jorrar as torrentes de penitência. Eu quero ir a ti, mas Satanás me impede; ou talvez seja eu mesmo, pior do que Satanás, e estou acusando Satanás quando deveria me culpar". Mas só nós podemos contar ao Senhor nossos medos, nossas dúvidas, nossas dificuldades, a dureza que sentimos por dentro. Não poderíamos fazer isso se detectássemos o ouvido de outra pessoa na fechadura da porta; pararíamos imediatamente. Portanto, para oferecer luto aceitável perante o Senhor, a alma deve se separar.

III

E então, amados, nunca devemos esquecer que em nossa vinda perante o Senhor, o que queremos é perdão e limpeza pessoais. Há um bom exemplo em nosso hinário, um hino que termina cada verso com "até mesmo eu, até mesmo eu". Meu Deus, meu Pai! Se queres perdoar todos os teus filhos errantes e não a mim, de que valeria isso para mim? Se a paz e o perdão fossem espalhados entre todos os milhares desta congregação, mas eu fosse excluído, isso tornaria meu caso ainda mais sombrio. Ver os raios de teu amor brilhando além e sentar-me nas trevas exteriores — oh! Isso tornaria meu caso pior do que antes! Amado ouvinte, você tem pecado pessoal; você quer perdão pessoal.

Você se afastou pessoalmente de seu Pai e deve, como o filho pródigo, voltar pessoalmente; você deve ter seus braços em volta do pescoço dele e ter seu beijo nos lábios dele e ouvi-lo dizer: "Eu apaguei o teu pecado". Nada menos do que isso jamais dará paz ao seu espírito. Você não sente assim? Pois bem, separe-se e, como se não houvesse outro pecador no mundo, vá e confesse o seu pecado; como se não houvesse outro pecador que quisesse um Salvador, vá à cruz e tome o Salvador somente para si; e como se nenhuma outra alma quisesse que a obra do Espírito Santo operasse nela, vá ao Espírito Santo, se entregue a Ele e diga: "Renova-me e santifica-me! Purifica-me, ó Espírito bendito, pelo teu poder infinito". Que Deus nos envie muito da confissão e do conforto resultante dela, o único que pode trazer paz à alma.

Acho que ouvi alguém dizer: "Entendo que, se devo encontrar paz e perdão como pecador, devo ir sozinho e clamar a Deus por isso secretamente; quando devo fazer isso?" Para você, eu respondo: "Agora". Não gostaria de correr o risco de dizer: "Espere meia hora", pois nesse tempo o portão de ferro pode ter se fechado sobre você. O único momento sobre o qual sou ordenado a falar é "hoje". "Hoje, se ouvirdes a sua voz, não endureçais vosso coração" (Hebreus 3.7-8). Você me diz que esse não é o melhor momento; você não sabe quando poderá ficar separado e sozinho. Se não houver outra hora, a calada da noite poderá lhe valer; Deus está acordado. Levante-se antes do raiar do dia, se o trabalho o chamar cedo; levante-se logo, rejeite o leito macio e clame a Deus em oração. Homem! Se você romper qualquer compromisso, seja ele qual for, valeu a pena fazê-lo para encontrar misericórdia; mas amanhã é feriado. Muitos de vocês trabalhadores não terão nada para fazer amanhã e vão gastar seu tempo em festa, e não os condenarei por isso; mas se vocês não encontraram um Salvador, não me digam: "Eu não tenho tempo para orar". Que bênção seria se vocês passassem toda a segunda-feira de Pentecostes em oração, contanto apenas que encontrassem Cristo. Vá para seus quartos e digam: "Nós não deixaremos este lugar até que Cristo se revele a nós! Ele prometeu ser o Salvador de todos os que confiam nele, e nós iremos e confiaremos nele, e de sua cruz nunca nos afastaremos até que as gotas de sangue caiam sobre nossas almas culpadas, e possamos nos levantar e dizer que estamos perdoados". Oh! Seria uma abençoada segunda-feira de Pentecostes se o Senhor movesse muitos para orar em separado — orar até que encontrassem um Salvador. Conheci alguém que vivia no campo, sem religião, sem pensar em Deus. Certa ez, ele veio a Londres e ouviu um sermão do evangelho. Era um cavalheiro que gostava de caçar e, quando voltou para casa, um de seus companheiros disse: "Bem, quais são as melhores novidades que você ouviu em Londres?" "Eu ouvi", disse ele, "que Jesus Cristo veio ao mundo para salvar pecadores". O outro disse: "Eu acho que você perdeu a cabeça!" Foi uma bênção "perder a cabeça". Eu poderia mostrar isso para você. O Senhor o mantém com a "cabeça perdida" desde então; esse homem está aqui esta noite e tem um tipo de "cabeça" muito diferente. Ele agora está se alegrando e se deleitando em servir a Deus, e creio que não há homem mais feliz neste lugar do que ele. Que Deus faça com que muitos encontrem a verdadeira felicidade e abandonem a felicidade falsa, com a qual o mundo procura nos tentar. "Bem", diz alguém, "mas onde é o lugar onde eu poderia ir para ficar sozinho?" Lugar? Qualquer lugar. Em seu quarto onde você descansa. Qualquer pequeno lugar onde você possa se fechar. Ora, as próprias ruas de Londres podem servir para a solidão; pois às vezes é possível caminhar por elas e ficar tão só quanto no deserto da Arábia. Muitas pessoas encontraram Cristo em um celeiro. Eu conheço um que o encontrou em uma madeireira. Ele, não tendo outro lugar para ir, foi para lá. Atrás da cerca, no telhado da casa — em qualquer lugar onde você possa, sem perturbação, contar sua alma a Deus. Qualquer lugar. Deus não se importa com onde você está; não existem lugares sagrados hoje em dia, porém todos os lugares são sagrados onde corações amorosos seguem seu Senhor. "Mas, oh!", diz alguém, "Suponha que o tempo e o lugar estejam prontos. De que maneira eu orarei? Você poderia me emprestar um livro para orar?" Não, eu não! Que os livros para orar sejam queimados. Será abençoado o dia em que cada um deles acabar! Talvez pudéssemos fazer uma breve oração verdadeira se os livros de oração fossem todos destruídos. Vá a Deus e diga o que está em seu coração. Não importam as palavras. Qualquer palavra servirá se brotar de sua alma. "Mas não tenho palavras", você diz. Não importam as palavras: vá e chore diante do Senhor. Lamente diante dele e chore. Deixe seu coração falar, e se for uma linguagem que nenhum ouvido pode entender, Deus conhece a linguagem do coração. Ele é um Espírito e conhece a linguagem dos espíritos; portanto lerá o desejo de sua alma. Não há como obedecer a etiqueta, boas maneiras, bons períodos e frases escolhidas. Diga: "Deus, tem misericórdia de mim, um pecador. Salva-me, Senhor, pelo amor de Jesus", e haverá mais oração nisso do que em todas as orações que os teólogos mais eruditos já foram capazes de compor. O caso é o seguinte: em breve você terá de morrer à parte. Ao lado da cama estarão amigos gentis que devem despedir-se de você. Eles terão vindo com você até a beira do Jordão, mas não podem seguir pelo rio gelado. Seu espírito solitário deve seguir seu caminho solitário através do portão de ferro. Oh! Como você deve viver sozinho e morrer sozinho, que o Espírito de Deus ajude você! E está chegando a hora em que você terá de ser julgado sozinho, pois, embora em meio à multidão incontável, ainda terá de comparecer ao tribunal; para todos os efeitos e propósitos, cada homem terá um julgamento individual. Sobre cada um o olho flamejante pousará; para cada um os livros serão abertos, e sobre cada um virá a sentença: "Malditos, afastai-vos" (Mateus 25.41). Como você vai afundar sozinho na cova que não tem fundo, e queimar sozinho no inferno, onde o fogo nunca será apagado, eu rogo — e Deus fala por meio de mim para alguns de vocês esta noite —, eu oro para que vocês voltem e vivam; e que o Espírito de Deus os dirija — sim, seu Espírito infinito e onipotente — para que vocês possam buscar o lugar solitário, e com o clamor solitário de um coração quebrantado, clamar: "Senhor, salva-me! Eu creio em Jesus! Salva-me pelo amor de teu querido Filho! Salva-me e eu te louvarei".

Alguns dirão: "Bem, você ensina essas pessoas a serem egoístas — cada um olhando para si mesmo". Sim, mas ninguém pode ser altruísta até que, antes de tudo, sua alma seja salva. Quando alguém está se afogando, não preciso falar sobre altruísmo com essa pessoa. Arremesse uma corda para ela e, quando ela puder agarrá-la e se arrastar para fora das águas, ela poderá ajudar os outros, mas não antes disso.

"Mas", diz alguém, "você pode levar essas pessoas à tristeza". Quem dera eu pudesse, se isso os levasse a uma paz duradoura e perpétua! Um homem sem Deus tem de ser triste. Dâmocles,[1] quando se senta à mesa para festejar,

---

[1] Personagem de um conto moral da Roma e Grécia antigas. Dâmocles, um cortesão bastante bajulador, dizia que Dionísio, o rei de Siracusa, era um homem muito afortunado por ser rei.

com uma espada pendurada por um único fio de cabelo, devia estar infeliz. Ele devia estar infeliz ou louco! No entanto quando a espada for retirada, quando o arrependimento clamar a Deus e a misericórdia perdoar o pecado — então será o momento de ter paz e alegria; não antes disso. Que Deus o torne infeliz até que você tenha encontrado um Salvador. Então você conhecerá uma alegria e uma paz que só o céu pode igualar. Deus permita que você entenda isso esta noite! Que você não dê sono aos seus olhos nem cochilo às suas pálpebras até que esteja aninhado no seio do seu Salvador, onde a marca da lança ainda está fresca — um memorial de seu amor agonizante.

Venham, aninhem-se lá e confiem nele, assim serão salvos.

Deus os abençoe, pelo amor de Cristo. Amém!

Então, Dionísio lhe ofereceu ficar em seu lugar por um dia, para sentir como era ter todo luxo e deleites de um rei. Porém, em dado momento, Dionísio manda colocar uma espada sobre o pescoço de Dâmocles, pendurada apenas por um fio de rabo de cavalo para mostrar que, apesar de rodeado de riquezas e delícias, um rei sempre está preocupado e temeroso dos perigos constantes que o rondam. Imediatamente, Dâmocles perdeu o interesse por tudo, pois julgou que sua vida era mais importante. A moral da história é que se precisa apenas de virtudes para se viver bem, não de riquezas. "A espada de Dâmocles" é uma expressão que se refere a qualquer sentimento de desgraça iminente e sempre presente, ou à insegurança de alguém com grande poder.

7

DANDO A DEUS O QUE LHE É DEVIDO

Eu te oferecerei sacrifícios de ação de graças
e invocarei o nome do SENHOR.
(Salmos 116.17)

IRMÃOS, isso precisa ser o resultado da experiência da graça divina de cada cristão. "SENHOR, sou teu servo; sou teu servo, filho da tua serva; tu me livraste das minhas cadeias" (v. 16). Sendo libertos da escravidão espiritual e feitos servos do Deus vivo, devemos e iremos louvar ao Senhor enquanto tivermos algum fôlego. A ação de graças deve sempre ocorrer em paralelo com a oração, em conexão com a igreja de Deus. O que é verdade para o indivíduo é verdade para os indivíduos reunidos como uma entidade corporativa. Não há uma verdadeira igreja de Deus na terra, mas apenas aquela que tem motivos abundantes para dizer: "Eu te oferecerei sacrifícios de ação de graças e invocarei o nome do SENHOR" (v. 17); e cometeremos um grande erro se, ao mantermos nossos dias de oração e clamarmos a Deus, não os tornarmos ao mesmo tempo dias de louvor e bendizermos seu santo nome pelo que recebemos. Davi parece-me neste versículo se destacar em relação a muitos, pois há alguns que dirão: "Eu continuarei a orar". "Sim", diz Davi, "mas te oferecerei sacrifícios de ação de graças". Outros dirão: "Nós nos encontraremos e sofreremos com o triste estado de Sião; falaremos uns com os outros sobre as deserções dos fiéis, a falta de piedade, santidade, a superficialidade da piedade, a heresia de grande parte da doutrina que é pregada e o mundanismo que é vivido por muitos". "Sim", dizia Davi, "e irei com vocês também, me confessarei e me humilharei perante Deus, mas também oferecerei sacrifícios de ação de graças".

Há uma tendência na igreja de Deus de tocar muito mais com as cordas dissonantes do coração do que com as que ainda permanecem afinadas. Davi não esqueceria o quanto havia de errado. Ele seria um dos primeiros a se humilhar perante o Senhor, estaria entre os primeiros a se unir a Jeremias e dizer: "Ah! Se a minha cabeça se tornasse em águas, e os meus olhos, numa fonte de lágrimas, para que eu chorasse de dia e de noite os mortos da filha do meu povo!" (Jeremias 9.1); mas ainda assim ele delibera sobre isso, ele declara isso diante de todos os que chegam — "Eu te oferecerei sacrifícios de ação de graças".

Agora, eu quero que vocês, queridos irmãos, se em algum momento vocês se sentiram inclinados a espalhar a palavra de desânimo, ou mesmo a palavra mais amarga de censura, por toda parte, sobre esta igreja e aquela igreja e outra, e sobre este povo de Deus e o outro povo de Deus — em vez disso, cheguem à resolução do salmista que agora está diante de nós e digam: "Com todas as falhas da igreja e com todas as nossas, com tudo o que há para lamentar e tudo o que há para confessar, ainda assim, não deixaremos isto de lado: ofereceremos sacrifícios de ação de graças".

Eu tomo minha decisão esta noite; e faço isso por quatro motivos. Primeiro, porque acredito que isso é devido a Deus; em segundo lugar, porque acredito que é bom para mim; em terceiro lugar, porque acredito que é encorajador para meus companheiros de trabalho; e em quarto lugar, porque penso que é um dos auxílios para a concretização do propósito que almejamos.

I

Em primeiro lugar, queridos amigos, oferecerei sacrifícios de ação de graças porque são devidos a Deus. Aconteça o que acontecer, não deixe Deus ser privado de seu louvor. Suponha que seja verdade que os ministros não são fiéis. Deus não terá glória? Suponha que seja verdade que muitos dos membros das igrejas cristãs não são o que professam ser. Devemos deixar de glorificar a Deus por causa disso? Porque, se Ele é roubado de sua glória por ministros ou outras pessoas, mais razão pela qual aqueles que o amam deveriam diligentemente dedicar-se ao seu louvor e seriamente oferecer a Ele sacrifícios de ação de graças; pois, apesar de todas as visões sombrias que podem ser consideradas a respeito da religião no mundo, temos de lembrar que devemos louvar a Deus por haver um evangelho. Ele poderia ter deixado o mundo não apenas no paganismo, mas sob a interdição da perdição eterna. Poderia ter nos deixado sem um evangelho para pregar, sem uma maneira de escapar de sua ira, com nada diante de nós, como os filhos do pecador Adão, a não ser voltar "ao pó vil de onde surgimos", e então descer com a serpente ao lugar onde ela carrega a ira de Deus para sempre. Eu me regozijarei e bendirei a Deus enquanto tiver algum fôlego por existir um evangelho, um Deus encarnado, um sacrifício expiatório e por existir um Salvador eterno. Se não tenho mais nada pelo que me alegrar, vou bendizê-lo por estas palavras um dia serem possíveis: "Jesus Cristo veio ao mundo para salvar os pecadores" (1 Timóteo 1.15). Que um dia estas palavras estejam no âmbito de nossa compreensão, que sejam uma realidade em nossa vida e que nossos lábios tenham o privilégio de expressá-las Oferecerei a Ele sacrifícios de ações de graças.

E eu vou agradecer a Ele porque, apesar de todos os pecados e enfermidades de sua igreja, Deus tem nos suportado. Cristo não entrou com pedido de divórcio ainda. Às vezes falamos contra a igreja, e muito bem o fazemos, incluindo a nós mesmos nela. Existem muitas falhas e muitos fracassos, mas, apesar de tudo isso, a igreja de Deus na terra é a noiva de Cristo, e se Ele pode suportá-la, acho que devemos fazer isso também. Se Ele ainda a ama, se ainda, apesar de todos os seus defeitos, é por meio dela que seus filhos espirituais nascem no mundo; se Ele diz que odeia o divórcio, não cabe a nós nos separarmos dela e, como alguns fazem, agir totalmente independente da igreja, como sendo algo que Deus certamente abençoará. Acho que é mais provável que traga resultados espúrios. Contudo o que é feito em conexão com a igreja visível na devida ordem, e segundo a maneira do Senhor, honra a igreja, e Deus deseja que a esposa de Cristo seja honrada, assim como Cristo, o Rei.

Amados, agradeço a Deus e continuarei agradecendo, enquanto eu viver, por Ele suportar sua igreja. O Espírito de Deus não saiu dela. Ainda existem os vivos em Sião; suas orações ainda sobem; seus louvores ainda são recebidos. Existe uma igreja de Deus no mundo. Sim! Bendito seja o nome dele por isso!

E agradeço a Deus, amados, que o evangelho está preservado entre nós. Eu acredito que em muitos púlpitos ele é pervertido, racionalizado, até que sua própria alma se vá. Sabemos que em algumas igrejas o ritualismo, de um lado, apagou o evangelho, e o racionalismo, do outro, quase o enterrou; mas apesar de tudo isso, o evangelho nunca foi pregado de forma mais verdadeira do que é agora. Se alguém deseja ouvir o evangelho, pode ouvi-lo nesta terra, e ouvi-lo distinta e claramente também; pois muitos correm de um lado para outro, e o conhecimento a respeito de Deus aumenta na terra. Por tudo isso vou oferecer a Deus sacrifícios de ação de graças.

E eu vou agradecer a Ele porque, apesar de todo torpor dos tempos, provavelmente existe mais evangelho no mundo do que nunca. Ora, nos dias dos apóstolos, provavelmente não havia uma Bíblia no mundo comparada às dezenas de milhares que existem neste momento. A invenção da imprensa foi uma grande bênção para a igreja. Você sabe que, em nossa própria história inglesa, um homem teria empregado quase um ano de trabalho para comprar uma Bíblia, e agora pode-se tê-la quase como um presente; e dificilmente há uma língua sob o céu para a qual a Bíblia não foi traduzida, e as cópias caem tão abundantemente como folhas de frondosas florestas por todas as terras. Oh, bendito seja Deus! Eu oferecerei sacrifícios de ação de graças não importando o que qualquer outra pessoa possa fazer.

Também agradeço a Deus por termos superado os tempos sombrios da igreja. Oh, irmãos! Se mais uma vez tivermos de ficar sob o poder de um tirano, e fosse passível de morte crer em Jesus e de prisão falar uma palavra em nome de Cristo, deveríamos começar a suspirar e chorar por esses tempos; mas esta noite não estou parado perto de uma fogueira na Escócia entre as colinas de algum vale escuro, lendo minha Bíblia pelo brilho de um raio, ou conversando com pactuantes[1] armados que estão prontos para guardar suas vidas com espadas. Estamos na terra onde quem quiser falar de Jesus pode fazê-lo. Não há ninguém para nos impedir, ninguém para nos assustar. "Oferecerei sacrifícios de ação de graças e invocarei o nome do Senhor" (Salmos 116.17).

Mais do que isso, temos visto nesta igreja, e nossos irmãos em sua medida têm visto em outras igrejas, que o Senhor ainda está operando. O evangelho pregado hoje salva almas como fazia no passado. Caso não vejamos 3 mil tocados com um sermão, ainda assim, aquele que fala a vocês agora pode contar os convertidos

---

[1] Membros de um grupo escocês político-religioso do século XVII, pertencentes a um movimento contra intervenções e modificações na estrutura da Igreja da Escócia procurando deixá-la mais parecida com a Igreja Episcopal Anglicana, sob controle do rei da Inglaterra.

sob seu ministério não apenas aos milhares, mas às dezenas de milhares; pois, de acordo com meu conhecimento pessoal, quer conversando com eles quer por cartas deles, soube que muitos mais do que poderiam ser contados em 20 mil foram trazidos a Jesus Cristo. E eu sei que em nosso próprio colégio os homens treinados em nossas próprias igrejas tiveram o privilégio de trazer para a igreja de Deus muito mais do que 10 mil almas com as quais Deus os abençoou. O reino cresce. Não é como gostamos, mas, ainda assim, devemos ser agradecidos a Deus por ele crescer em absoluto. Poderia ter sido diferente. "Oferecerei sacrifícios de ação de graças e invocarei o nome do Senhor" (v. 17).

E, mais uma vez, faremos isso porque Ele está pronto para fazer muito mais. Deus está pronto para converter milhões em vez de milhares, e quanto a isso Ele nos deu uma promessa que temos tanto prazer em cantar.

> Meus lábios cantam um novo cântico,
> Fundado em amor;
> Por toda graça que ainda não provei
> Dou glórias a ti, meu Senhor.

Glória a Deus pelo que Ele vai fazer! Batam palmas, oh santos do Deus vivo! Pois Ele está prestes a ganhar as nações para Jesus. Etiópia, e a terra de Sinde, e os habitantes dos desertos da Arábia — eles virão e se prostrarão diante do Senhor. A alegria dos últimos dias será tão grande que podemos muito bem antecipá-la e começar a nos regozijar nela agora. Como o agricultor se regozija com a colheita esperada, assim daremos um grito de alegria porque a colheita é certa, e se demorar, é porque pode ser maior quando vier. Oferecerei sacrifícios de ação de graças, deixe os outros fazerem o que quiserem. Vejam, isso é porque é devido a Deus.

II

O segundo tópico era porque é bom para nós mesmos. E, é claro, porque sempre é bom para nós sermos justos — bom para nossas almas cumprir bem um dever. É apenas para louvar a Deus; e é uma das obrigações dos santos louvar o nome de Deus. Portanto, é bom para nós mesmos. Se não louvarmos a Deus, nos pegaremos ficando amargos e taciturnos. Um homem que não louva a Deus não é muito querido, e então ele fica com uma disposição desagradável e amarga, da qual peçamos que o Senhor nos salve! Há uma pessoa que não consegue olhar para nenhum trabalho que seja feito, exceto como uma gralha ou um macaco para despedaçá-lo. Existe um reavivamento. "Oh, sim! Isso é mera emoção." Existe uma igreja com um grande aumento de membros. "Sim! Há muitas igrejas, e elas se reúnem bastante, isso e aquilo, e todo esse tipo de coisa; mas eles não são rigorosos o suficiente em sua disciplina." Há um jovem que foi levantado por Deus para agitar uma cidade do interior. "Ah, sim! Eles sobem como um foguete e caem como um pedaço de pau." Esse é um estilo que se pode aprender facilmente. Não acho muito difícil ser um crítico desagradável; pode-se aprender a ser assim com facilidade e muito rapidamente.

Agora, para manter a doçura de nossas almas, ofereceremos sacrifícios de ação de graça apenas para evitar que esta substância azeda, este fermento horrível, nos torne como alguns são — tornando-nos um pedaço de amargura. Louvemos e bendigamos ao Senhor. Algumas vezes me senti como o quaker[2] que, ao ouvir um homem xingar, disse-lhe: "Xingue, amigo. Livre-se de todas as coisas nojentas que você tem em sua alma, pois você nunca poderá ir para o céu enquanto tiver isso em você. Ponha isso para fora o mais rápido que puder". E a melhor maneira de nos curarmos da amargura é oferecer sacrifícios de ação de graças. A ação de graças às vezes também cura a impaciência. Às vezes, em nosso zelo, realmente desejamos poder subir ao trono de Deus e controlar as coisas melhor. Pensamos apenas de modo imediatista. Não estamos satisfeitos com as coisas à medida que elas avançam. Queremos empurrar a igreja à nossa frente, puxar o mundo atrás de nós e fazer em um dia o que normalmente leva um século para ser realizado — algo muito apropriado quando não se vai muito longe. Contudo, quando agradecemos e bendizemos ao Senhor, isso mata a nossa impaciência, evita que

---

[2] Membro dos Quakers, uma organização cristã iniciada no século XVII. São também denominados Sociedade dos Amigos. Apesar de haver hoje várias vertentes, eram conhecidos, principalmente nos primórdios, pela total simplicidade de vida e de seus cultos, os quais eram reuniões sem um dirigente específico em que ficavam em silêncio, buscando e esperando um contato íntimo com a "luz interior" e um direcionamento de Deus.

caiamos em especulações pouco práticas, permite-nos, com paciência, possuir a nossa alma e seguir em frente com a obra de Deus, deixando os resultados com Ele, que conhece melhor os tempos e as estações do que ousamos supor saber. Contudo, irmãos, se vocês entraram em um estado destrutivo crítico, e sua alma está triste e pesada, e vocês estão lendo todos os livros que predizem que o papado vai dominar a terra, e vocês vão para a cama à luz do dia pensando que o sol está se pondo, consiga alguém, consiga principalmente o poder divino, para ajudá-los a cantar, para ajudá-los a louvar a Deus. Oh! Se vocês pudessem colocar o ar bom em seus pulmões pela oração, e então respirá-lo novamente em uma poderosa explosão de louvor! Nada é tão bom para um homem quanto louvar a Deus. O homem que ora, mas nunca louva, não tem apenas o espírito de um pedinte, mas um espírito pedinte. Se estivermos sempre pedindo algo a Deus e nunca agradecendo o que recebemos, o Senhor pode muito bem nos dispensar e dizer: "Não lhe ouvirei mais. Você está sempre implorando, mas nunca me agradece. Se você não é grato pelo que eu lhe dou, também não lhe darei mais nada".

III

Bem, agora, em terceiro lugar: oferecerei sacrifícios de ação de graças porque é encorajador para meus companheiros de obra. Você sabe que muitas coisas em uma igreja dependerão do líder. Ministros cristãos são apenas homens; mas ainda assim, quando Deus os envia e eles são o que deveriam ser, eles influenciam muito a igreja inteira, e se eles entram em um espírito de desânimo entorpecido, os obreiros, a maioria deles, sentem o efeito disso. Se houver gelo no púlpito, como regra, você não terá muito calor no interior da igreja. Se o espírito do pastor está deprimido e ele não acredita que Deus está fazendo o bem, ora, as pessoas começam a pegar a infecção e a sentir o mesmo. Portanto, é importante, meus amigos, diáconos e presbíteros aqui presentes, manter um espírito alegre. Vocês, meus irmãos, mantenham nas escolas dominicais aquele tom animado e alegre de ação de graças a Deus; do contrário, os professores podem ficar desanimados ao ver que o superintendente está desanimado; pois sempre há um grupo na igreja que é naturalmente desanimado. Eles não podem evitar. Eles nasceram no começo do paralisante e triste inverno e nunca farão aniversário no período alegre e jovial da primavera. Eles têm aquele tipo de espírito que floresce melhor em meio a um degelo e em épocas mais úmidas. Eles sempre olham para o lado negro das coisas. Pelo bem deles, vejamos o lado bom. Então, sempre há alguns obreiros que estão trabalhando debaixo de grande desânimo; e se não agradecemos a Deus pelo que Ele faz, então eles dizem: "Como podemos esperar um bom resultado de nosso trabalho?" Com muita frequência, eles pensam muito melhor de nós do que merecemos. Ora, não há nada no mundo, afinal, entre os cristãos, que terá um efeito maior sobre eles do que a coragem dos verdadeiros cristãos. Quando as coisas estão muito pesadas, os olhos brilhantes e a compreensão alegre de algum companheiro de obra muitas vezes inspiram todos os demais.

Quando Paulo estava na tempestade, o coração de todos afundava, exceto o de Paulo; e porque era corajoso, Paulo exerceu uma influência sobre todos os que estavam no navio. Conheci um querido irmão mais novo e conheci um querido irmão idoso, cuja palavra e presença sempre nos animaram. Eu estava lendo na semana passada a história de um navio, um de nossos navios de guerra, que estava em um combate desesperado com o inimigo. Nosso navio foi atacado com armas de modo violento: o convés estava coberto de marinheiros mortos, o sangue jorrava de todos os lados, e o capitão estava prestes a dar ordens para abaixar a bandeira em sinal de rendição. A menos que a batalha terminasse, parecia não haver outra certeza a não ser que o navio seria feito em pedaços, a menos que a batalha fosse interrompida. Àquela altura, estavam a bordo do navio algumas galinhas. Um dos tiros quebrou o galinheiro e, naquele exato momento, um galo garnisé veio e parou na parte lateral da embarcação e deu um tremendo cocoricó. Assim que fez isso, todos os homens que estavam vivos no convés soltaram gritos de alegria; os artilheiros correram para suas armas e atacaram de volta; e, em vez de abaixarem sua bandeira, eles capturaram o inimigo. Foi, sem dúvida, um legítimo galo britânico que fez isso. Gosto de ver um pouco dessa legítima intrepidez britânica nos homens cristãos, de modo que, quando outros estiverem desanimados e desesperados, possam dar um passo à frente e dizer: "Oferecerei sacrifícios de ação de graça". Venham, irmãos, vocês podem se afastar de suas armas se quiserem e podem clamar, chorar e dizer: "Isso não pode acontecer e não irá". Vejo azul suficiente no céu para indicar um bom dia justo antes que o sol se ponha; vejo brilho suficiente na promessa; vejo o suficiente nas colinas sombrias da escuridão, enquanto minha alma olha para elas, para acreditar que as promessas vão em direção a um dia glorioso de graça; e, portanto, oferecerei sacrifícios de ação de graças e invocarei o nome do Senhor.

IV

Faremos isso e ofereceremos sacrifícios de ação de graças, porque é uma das melhores formas de promover o grande fim que almejamos.

Faça isso tendo Deus como seu alvo. Nosso objetivo é a glória de Deus. É bom oferecer ações de graças, pois é para glorificá-lo. "Aquele que oferece sacrifício de ação de graças me glorifica" (Salmos 50.23), diz o Senhor. E fazer isso em tempos difíceis significa glorificá-lo duplamente. Portanto, teremos um espírito grande e alegre, e louvaremos seu nome, porque estamos atingindo o centro do alvo quando estamos glorificando a Deus. E esse é o objetivo inclusive da salvação dos pecadores. Que pecadores sejam salvos não é nosso objetivo final. O objetivo final é a glória de Deus por meio da salvação dos pecadores. Entenderemos isso então; e faremos isso se oferecermos sacrifícios de louvor.

Em segundo lugar, no entanto, promovemos nosso objetivo nos santos, pois quando os santos são encorajados e levados a agradecer a Deus, eles se tornam melhores para o serviço; tornam-se, portanto, mais capazes em suas atividades; eles o farão de uma maneira melhor; farão isso com mais fé; e quanto mais fé, maior será o resultado; pois a regra do reino é: "Seja feito conforme a vossa fé" (Mateus 9.29). Se você deseja que seus homens estejam em boa forma, ó comandante, não diga nem mesmo uma só palavra que abata o espírito deles, mas antes mostre-lhes como engrandecer o nome do Senhor.

E, de novo, isso responde ao pecador final como alvo. Ó pecador! Se você nos vir agradecendo o nome do Senhor, podemos lembrá-lo de que você tem muito a agradecê-lo também. E se você não for salvo? Bem, você ainda não está trancado no inferno. E se você não for perdoado? Bem você está onde o perdão deve ser obtido. E se você ainda não puder dizer: "Eu sou da família do Senhor"? Bem, há espaço para você se levantar e ir até seu Pai e confessar seu pecado a Ele. Oh! Você deve oferecer sacrifícios de ação de graças porque você ainda está na terra de oração, e ainda está onde o evangelho lhe é pregado. Vejo muitos motivos pelos quais até você deveria agradecer a Deus pelo que tem.

Após isso, sinto-me convencido de que os não convertidos têm mais probabilidade de se converter — falamos como homens — por meio de cristãos agradecidos do que por quaisquer outros. Ouso dizer que há algumas pessoas cujos corações serão conquistados para Cristo por pregadores de uma fisionomia e uma disposição muito tristes e pesadas. Suponho que quando a religião é pintada como uma coisa escura e negra pode haver alguns corações que são atraídos por ela, mas acredito que há mais moscas apanhadas com mel do que com vinagre, e que há mais pessoas levadas a pensar em suas almas por meio de cristãos agradecidos do que pela murmuração destes.

Estou propenso a acreditar que, para muitos, é uma questão muito importante se a religião faz os homens felizes; e quando eles veem que sim, e nos veem agradecidos e felizes, dizem: "Nós iremos descobrir o segredo que faz essas pessoas felizes; iremos com elas para que possamos compartilhar sua bem-aventurança".

E eu acho que isso leva o pecador a pensar melhor sobre Deus. Eu não gostaria de manter uma empregada que sempre foi muito infeliz, para que todos dissessem: "Ah! Aquela mulher tem um péssimo patrão em casa, pode ter certeza disso". Eu não gostaria que meu cavalo, quando estivesse na rua, fosse de um tipo que as pessoas ao seu redor dissessem: "De quem é esse cavalo?" "Ora, é do ministro da igreja Tabernáculo Metropolitano". "É assim que ele mantém seu cavalo? Ora, pode-se ver suas costelas. Que dono ele deve ser para manter um cavalo assim." O mundo olha para os que professam a fé cristã. "Este é um dos seus cristãos, não é? Ora, ele é o suficiente para fazer uma tempestade na casa — a simples visão de seu rosto, e se todo mundo estivesse feliz e ele entrasse, você suporia que todo casamento foi transformado em um funeral". Eu acho que o mundo diria: "Oh! Eles servem a um Senhor ruim, pode ter certeza. O Deus em que dizem crer os conforta muito pouco". Acho que dizem: "Nós estamos felizes, você sabe; podemos ser felizes". Contudo eles esquecem o futuro e só pensam no presente, e pensam que sua posição é muito superior à do cristão triste. Não os deixe dizer isso, amado, mas, pelo contrário, deixe-nos dizer esta noite: "Oferecerei sacrifícios de ação de graças".

Isso minha alma está decidida a fazer.

8

A INSÍGNIA DO CRISTÃO

Porque a porção do SENHOR é o seu povo; Jacó é a sua herança.
(Deuteronômio 32.9)

OISÉS, não tenho dúvidas, tinha em mente a divisão da terra de Canaã entre as tribos. Depois de terem cruzado o Jordão e entrado na terra prometida, a terra foi demarcada: uma parte para Ruben, uma parte para Simeão, uma parte para Judá, uma parte para Efraim, e uma parte para Manassés, para que cada uma das tribos tivesse sua própria porção em particular. Por assim dizer, Moisés representa o mundo inteiro estendido como um mapa diante dos olhos do Deus eterno, e o Senhor tira para si uma porção que deve ser a parte de sua herança. Essa porção era, nos dias de Israel, a nação de Israel. A porção do Senhor do antigo Israel, a nação, tipificava a semente espiritual de Deus, os filhos de Abraão que são descendentes do pai dos fiéis. Estes, os escolhidos de Deus, os chamados de Deus, o povo de Deus que crê, regenerado e santificado — esses são a porção de Deus.

Agora, em certos aspectos, toda a Canaã pertencia a cada israelita. Assim que cada um cruzava a fronteira, estava em sua terra natal; mas ainda havia um sentido especial em que uma parte da terra prometida pertencia a cada tribo. O homem da tribo de Simeão dizia, onde quer que estivesse em Canaã: "Eu estou em minha própria terra", mas quando ele alcançava a posse específica de sua tribo, então dizia: "Esta terra pertence especialmente a mim". Portanto, o mundo inteiro pertence a Deus. A terra e toda a sua plenitude são do Senhor, o mundo e os que nele habitam; mas ainda existem pessoas em particular no mundo, a quem Deus chama especialmente de suas, e das quais Ele diz pela boca de um antigo profeta: "Eles serão meus, diz o SENHOR dos Exércitos, minha propriedade exclusiva". Todas as coisas são de Deus, mas seu povo é especialmente dele. Assim como um homem pode possuir grandes propriedades, amplos acres e abundância de ouro e prata, gado e rebanhos, e colheitas, ele, no entanto, possui seus próprios filhos em um sentido diferente daquele. Ele diz: "Todas essas coisas são minhas, mas ainda assim meus filhos são meus em particular". E assim devemos entender o texto. "A porção do SENHOR é o seu povo; Jacó é a sua herança." Além de todo o mundo, Deus condescende em chamar seu povo de sua propriedade.

Vamos nos ater a esse fato por alguns minutos; depois, ao privilégio que ele nos traz e, então, ao dever que isso nos impõe.

I

Agora, primeiro, sobre esse fato: devemos fazer com que o fato de o povo de Deus ser sua porção corra em paralelo com a imagem de Canaã sendo dividida em porções. Portanto, notamos, primeiro, que a porção de qualquer tribo era dela em particular. Judá disse: "Esta terra é minha". Simeão disse: "Esta terra é minha". Assim também Deus diz de seu povo: "Eles são meus em particular". Já mencionei esse fato no início, mas quero que você perceba: não é tanto algo sobre o qual pregar, mas antes algo sobre o qual se pensar, observar, aprender e digerir interiormente. Você, ó crente em Jesus, é a porção de Deus em particular. Trata-se de Ele possuir você de modo especial. Você pensará sobre isso? Você é em si mesmo um membro insignificante de uma vasta comunidade; você é indigno em sua própria estima; se você se julgar corretamente, você é nada e menos do que nada; e ainda assim, você não é insignificante para Deus. Para ele, você é precioso. "Visto que és precioso aos meus olhos", disse Ele, "e digno de honra" (Isaías 43.4). Deus tem consideração por você. Embora a multidão de homens passasse por você e se esquecesse de você, e embora alguns dos grandes da terra desprezassem você, ainda assim o Senhor se lembrou da condição humilde de sua serva e olhou para você, minha irmã, com olhos de amor. E você, meu irmão, embora sinta que não passa de um mendigo em um monturo, Ele o aceitou como seu e, ao fazê-lo, o colocou entre os príncipes, sim, os príncipes de seu povo. Alguém se assenta e coloca isto debaixo de sua língua como um pedaço de doce: "O Senhor tem consideração por mim; Ele me olha com um olhar atento; cuida de mim; tem desígnios e propósitos de amor para comigo. Ele cuidará de mim até a última hora da vida e me levará para Ele, porque eu sou dele. Ele se deu a mim para ser meu Pai e meu Deus, mas também me aceitou como uma parte integrante do que Ele chama de sua própria herança". Não posso me alongar sobre esse pensamento, pois me faltaria tempo, mas eu quero que vocês entendam, para que possam ter o doce desfrute disso, pois vocês são de Cristo e Cristo é de Deus, "vós sois geração eleita [...] povo de propriedade exclusiva de Deus" (1Pedro 2.9). Vocês pertencem particularmente ao Senhor, tantos de vocês quantos acreditaram em Cristo Jesus para a vida eterna.

Observe, a seguir, este fato: cada tribo teve de conquistar a herança que lhe pertencia. Lá estava a terra marcada no mapa, mas eles tiveram de subir e tomá-la, pois a terra havia sido possuída pelos heveus e perizeus, os quais deveriam ser expulsos. Mesmo que a porção do Senhor seja o seu povo, ainda assim Ele teve de nos conquistar; pois quando Ele nos alcançou, quem éramos, senão presas de várias concupiscências e poderes malignos? Satanás nos governava, o pecado interior tinha domínio sobre nós; o mundo passava por cima de nós. Éramos maus. Nenhum de nós fazia o bem, não, nenhum. Contudo, bendito seja o nome do Senhor! Ele nos conquistou. Foi uma luta difícil no caso de alguns de nós, pois éramos resistentes ao Deus da graça. Ora, há aqueles aqui para quem os sermões sinceros eram apenas como bolinhas de papel contra uma parede de granito. As lágrimas de uma mãe, ainda que sejam poderosas, caíram sobre eles e nunca os derreteram. Para eles, as exortações de um pai foram em vão; para eles, um naufrágio, uma batalha, uma febre e estarem deitados à beira da sepultura — tudo isso foi infrutífero. Eles ainda permaneceram incorrigíveis. Seus pecados eram como aqueles cananeus que tinham carros de ferro, e parecia que a terra nunca poderia ser conquistada para Deus. Contudo Deus o fez, glória seja dada ao seu nome! Ele subjugou nossas vontades e nos trouxe ao pé da cruz. Ele nos fez amar o que antes odiávamos e valorizar acima de tudo o que antes desprezávamos. A porção do Senhor é o seu povo e, portanto, por sua poderosa graça soberana, Ele os vence e os coloca sob domínio, sob os pés de sua misericórdia. Deem glória ao vencedor, meus irmãos. Curvem-se de bom grado. Presos nos grilhões de seda do amor, inclinem-se diante do príncipe da paz e saúdem-no como seu rei.

E então as tribos, depois de terem conquistado a terra, tinham outra tarefa a cumprir, a saber, extirpar os antigos habitantes. Pois as tribos não deviam apenas sujeitá-los, para que Judá ou Ruben possuíssem sua terra, mas deviam matá-los totalmente, pois seus pecados haviam sido grandes, por isso Deus os condenou a morrer, e os israelitas seriam seus algozes. Agora, isso é o que Deus tem de fazer em cada um de seu povo, a saber, exterminar nossos pecados. Ó irmãos, que batalha seria para nós! Ora, nossos pecados, quando os atacamos sozinhos, logo nos vencem. Ora, o pecado mais fraco que existe em qualquer um de nós seria nossa ruína se fôssemos deixados sozinhos; e quanto às nossas paixões mais fortes, se a oportunidade e a tentação se unissem, e nossos desejos malignos surgissem ao mesmo tempo, quem entre nós poderia enfrentar tal conflito? E ainda, tão certo quanto Deus empreendeu a obra de nossa salvação, Ele pretende desenraizar e quebrar todos os nossos pecados. Você pode perceber isso? Ó meus irmãos, que estão diariamente lutando contra o pecado interior, vocês podem perceber que chegará o dia em que vocês não terão tendências para o pecado, quando todas as suas forças se voltarão para a justiça e somente para a justiça? Você pode entender isso? "Oh", você diz, "é um pensamento celestial". Sim, e no céu isso será concretizado, mas você terá mais e mais do céu aqui embaixo na proporção em que isso for concretizado aqui. Santidade é a estrada real para a felicidade. A morte do pecado é uma vida de alegria. Na raiz de todo pecado está a amargura da tristeza. O pecado é a raiz da amargura. Quando Deus arrancar cada uma dessas raízes de amargura, será uma coisa bendita para nós, e Ele fará isso. O irmão de temperamento explosivo não será mais sujeito a explosões de cólera; o preguiçoso não será mais tentado à indolência; o homem de orgulho prepotente deverá se curvar tão humildemente como o serafim encoberto com suas próprias asas; haverá em nós toda propensão para o bem e nenhuma inclinação para o mal.

Ó dia sagrado, ó morada abençoada!
Eu estarei perto de Deus e serei como Ele,
E a carne e os sentimentos não mais atacarão
Os prazeres mais profundos da minha alma.

Estarei para sempre livre daquilo que me traz tristeza e possuirei aquilo que me traz alegria. A porção do Senhor é o seu povo, e Ele não deixará um cananeu sequer na terra, eles serão completamente esquartejados pelo Senhor.

II

Pense nesse paralelo e terá outro pensamento: depois que o povo conquistou suas próprias porções, eles tiveram que cultivá-las, e as cultivaram bem até que os próprios topos das colinas estivessem cobertos de vinhas e os vales rissem com colheitas jubilosas. Agora o Senhor cultivará sua igreja. Ainda somos um solo pobre e estéril; mas o Senhor sabe como nos lavrar e nos cultivar até que produzamos cem vezes mais para sua glória. Às vezes ouvimos falar de alta cultura. Eu não teria inveja da mais alta cultura mental que a universidade produziria; mas invejo acima de tudo a cultura espiritual do Espírito Santo. "Sereis lavrados e semeados" (Ezequiel 36.9), diz o Senhor, e benditos são os que permanecem sob o cultivo divino! "[Ele] fará o seu deserto como o Éden e a sua solidão como o jardim do SENHOR" (Isaías 51.3). Tenha certeza de que em qualquer porção que Deus se comprometer a cultivar, Ele será bem-sucedido. Ninguém é lavrador como nosso Pai.

Ele é o agricultor e obterá melhores colheitas de nós do que por qualquer outro meio que pudesse ser produzido. Estamos em boas mãos. Nós somos um solo desolado, ainda assim Deus produzirá em nós, para si mesmo, colheitas que serão para sua própria honra eterna. Tenhamos esperança e confiança, pois esse é o fato.

E as pessoas não tinham apenas de cultivar o solo, mas também protegê--lo, pois ao seu redor havia muitas tribos de ladrões que os atacavam. Muitas vezes, portanto, enquanto cultivavam o solo, eles tinham de forjar espadas de suas relhas de arado e lanças de suas podadeiras. E Deus fará isso por nós. O braço eterno protegerá bem o que conquistou com tanto empenho. Jesus, que nos comprou com seu próprio sangue, não nos perderá. O Espírito Santo, que nos redimiu pelo seu poder e nos trouxe para si, não permitirá que o adversário o vença. Ele preservará nossas almas, e as apresentará sem mácula e completas no final. "A porção do SENHOR é o seu povo" (Deuteronômio 32.9), e como as tribos mantinham sua herança, Deus também superará os poderosos, e a despeito de todos os nossos adversários, manterá cada um de seu povo — cada centímetro de sua herança — até o fim.

Um outro pensamento sobre isso é que as tribos, tendo de lutar por seu território, cultivá-lo e defendê-lo, esperavam desfrutar dele. Elas esperavam que cada uma delas pudesse se sentar sob sua própria videira e figueira. Esperavam beber dos rios que manavam leite e mel; e assim o fizeram. E Deus espera obter alegria de seu povo. Deus pode receber alegria? Bem, talvez, como verdade abstrata, Ele não possa, pois Ele é indizível e infinitamente santo à parte de nós, mas ainda assim Ele tem o prazer de revelar-se como um Pai. Um pai tem alegria em seus filhos, e Deus tem alegria em seus filhos. E, de fato, está na própria essência da analogia que agora temos diante de nós: um homem tem alegria em sua porção; assim o Senhor se alegra em seu povo. E você conhece aquela passagem memorável — quase nunca ouso citá-la sem profunda emoção; é uma passagem tão maravilhosa: "Ele se renovará no seu amor" — como se Deus encontrasse renovo em amar seu povo — "e se alegrará em ti com júbilo" (Sofonias 3.17). É uma passagem maravilhosa. Não dissemos antes que, quando Deus criou o mundo, os anjos cantaram de alegria? Deus não cantou. Ele disse: "Isso é muito bom". Ele falou e expressou sua aprovação, mas não ouço nenhuma canção. Contudo, agora, na nova criação, quando Ele vê seus entes queridos escolhidos antes de todos os mundos, por quem o unigênito derramou seu sangue vital — quando o Espírito de Deus vê sua obra, está escrito: "Ele se alegrará em ti com júbilo" (v. 17). Deus está jubilando! Você pode compreender esse pensamento? É mais doce que a canção dos anjos ou que a canção de todos os glorificados que rodeiam o trono de cristal. É o próprio Senhor que canta — como um marido se regozijando por sua noiva, ou uma mãe cantando por seu filho. Pois Deus se alegra em seu povo; Cristo encontra satisfação nos frutos de suas agonias, e o Espírito Santo se deleita em ver a alma que Ele próprio formou de novo. Isso é indizivelmente precioso, mas é verdade: o Senhor se deleita em seu povo e desfruta dele, pois "a porção do Senhor é seu povo". E eu creio, irmãos, que o fruto que Deus espera de nós é o nosso amor. Você não espera que seus filhos façam nada por você, mas espera que eles o amem e espera deles gratidão. Quando seus olhos brilham e seus pequenos lábios quase incoerentemente lhe dizem como eles são gratos a você por sua bondade, você se alegra com isso. E o louvor é agradável a Deus, que se deleita no amor de seu povo e em sua ação de graças. E, além disso, a comunhão com Deus é doce para Ele. Pois é dito de Jesus: "Ele tem prazer nos filhos dos homens", e ao longo de Cantares de Salomão, o cônjuge se representa como arrebatado pelo amor de sua amada. Cristo sempre fala ali de sua igreja como sendo capaz de lhe trazer alegria pela visão de seu belo rosto e pelas palavras de seus lábios. Ele diz: "Mostra-me o teu rosto, deixa-me ouvir a tua voz; pois a tua voz é doce, e o teu rosto é lindo" (Cântico dos Cânticos 2.14) — doce e lindo para Ele. Ó, queridos filhos de Deus! Não roubem a Deus o fruto que vem da porção dele. Dê a Ele seu amor; dê a Ele sua comunhão; ande com Ele como Enoque o fez; pois esta é a alegria de Cristo — que você tenha alegria nele.

Contudo, agora, serão abordadas apenas algumas palavras sobre o privilégio que tudo isso implica. "A porção do Senhor é o seu povo." Isso implica grande honra; pois ser de Deus acima dos outros homens é ter honra especial sobre si. Melhor do que ser um Cavaleiro da Ordem do Tosão de Ouro,[1] ou da Ordem da Jarreteira,[2] é ser alguém em quem Deus se agrada. Essa é a mais alta honra, diante da qual as dignidades da realeza devem perder seu brilho — a dignidade de pertencer ao rei dos reis. Isso traz honra. Isso traz, irmãos, segurança, pois se formos a porção do Senhor, Ele nos preservará. Um dos brasões de nossa nobreza tem gravado sobre si: "Eu o manterei"; e tenha a certeza de que Deus disse de sua igreja: "Eu a manterei"; "Dou-lhes a vida eterna, e jamais perecerão; e ninguém as arrancará da minha mão" (João 10.28). Se eu pertencesse a um anjo, poderia estar perdido, mas se pertenço a Deus, Deus não perderá os seus. Existe o privilégio de honra e segurança. E existe o privilégio de sua presença. As tribos habitavam em sua porção, então Deus habitará em sua igreja. "A porção do Senhor é o seu povo" (Deuteronômio 32.9). Isso explica a

---

[1] Ordem de cavalaria fundada em 1429 por Felipe III, duque de Borgonha. Era uma ordem católico-romana. O símbolo era originalmente do tosão de ouro da história grega clássica de Jasão, mas foi revisado como se referindo à história da porção de lã de Gideão.

[2] Ordem de cavalaria britânica fundada em 1348 por Eduardo III, rei da Inglaterra. É a ordem mais antiga e importante do Reino Unido.

pergunta que um apóstolo fez a seu Mestre: "Mas como, Senhor, te manifesta-rás a nós, e não ao mundo?" (João 14.22). Um homem em seu próprio jardim fica à vontade; um príncipe em sua própria província se sente em casa. E Deus fez de sua igreja sua morada em particular, onde Ele resplandece em toda a majestade de seu amor. Irmãos, se esse for nosso privilégio, vamos aproveitá-lo. É uma pena que muitos de nós valhamos milhares por ano, mas vivamos como mendigos — quero dizer que podemos ter a presença de Deus, mas, por causa de nosso descuido, vivemos longe dele e somos infelizes. O Deus de Enoque é o meu Deus, e se eu buscar graça suficiente, eu poderia viver a vida de Eno-que. Você pode, meu querido irmão, desfrutar da presença de Deus em con-tinuidade ininterrupta, permanecendo sempre nele, e como o próprio Cristo fez, se você apenas buscar com todo o seu coração. Deus conceda que você o procure a fim de encontrá-lo, pois esse privilégio nos dá outro privilégio, a saber, o do deleite.

> Onde Deus está, com certeza há felicidade.
> Meu Deus, a fonte de todas as minhas alegrias,
> A vida das minhas delícias.

> Podemos verdadeiramente chamá-lo por esse nome —
> Entre as sombras mais escuras, se Ele aparecer,
> Nosso Éden começou.

Queremos apenas a presença de Deus e temos toda a felicidade que nossa alma pede. Leve o nosso Deus embora, e o celeiro que está transbordante se torna em fome, e os tonéis de vinho transbordando não rendem alegria. Os amigos nos tornam apenas desamparados se Deus nos abandonar, e todas as ajudas da criatura nos deixam desamparados se o Criador fugir. Todas as nossas novas fontes estão em Deus; e, visto que Ele habita em sua porção, somos um povo feliz e abençoado.

Verdadeiramente, o privilégio, se tivéssemos tempo para pensar sobre ele, tem muito que nos confortaria, especialmente em um aspecto dele, pois nos abre um futuro glorioso. Se somos a porção de Deus, então conte com isto: Ele pretende fazer algo grande conosco. É uma honra para um rei tornar seu país famoso e ilustre; será para a honra de Deus fazer de sua igreja algo muito mais nobre do que ela é hoje. Ele virá em breve e nos levará da terra de nosso banimento para nosso próprio país. Moramos aqui como em tendas, somos peregrinos como todos os nossos pais. Espere um pouco, pois chegará a hora em que Ele nos levará para a cidade que tem alicerces, cujo construtor e criador é Deus. Adeus, ó cenas da terra com suas tentativas de alegria; vamos para a terra onde a alegria floresce para sempre e a bem-aventurança nunca desaparece; pois a porção do Senhor é o seu povo, e Ele não nos deixará ficar no campo para sempre. Quando o trigo estiver pronto, o Senhor o recolherá no celeiro. Nós somos suas joias hoje, mas ainda estamos na lama. Ele tirou alguns de nós da mina e nos poliu um pouco, mas vai nos tirar da roda do lapidário com todos os seus cortes; Ele nos colocará em sua coroa real e seremos para Ele uma alegria e uma glória para todo o sempre. Assim, você vê, há uma grande dose de conforto a ser tirada do privilégio que o texto implica.

III

Agora, irmãos, apresso-me, porque as areias do tempo caem tão apressadamente, para perceber o dever que está envolvido em tudo isso. "A porção do Senhor é o seu povo." O que fazer diante dessa verdade? Ora, vamos tomar posse dessa bendita verdade. Deixe cada cristão aqui dizer —

> Está feito! A grande obra está consumada!
> Eu sou do meu Senhor e Ele é meu;
> Ele me atraiu, e eu segui,
> Encantado em reconhecer a Voz Divina.

Olhem para trás, alguns de vocês, para os anos em que pela primeira vez se entregaram a Deus. Lembro-me bem de quando senti que fui comprado com o sangue de Cristo, como parecia a coisa mais natural em todo o mundo dizer: "Meu Deus, sou teu para sempre — meu corpo, minha alma, meu espírito, meu tempo, minha existência, minha casa, se tu me deres uma, e qualquer talento que eu possa possuir". Espero que você tenha falado sério quando se entregou totalmente a Deus. Peço-lhe que repita a dedicação esta noite. Alguns cristãos escreveram uma aliança com Deus — acho que o reverendo Doddridge, da Igreja Congregacional, fez isso e depois assinou com seu próprio sangue; mas essas coisas tendem a levar a alma à escravidão e não estão prescritas na Escritura. É melhor não fazermos nada por nossa própria cabeça: é melhor deixarmos essas coisas de lado. Ainda assim, na verdade, espero que estejamos preparados para assinar a aliança com nosso sangue. Se eu visse diante de mim uma escritura envolvida na qual fui proclamado propriedade de Deus — tudo o que sou e tudo o que tenho para ser de Deus — para fazer o que Ele quisesse comigo, eu assinaria e bendiria o Deus da graça que me permitiu entregar-me a Ele. E, no entanto, queridos irmãos, embora eu saiba que vocês também assinariam essa escritura, há momentos que chega a hora de sofrer por Cristo, e vocês não se sentem constrangidos um pouco por isso? E talvez você sofra dores longas e severas, e então comece a desistir da entrega, e dificilmente possa se sentir resignado à vontade divina. Venha, agora vamos novamente ao nosso Deus e dizer: "Considerando que às vezes recuamos como se não fossemos mais teus, desejamos esta noite confessar que somos tua porção; que não somos nossos; que fomos comprados por um preço; nós renovaríamos nosso voto em tua presença! Ó, Senhor! Eu sou teu servo; sou teu servo e filho da tua serva. Tu soltaste minhas cadeias".

E, a seguir, vamos lembrar que a porção de cada homem é separada de todos os outros. A porção de Judá foi separada da de Simeão, e a de Simeão da de Efraim. Agora, se somos de Deus, vamos manter a nossa vida separada. Não conheço nenhuma verdade prática que eu queira pregar mais hoje do que esta — que os santos de Deus devem ser separados do mundo. Agora, a não conformidade — você pode dizer o que quiser sobre isso, mas uma coisa é certa, — com o mundo é o distintivo do cristão. "E não vos amoldeis ao esquema deste mundo, mas sede transformados" (Romanos 12.2). Eu gostaria que todos os inconformistas[3] fossem mais inconformados com o mundo. E oh! Que

---

[3] Os não conformistas eram cristãos reformados que "não se conformavam" com a Igreja Episcopal Anglicana.

todos os que professam a religião cristã fossem mais diferentes do resto do mundo! Sempre que você faz com que as fronteiras entre a igreja e o mundo sejam indistintas, você causa um sério dano à igreja e ao mundo. O dilúvio provavelmente foi trazido sobre este mundo porque os filhos de Deus viram que as filhas dos homens eram belas e, portanto, houve uma fusão dos dois, e a distinção cessou. Então, Deus varreu toda a população da face da terra. "Vós sois o sal da terra" (Mateus 5.13). "Vós sois a luz do mundo" (v. 14). "Que comunhão há entre luz e trevas?" (2Coríntios 6.14). "Que harmonia existe entre Cristo e Belial?" (v. 15). Como você pode comer à mesa do Senhor e depois comer à mesa do diabo? Como você pode ser cristão e ainda assim ser mundano? "Não podeis servir a Deus e a Mamon" (Mateus 6.24). Deve haver a separação, pois "ninguém pode servir a dois senhores; porque ou odiará a um e amará o outro, ou se dedicará a um e desprezará o outro" (v. 24). "Não podeis", disse Cristo, "servir a Deus e a Mamom". "Portanto, saí do meio deles e separai-vos, diz o Senhor; e não toqueis em nenhuma coisa impura, e eu vos receberei. Serei para vós Pai, e sereis para mim filhos e filhas, diz o Senhor todo-poderoso" (2Coríntios 6.17,18).

Então, com isso, devo concluir: se vocês são realmente a porção de Deus, eu os exorto, meus queridos irmãos e irmãs, a renderem-se cada vez mais a Deus a partir de hoje; sirvam-no com todas as suas forças; sirvam ao Senhor com alegria; disponham-se para o serviço do Senhor; observem as oportunidades de trazer glória a Ele; e nunca se contentem com o que vocês fizeram. Procure ainda fazer mais e mais por este Deus da graça que diz que você é a porção dele e a parte de sua herança.

IV

Este sermão, temo, não foi dirigido a todos vocês. Há aqueles nesta casa, esta noite, para os quais não há voz no texto, porque qualquer que seja o povo ao qual você pertence, você não é o povo dele, e de quem quer que você possa ser a herança, você se lembrará dessa verdade? Você está sem oração, sem Cristo, sem graça. Você nunca acreditou em Jesus Cristo e, embora se assente com o povo de Deus e pertença a uma família piedosa, quando o Senhor vier, se você for como é agora, Ele lhe dirá: "Eu nunca conheci você: você não é meu. Você amava o mundo e pertencia a ele. Você amou o pecado; portanto, terá seu salário. Você negligenciou a grande salvação; como poderá escapar?" Eu ouço você dizer: "Mas não pode haver uma mudança em mim? Não posso me tornar um de seu povo?" Oh, boa indagação! Apenas pergunte com sinceridade, e eu responderei assim: "O ímpio deve deixar o seu caminho, e o homem mau, os seus pensamentos; volte-se para o SENHOR, que se compadecerá dele; volte-se para o nosso Deus, porque é rico em perdoar" (Isaías 55.7). "Quem crê no Filho tem a vida eterna" (João 3.36). E se, como um pecador culpado, você vier a Jesus e tomá-lo como sua única esperança e confiança, você está salvo; seus pecados, que são muitos, são, em um momento, perdoados, e você é do Senhor. Contudo, vivendo e morrendo sem fé em Deus, seu batismo não o salvará; sua confirmação não o salvará; sua atenção aos sacramentos não o salvará. "Necessário vos é nascer de novo" (João 3.7).

Que Deus nos leve a uma fé salvadora em um precioso Salvador, e que nossos nomes sejam escritos no livro da vida do Cordeiro. E quando Ele chamar seus escolhidos, possamos ser capazes de responder aos nossos nomes; naquele dia em que as ovelhas passarem pelas mãos daquele que as chama, que cada um de vocês esteja lá, e Deus terá a glória. Amém e amém!

9

DO PESSIMISMO À GLÓRIA

O homem, nascido da mulher, tem vida breve
e cheia de inquietações.
(Jó 14.1)

"UM texto muito triste", diz alguém, "preferiríamos ter algo alegre". Bem, certamente, o sino tem um som muito solene, mas foi forjado na própria fundição do céu, e há uma razão para isso. Deus o pendurou no campanário da inspiração e pretendia que fosse tocado. Às vezes, é de grande utilidade para nós ter de pensar em coisas solenes. Contudo, então, eu gostaria de lembrar a você que o sino que toca o toque fúnebre precisa apenas ser tocado de outra forma e pode emitir os sons mais deliciosos. E assim, até mesmo verdades que são terríveis e assustadoras sob alguns aspectos podem ser brilhantes e reconfortantes sob outros. A trombeta pode ter um som diferente duas pessoas distintas. Costumava-se soar trombetas quando os juízes chegavam a uma cidade grande, e se os prisioneiros as ouvissem, o som da trombeta seria para eles doce ou triste, de acordo com o caráter deles. Aquele que sabia que seria julgado por homicídio e era culpado desse crime, ouviria ao som das trombetas os mais fúnebres anúncios, mas quem tinha a consciência limpa ficaria feliz em pensar que estava prestes a receber uma absolvição das mãos da justiça. Eu não deveria me perguntar como estas palavras — "O homem, nascido da mulher, tem vida breve e cheia de inquietações" — embora possam soar pesarosamente a muitos corações, também terão um toque da nota de alegria em seus ouvidos; assim, deste devorador sairá carne, e mel será achado até mesmo neste texto que se assemelha ao leão.

A declaração feita aqui é de um caráter dos mais arrebatadores. Ela diz: "O homem, nascido da mulher, tem vida breve e cheia de inquietações". Ou seja, todo ser humano, pois houve apenas um ser humano que não se enquadraria

112   FÉ, O ALIMENTO DA ALMA

nessa descrição: o pai de todos nós. Quanto aos demais, todos nascemos de mulher e, portanto, temos poucos dias e estamos cheios de problemas. Isso se aplica a reis em seus tronos tanto como a prisioneiros nas masmorras. Certamente é tão verdadeiro para o soldado robusto como para a pobre moça ansiosa e tísica. Cada um que é nascido de mulher deve rapidamente retornar ao pó, e, enquanto isso, deve perceber que o caminho para o túmulo é difícil e pavimentado com dores.

O texto é arrebatador e, ao mesmo tempo, ao usar o termo "o homem, nascido da mulher", levanta um pouco o véu do porquê é assim. Quem pode tirar uma coisa limpa de uma coisa impura? Quem tirará força da fraqueza? Quem tirará a imortalidade da mortalidade? Quem produzirá homens de ferro, se tiverem de nascer de mulheres de barro? É por causa do nosso primeiro nascimento e do pecado — a transgressão que vem com ele — que, portanto, temos vida breve. Dizemos "rápido e eficaz", mas aqui temos breve e amargo. O pecado que herdamos nos faz herdar também a quantidade de poucos dias e a plenitude da angústia. E essa afirmação é verdadeira em todas as épocas desde que foi proferida. Suponho que mesmo para os homens antediluvianos a vida parecia durar poucos dias. Embora para nós a idade deles pareça extremamente longa, pode não ter sido para eles, pois bem sabemos que nossos dias ficam mais curtos à medida que envelhecemos. Um período que parece muito longo para a criança e toleravelmente longo para um jovem torna-se curto para um homem de meia-idade, e para o homem idoso parece não ser nada. A espantosa rapidez com que a vida voa muitas vezes me deixa perplexo. Lembro-me de quando um dia, uma semana, um mês pareciam alguma coisa, mas agora os sábados voam, e parece que, mal se deixa o púlpito, já temos de estar prontos para subir nele novamente. O tempo voa mais rápido à medida que a vida avança. Porém, em todos os períodos desde que os homens estiveram sobre a terra isso é realmente verdade, e nenhum de nós deve esperar escapar da regra geral. Isto é verdade para vocês, jovens; vocês terão "vida breve e cheia de inquietações". Não aceitem a palavra dos meus lábios; recebam-na do próprio Espírito Santo. Isto é verdade para vocês, homens fortes, que agora estão no vigor da vida; vocês terão "vida breve e cheia de inquietações". Vocês, de cabelos grisalhos, cuja força sobreviveu por muitos anos, que se apoiam em suas bengalas, terão uma vida breve; e, como vocês tiveram inquietações, vocês devem esperar por isso até o fim. Vocês ainda não estão fora do alcance do tiro de Satanás, ainda não estão além das tentações da natureza corrupta, ainda não estão além das provações da vida. Aquele que começou a usufruir de suas reservas financeiras e sonha em passar um longo período de tempo na aposentadoria, ainda pode se lembrar de que problemas o seguirão, mesmo em seu refúgio no campo, e que pode não contar com muitos dias, pois sua vida é breve; pois Deus assim disse, e de poucos dias é a sua existência. Deixe cada um calmamente rever esta palavra de Deus na quietude de sua própria alma: "Eu, como meu irmão, sou de vida breve e cheia de inquietações".

Agora, pegue a primeira afirmação, depois a segunda e, a seguir, combine as duas.

I

Considere a primeira afirmação: "O homem, nascido da mulher, tem vida breve". Não diz "anos breves". É como se os dias de sua vida fossem quase tão poucos até para serem lembrados, e como se a vida do homem nunca devesse ser contada pelo tempo vivido. Não me lembro de uma passagem da Escritura que diga: "Ensina-nos a contar nossos anos", nem me lembro de uma oração pela qual devamos pedir o pão de cada ano; mas lembro que devemos pedir que aprendamos a contar nossos dias e a dizer: "o pão nosso de cada dia nos dá hoje" (Mateus 6.11). Agora, nossos dias parecem ser muitos. Há 365 dias em cada ano, e então procuramos um número considerável de anos, e de acordo com nosso cálculo insensato, parece que nossos dias são, afinal, bastante consideráveis. O texto, no entanto, diz: "Não! O homem, nascido da mulher, tem vida breve". E isso é verdade, se você comparar a vida do homem, em primeiro lugar, com a vida de Deus. Parece pouco para se falar — mais apropriado para a contemplação do que para a palavra. Quando ainda não existia este universo, Deus existia. Muito antes de começar a criar o sol, a lua ou as estrelas, Deus existia. E quando todas as coisas que agora existem passarem como uma vestimenta gasta a ser posta de lado, ainda haverá Deus — não mais velho, pois Ele não tem idade. O agora está com Ele — sem passado, sem futuro.

Ele cumpre sua própria promessa eterna,
E vê nossas épocas passarem.

"Vida breve" de fato! Ora, somos apenas de ontem. Volte um momento para o tempo em que Cristo estava pendurado na cruz. Onde você estava? Pense na época de Salomão e Davi. Onde você estava? Uma coisa impensada. E naquele dia em que o Senhor caminhou pelas clareiras do Éden e falou com nossos pais não caídos, onde nós estávamos? Somos bebês; não somos dignos de ser mencionados. Temos "vida breve".

Ora, temos poucos dias em comparação com o mundo em que vivemos, mas isso não passa de uma coisa nova. Foi ontem que este mundo voou como uma faísca da bigorna da onipotência eterna; no entanto, para nós, de fato parece que foi há séculos. As montanhas além, com suas neves, parecem grisalhas, e as profundezas, que engoliram tantas embarcações que a ambição mortal construiu, quão antigas parecem comparadas a nós; no entanto, essas coisas são meras novidades. Então o que somos? Parece que só brotamos como a grama no verão e, como a grama, já sentimos a foice do cortador. Temos "vida breve".

Temos poucos dias em comparação com o que poderiam ter sido nossos dias; pois, se nossos primeiros pais não tivessem pecado, não sei se deveríamos viver aqui para sempre, mas certamente não deveríamos morrer. Não há, de acordo com alguns ensinamentos, nenhuma razão absolutamente física para que o corpo humano não continue a viver. De qualquer forma, se há razões agora pelas quais o corpo deveria em tal ou tal período começar a se decompor, então provavelmente não havia tais razões na formação do primeiro homem. Talvez aquela árvore da vida no jardim pudesse ter fornecido a Adão alimento para a juventude perpétua, de modo que ele teria renovado suas forças como as águias, e nós também, seus filhos, poderíamos ter vivido em felicidade perpétua aqui. Bem, o sonho se foi: não será concretizado. Ainda assim, em comparação com o que eles poderiam ter sido, o pecado tornou nossos dias breves.

Comparado novamente com o que eles serão — e este é um pensamento muito mais agradável —, nossos dias são poucos, pois, ó amado! Quando a labuta e os problemas desta vida tiverem passado por nossos espíritos imortais

— qual será a sua duração? — receberemos uma vida tal qual a vida de Deus, e não seremos mais capazes de morrer, assim como o próprio Deus não é. Todos os que creram em Cristo Jesus entrarão em uma felicidade que não conhecerá limites. Sim! E nosso ser corruptível se revestirá de incorrupção, e este corpo mortal se revestirá de imortalidade. E mesmo aqueles de nós que hoje se rebaixam ao verme e ao pó — à podridão — levantar-se-ão em poder e glória e serão espiritualmente formados à gloriosa imagem do segundo Adão. Bendito seja Deus! A vida na terra não é nada comparada com a vida que está por vir. Um mero punhado de dias que temos aqui; mas lá, com o Ancião de Dias, iremos habitar para todo o sempre.

Agora, sendo essa a verdade, e então? Vamos tocar o sino por um minuto e ouvi-lo.

Em primeiro lugar, então, se nossos dias são poucos, quão zeloso cada um de nós deve ser para que encontre a reconciliação com Deus e a salvação eterna, e as encontre imediatamente! Falei com alguns de vocês muitas centenas de vezes sobre suas almas, e vocês nunca discutiram com quaisquer declarações de verdade que eu tenha feito. Quase desejo que vocês assim o tivessem feito. Vocês dizem: "Sim, isso é importante. Sim, somos pecadores. Sim, precisamos de um Salvador". Contudo, embora tenham dito que eram pecadores, não se arrependeram nem confessaram seus pecados a Deus. Embora vocês saibam que precisam de um Salvador, vocês ainda não o encontraram. Quando pretendem cuidar dessas coisas? "Em breve", vocês dizem? "O homem tem vida breve". Vocês já tiveram alguns dias; talvez vocês já tenham tudo o que sempre desejaram. Se vocês pudessem ver a ampulheta de suas vidas, alguns de vocês (se eu pudesse ver a minha!) aqui poderiam ouvir muito menos sermões desse tipo do que eu havia planejado proferir. O fio que pensamos ser tão longo pode quase estar no fim. Querido irmão, você pretende morrer impenitente? Você quer passar para o outro mundo sem um Salvador? Você pode estar tão louco assim? Não, eu sei que essa é a última coisa em seus pensamentos. Você tem intenção e está bem decidido. E você se decidiu há dez anos, não foi? Você se lembra daquele sermão impressionante? Como você se estremeceu! Talvez tenha sido há vinte anos. Você se lembra daquela doença, daquela cólera na cidade, e como você se decidiu e se redecidiu? E ainda assim você é exatamente o mesmo que era antes. Como antes, não são muito fortes as probabilidades de continuar igual, e de erguer os olhos onde será tarde demais para erguê-los — como o homem rico de quem se diz: "No inferno, em meio aos tormentos, o rico ergueu os olhos"? Era muito melhor erguê-los aqui do que erguê-los ali, onde você não verá nenhuma esperança, nenhum Salvador em um trono de misericórdia. Deus nos conceda agarrar o dia presente. O mais importante de todos os interesses não pode ser adiado para amanhã. Aquele que foi morto com uma adaga teve um aviso, como você sabe; mas ele disse que iria cuidar disso em breve, e ele foi para o Senado e caiu sob as adagas de seus inimigos.[1] Você tem um aviso esta noite; este mesmo texto falou para você. Talvez amanhã você tenha de lamentar, e lamentar para sempre, por ter adiado os pensamentos sobre as coisas da eternidade.

II

Outra lição vem disso, e ela é para aqueles que já estão salvos — o povo de Deus. Queridos irmãos e irmãs, nosso único desejo é glorificar a Deus. Agora, nós o glorificaremos para todo o sempre; mas existe uma forma particular de serviço que pertence apenas a esta vida. Você não está ansioso, insanamente ansioso, pois você deveria honrar Cristo aqui e fazer tanto quanto você pode? Bem, você tem alguns dias — mas poucos dias. Oh! Alguém quase poderia desejar viver até a idade de Matusalém para ganhar as almas dos homens e trazer pecadores a Cristo. Mas não pode ser. Oh! Como devemos trabalhar para Jesus, visto que Ele é o Mestre, e merece receber muito de seus servos. E, no entanto, há um espaço tão curto para fazê-lo. Se estivermos partindo para a eternidade, oh!, vamos mover nossas mãos com habilidade e rapidez como que ouvindo as rodas da carruagem da eternidade atrás de nós. Podemos nos dar ao luxo de perder horas ou mesmo minutos? Ouvi falar de um puritano que costumava se levantar e estudar às cinco da manhã.

---

[1] Ele menciona o assassinato de Júlio César, imperador romano do século I a.C. Ele tinha sido avisado para não ir ao Senado, mas foi mesmo assim e acabou assassinado pelos senadores contrários a ele.

Certo dia ele ouviu o martelo de um ferreiro enquanto se levantava e disse: "Um ferreiro trabalhará mais arduamente do que um ministro de Deus? Ele deve dedicar ao seu serviço árduo mais tempo do que eu dedico ao meu Senhor e Mestre?" E ele assim se repreendia, embora fosse um dos homens mais laboriosos. Lembrem, queridos amigos, que vocês nasceram de mulher, e que vocês têm apenas alguns dias, poucos dias para trazer filhos e filhas ao Salvador, poucos dias para salvar aquela classe da escola aos sábados, poucos dias, ó pregador, para fazer este lugar soar com salvação; poucos dias para ser pastor do povo de Deus — para chamar os pecadores e advertir os desviados. Vivamos, enquanto vivemos, irmãos, com o máximo poder e capacidade de nossa vida adulta, pois temos poucos dias.

Agora, vamos tocar aquele sino novamente e ouvir se não há uma doce música nele.

Bem, então, se temos "vida breve", nossos problemas acabarão mais rapidamente. Se temos vida breve, temos pouco tempo para suportar o labor e o sofrimento, a fraqueza e as necessidades que muitas vezes são nossa sorte e nossa porção.

Se temos "vida breve", então mais rapidamente estaremos no céu; muito mais perto estão vocês, portões de pérolas; muito mais rapidamente vocês, ruas de ouro, serão pisadas por nossos pés; muito mais rapidamente deverá a coroa circundar essas testas. Parece-me que o sino toca o repique do casamento, as próprias núpcias de nossas almas com Cristo na nova Jerusalém. Embora tenhamos nascidos separados de nosso Salvador, esse banimento durou apenas alguns dias. Ainda que tenhamos nascido em pecado, nascemos uma segunda vez por meio do Espírito Santo, e ficamos apenas um pouco na fornalha; mas estaremos para sempre no paraíso de Deus. Quem deseja prolongar uma vida que nos mantém afastados de ver Cristo face a face? Há razões para desejá-lo bastante — razões de serviço abnegado, mas, oh! —

Nosso coração está com Ele em seu trono,
E mal podemos tolerar a demora;
A cada momento ouvindo a voz,
Apressemo-nos e vamos embora.

Assim como a noiva deseja o dia do casamento, nossa alma deseja o noivo, sim, Jesus. Assim como a criança anseia por ser trazida para casa quando terminam os dias de escola e chegam as horas de descanso no lar, nossos corações, quando em sã consciência, anseiam pela vinda do Senhor. Glória ao seu nome, pois é verdade: "O homem tem vida breve".

E um outro pensamento me vem à mente aqui, e é este: essas coisas não deveriam nos fazer nos sentir mais profundamente em dívida com o amor incomparável de Deus, que lida conosco e é eterno, embora sejamos de vida breve? Nunca teve um começo; nunca terá um fim. De eternidade a eternidade, Deus amou seu povo. Oh! Que o amor eterno seja estabelecido sobre um homem mortal! Oh! Que as longas eras anteriores à criação deste mundo ainda testemunhem nossos nomes! Pense nisso. Antes que os sóis começassem a brilhar, ou a estrela da manhã conhecesse seu lugar, já éramos queridos ao coração de Deus. Cristo nos amou; pois Ele disse: "Como o Pai me amou, assim também eu vos amei" (João 1.59), e isso é sem começo, sem fim, sem medida, sem limite, sem limitações, sem mudança. Oh! Então, pensar que deveríamos ser objetos de tal amor como esse faz os poucos dias desta vida mortal brilharem com glória como a sarça no Horebe brilhou com a presença da Divindade.

Agora, tomemos a segunda metade de nosso texto, e sejamos breves. "O homem, nascido da mulher, tem vida breve e cheia de inquietações." "Cheia de inquietações." Isso não soa triste? E ai! O fato é tão doloroso quanto soa; pois se você considerar a experiência de todas as pessoas, inclusive as boas, descobrirá que não faltam problemas. O rolo de problemas é como o rolo de Ezequiel, escrito por dentro e por fora, cheio de lamentações, luto e ais. Às vezes temos problemas no país, guerras e rumores de guerra, ou pobreza e fome, ou pecado e maldade em nossas ruas. Depois temos os problemas da igreja: a heresia, o cisma, as divisões entre os irmãos, o coração ardente um contra o outro, a frieza para com Deus, a mornidão para com Cristo. E então encontramos problemas mundo afora: a batalha pela existência com alguns, o problema de receber, o problema de gastar, o problema de manter, o problema de perder, problemas por todos os lados, na loja e no campo, problemas que vêm a nós no quarto, que anda de braços dados conosco nas ruas e nos seguem até o retiro na floresta. Não há lugar livre deles. Um bom e velho puritano divide os problemas da seguinte maneira: "Há problemas em cumprir nosso dever, problemas para cumprir nosso dever, problemas em não cumprir nosso dever e problemas em cumprir o que não é nosso dever".

E, na verdade, todo homem se deparou com essas dificuldades em cumprir nosso dever, lutando contra a carne e o sangue, lutando contra as tentações interiores, contra Satanás e desafiando o mundo; dificuldades para cumprir nosso dever, frieza e maus tratos, cruzes e perdas que necessariamente sobrevêm a quem anda retamente. E então problemas em não cumprir nosso dever, que são muito mais nítidos e que vêm sobre os servos de Deus por omissões e incumbências, por vontade do Mestre, conhecida e não obedecida, por vontade do Mestre não conhecida e não obedecida — muitos açoites e poucos açoites, mas ainda açoites em toda a jornada. E então problemas em cumprir o que não é nosso dever, a saber, correr para isto ou para aquilo que está fora do caminho reto dos justos. Quantos problemas trazemos sobre nós dessa maneira? Existem problemas internos e externos, os quais vêm a você enquanto você está ativo, problemas que o assediam enquanto você permanece passivo no leito de dor — os problemas de nossa infância, que acredito não serem tão leves como alguns pensam ser. Existe uma ficção de que as crianças têm os dias mais felizes: eu sei que não tive. Não sei quantos são capazes de dar testemunho de tais dias. Existem problemas da juventude, problemas da vida adulta e os da velhice. Na verdade, "o cristão", como diz John Bunyan[2] em seu pitoresco verso —

raramente fica muito tempo tranquilo,
Quando um problema passa, outro o agarra.

Tentações de todos os tipos e tamanhos aguardam os seguidores do Cordeiro de Deus. Se outros podem ficar sem problemas, eles não ficarão, porque são o povo de Deus. Deus teve um Filho sem pecado; mas nunca teve um filho sem aflição e nunca terá.

---

[2] Escritor batista inglês do século XVIII. Foi autor de *O Peregrino*.

III

Qual é a lição de tudo isso? Se estivermos cheios de problemas, reconheceremos que está acontecendo um abundante desprendimento, e devemos nos alegrar nisso. Gostamos tanto do ninho aqui que achamos que nunca deveríamos sair dele, mas os espinhos se tornarão numerosos, e logo teremos de voar. Aqui estão as facas que cortam as cordas que nos prendem. Começaremos a subir, pois a graça de Deus nos fez voar. Apenas nos desprenderemos e iremos embora para nosso próprio lar nos céus. Se estamos nos acomodando em nossas impurezas, agradeçamos a Deus porque temos muitos problemas. Então, a alegria é que teremos abundância de consolação, pois é uma regra bem conhecida do reino que, assim como nossas tribulações abundam, também nossas consolações abundarão em Jesus Cristo. Quem, por causa do consolo, não ficaria contente de ter problemas? Pois o precioso bálsamo de Gileade não apenas cura e tira a dor, mas dá prazer verdadeiro. Sempre ganhamos com nossas perdas quando andamos com Deus. Ficamos mais ricos por sermos mais pobres e mais saudáveis por estarmos doentes. Portanto, esteja disposto a passar por ventos fortes, pois eles nos trarão ventos suaves. Quando Deus pretende enviar ao seu servo um diamante mais valioso do que de costume, ele o faz em um invólucro preto. A princípio, isso nos alarma, e pensamos que é algo terrível, mas, quando o abrimos, encontramos um símbolo de amor tão brilhante que nossos medos desaparecem. Aqui está o conforto disso: temos mais oportunidades de experimentar a verdade das promessas de Deus. Algumas promessas não valeriam um centavo para nós se estivéssemos em circunstâncias que não exigissem que fossem cumpridas. Metade da Bíblia seria inútil para nós se nunca tivéssemos de enfrentar uma tentação. A "Dra. Aflição" é a melhor expositora da Escritura. Eu posso recomendar o Dr. Gill e o Dr. Adam Clarke e muitos outros, mas se você deseja entender a Palavra de Deus, você deve ir para a escola da provação. Dizem que você pode ver as estrelas quando está no fundo de um poço, quando não pode vê-las lá em cima, e muitas promessas estelares brilham para uma alma que está nas profundezas da aflição. A tinta da compaixão não aparece até que seja colocada no fogo, e muitas vezes as promessas são escritas com tal tinta: você deve colocá-las no fogo da provação, então o significado é revelado e você se regozija com isso.

Mais uma vez — e acho que esta é uma doce nota de um sino que soa tão duro —, se estamos cheios de problemas, estamos cheios de oportunidades para compreender nosso Senhor sofredor e cheios de ocasiões para conhecer as alturas e profundezas de seu amor, o qual ultrapassa todo o conhecimento. Se eu fosse para o céu sem nunca ter problemas, ora, quão estranhamente ignorante eu seria lá! Eu certamente ouviria os santos falando uns com os outros sobre os sofrimentos de seu Senhor e diria: "O que eles querem dizer? Eu nunca tive esses sofrimentos". Eu os ouviria falando de dor e diria: "Dor! Eu nunca conheci a dor!" Eu os ouviria falar sobre pobreza e necessidade, e abatimento de espírito, e sobre chorar: "Meu Deus, meu Deus, por que me abandonaste?", e eu, olhando maravilhado, perguntaria: "O que isso tudo significa?" Agora, no entanto, os benditos eruditos da escola da aflição, ao irem para o céu, são capturados pelos anjos e questionados sobre o que isso significa, e eles contam aos principados e potestades nos lugares celestiais a multiforme sabedoria de Deus. Temos comunhão com Cristo em seus sofrimentos, e quem não deseja ter neles comunhão plena com Cristo? Consequentemente, sinto muito pouca simpatia pelos irmãos que não desejam morrer. Estou pronto para fazer o que o Senhor quiser, mas prefiro morrer, levando nesta testa o selo da morte, assim como o Mestre fez, para que lá eu possa estar entre os ressuscitados dos mortos, assim como Ele estava, e ter comunhão com aquele que é o primogênito dentre os mortos. Certamente, aqueles que estão vivos e assim permanecerem não terão preferência, mas acho que aqueles que adormecerem terão uma preferência além deles, pelo menos nesse aspecto. Bem, então, vamos nos regozijar e nos gloriar na tribulação também, e escrever entre as coisas boas do dom de Deus na aliança, entre as coisas presentes e as coisas que virão e que são nossas, nossas provações e os problemas de que nossa vida está cheia.

Agora, vamos dosá-los, observando os dois sinos juntos. Eu gostaria de ouvi-los soarem simultaneamente. Se houver alguma dureza em um deles, toque-os e remova isso. Por exemplo: "O homem, nascido da mulher, tem vida breve". Bem, quem quer ter vida longa se ela está cheia de problemas? Agora, considere esta outra maneira: "O homem que está cheio de problemas tem vida breve". Supondo que seja assim: "O homem tem vida breve e está cheio de alegria". Que confronto! Que confronto! Alguém diz: "Então deixe-me viver". Cheio de alegria! Como isso abranda tudo. Deixe uma luta terminar assim que você quiser, mas um banquete — deixe que ele permaneça. Essa lamparina que brilha tanto deve apagar-se logo e não deixar nada além do cheiro de pavio fumegante? Ah! Então a própria luz é reduzida porque ela queima por tão pouco tempo. A brevidade da vida, no entanto, torna-se uma bênção se a vida estiver cheia de problemas; e quando a vida é curta, os próprios problemas parecem ser congruentes com ela, porque é uma misericórdia tão grande não termos de viver para sempre na terra dos problemas. Eu gosto dos dois sinos juntos. E então quando eu os comparo com a próxima vida, aquele que é nascido do Espírito é de eterna imortalidade e cheio de alegria, o coração se afasta do texto pessimista como um convidado de casamento em um banquete cheio de alegria, bendizendo o nome do Senhor, e vocês também, irmãos, cada um de vocês, pelo amor de Cristo.

Amém!

10

A GLÓRIA DA GRAÇA DE DEUS

A glória de sua graça.
(Efésios 1.6)

GRAÇA! É o assunto da Bíblia o tempo todo. Você vai me dizer que a Bíblia fala da queda do homem. Sim, e é assim que se pode colocar uma folha preta para embrulhar a joia brilhante da graça. Você vai me lembrar de que a Escritura fala da depravação do coração humano e das corrupções das várias partes de nossa raça; muito verdadeiro novamente. Eu diria que a Bíblia lida com a doença para poder usar o remédio. O pecado e a depravação são trazidos à luz para que possamos ver que é a graça que perdoa o pecado e vence a depravação de nossa natureza.

Todo aquele Livro é um volume sobre a graça. Você não pode encontrar uma única parte dele que não se relacione mais ou menos com esse assunto. É verdade que ele trata da lei, mas a lei é nosso mestre para nos levar à escola da graça; e embora o mandamento seja excessivamente amplo e rigoroso, ele apenas mostra quão grande é a graça de Deus, a qual perdoa tantos pecados e ao mesmo tempo, produz em vocês tanto o querer como o realizar, segundo a boa vontade de Deus. Sim, o assunto da Bíblia é a graça. Lá em cima, no céu, eles cantam a graça de Deus, e aqui na terra não temos música mais doce do que aquela que nos fala da glória da graça de Deus. Tenho um assunto que anima meu próprio coração para falar; se não houver eloquência e até mesmo houver pouca fluência, o próprio assunto é eloquente, e aquele que o sente em seu coração certamente saberá como fluem docemente águas vivas dele.

Agora, vamos falar da glória da graça de Deus, primeiro observando as qualidades dessa graça em que sua glória pode ser vista. Vamos nos deter nisso primeiro. Existem certas qualidades na graça divina que são sua própria glória. E certamente a primeira é sua gratuidade. Estamos acostumados a dizer "graça gratuita" e já ouvi algumas discussões sobre isso porque é uma redundância. Se for graça, deve ser gratuita; isso é muito verdadeiro; mas há certos cavalheiros que possuem um tipo de graça que não é gratuita. Portanto, eu aceito a redundância e me atrevo a dizer "graça gratuita", para que não haja engano sobre isso. Às vezes, em linguagem comum, falamos de algo como "de graça, grátis e por nada".

Bem, vou já pegar o trio e dizer isto da graça de Deus — que é de graça, grátis e por nada, e esta é sua glória: a gratuidade da graça de Deus. Ora, veja como é gratuita. Trata-se de pessoas que nunca a procuraram. Veio a qualquer um de nós, que a recebeu, muito antes de buscá-la ou poder buscá-la, pois ela veio a nós antes de nascermos. Cristo Jesus morreu pelos pecadores antes de eles viverem na terra, muitos deles. Certamente fomos redimidos pelo sangue precioso antes de realmente termos caído em pecado, de modo que a graça foi o início de nossa existência — muito mais que nossa busca por ela.

Contudo, na verdade, irmãos, quando buscamos ao Senhor, embora não o soubéssemos, o Senhor já nos havia procurado muito antes. Houve uma obra de seu Espírito em nosso coração quando não sabíamos disso. Pensamos ter dito: "Eu me levantarei e irei para meu Pai". Então assim nós fizemos; mas houve outra parábola, se vocês se lembram, antes daquela que fala da volta do filho pródigo, e que nos conta de um dinheiro que foi perdido, que não pode ser encontrado, e a casa teve de ser varrida, e a vela, acesa para que o dinheiro pudesse ser encontrado; somos informados de uma ovelha que nunca pensou em voltar, como raramente fazem as ovelhas, mas o pastor teve de ir atrás dela, encontrá-la e colocá-la sobre o ombro. Sim, em todos os casos, quando vamos a Deus, é porque primeiro Deus veio a nós.

E a gratuidade dessa graça se manifesta pelo fato de ela chegar a pessoas muito improváveis. Esse verso era o mais verdadeiro:

É o teu regozijo,
Nos corações mais improváveis chegar,
A glória da tua luz encontrar
Nos lugares mais escuros um lar.

Ora, a graça de Deus veio àqueles que se tornaram depravados e os reconquistou. Chegou àqueles que foram blasfemadores e profanos e, ainda assim, renovou seus corações. Chegou aos perseguidores, àqueles que se dedicaram desesperadamente à malícia e os prenderam em sua loucura, e os tornou sóbrios e renovados, e os tornou servos do próprio Mestre a quem antes se opunham. É de fato gratuita quando se trata de coisas como essas. E eu a considero realmente muito gratuita por ter vindo a mim, pois, embora, talvez, eu pudesse me colocar, como muitos de vocês, entre aqueles cujas vidas exteriores não poderiam ser consideradas tão desesperadamente perversas, ainda assim — com o orgulho de nossos corações, a justiça própria de nossa natureza, a teimosia de nossas vontades e a relutância de nossas almas em se aproximar de Cristo, tendo pecado contra tanta luz e tanto conhecimento — a maravilha é que Deus não nos deixou escolher nossa própria ilusão. Foi um prodígio da graça termos nos tornado seus súditos! E eu acho que falo o que meus irmãos e irmãs em Cristo pensam se digo que, se não houvesse nenhum outro caso registrado da soberania da divina graça, cada um de nós reivindicaria ser algo a ser mencionado. Foi a graça soberana que nos escolheu e olhou para nós.

I

Agora estou tão feliz por ter isso a dizer, pois não vejo por que a graça de Deus não deveria olhar para algumas pessoas aqui esta noite — algumas das pessoas mais improváveis. Você veio aqui para buscar algo que o faça rir? A graça de Deus pode mandá-lo embora chorando por seus pecados. Eu oro para que seja assim. Você veio aqui depois de ter desperdiçado o resto do dia e muitos sábados anteriores também, e acha que nunca será convertido? Vem, Espírito eterno, vem! Enquanto o clarão do relâmpago atinge o carvalho mais elevado, vem e parte o coração em dois com força irresistível! Ó Deus de amor, tens apenas que estender teu cetro, e o coração mais rebelde deve ceder a ti. Que assim seja, e glória será dada à tua graça. O primeiro ponto, então, é a gratuidade da graça.

O próximo aspecto da graça, no entanto, é sua onipotência, pois, onde quer que a graça de Deus venha, ela é onipotente. Não estou dizendo que ela sempre se apresenta de forma onipotente, pois o Espírito de Deus às vezes opera sem apresentar toda a sua força, e então os homens resistem a Ele, sim, e resistem a Ele com sucesso também. "Vós sempre resistis ao Espírito Santo. Como fizeram os vossos pais, assim também fazeis" (Atos 7.51), disse Estêvão. Há quem tente lutar contra o Espírito Santo; e Ele nem sempre lutará contra os homens. Contudo quando o Espírito de Deus surge com o poder da graça divina, então não há mais resistência. Não é que o homem não pudesse resistir se quisesse, mas é que não resistiria se pudesse, pois, quando a graça chega, ela muda a natureza e transforma o coração. Suponho que funcione mais ou menos assim: o homem é preconceituoso, mas quando a graça chega, ela tira o preconceito. O entendimento dele está obscurecido: ele pensa que o amargo é doce e que o doce é amargo. A graça vem e ele vê com clareza, sabe que o amargo é amargo e o doce é doce. Então, imediatamente, tendo seu entendimento iluminado, sua vontade é afetada, pois um homem não deseja naturalmente aquilo que sente que será mau para si mesmo; mas agora, sabendo que tal coisa seria má, ele deseja deixá-la, e sabendo agora que tal coisa é boa, sendo ensinado pelo Espírito, ele deseja buscar aquilo que sabe ser bom para si mesmo. A vontade, portanto, torna-se ensinada e treinada. O freio é colocado na boca da vontade — a mais teimosa de todas as coisas. Nenhuma espada pode atravessar a vontade de alguns homens. Eles são como leviatãs: riem-se do brandir da lança, e a espada não os atravessa, mas quando o Eterno lança sua poderosa espada, Ele atravessa as escamas do leviatã e derruba seu orgulho e glória. Vimos alguns grandes pecadores que nunca tremeram antes tremer como folhas de álamo quando o vento do Espírito Eterno soprou sobre eles. Não há nada que o poder da graça eterna não possa vencer. E quando a vontade é subjugada, as emoções seguem um caminho diferente.

Se algum viajante, certo dia, voltasse para casa e nos dissesse que, olhando para as águas do rio Niágara, de repente as viu saltarem para cima, em vez de para baixo, e todos os rios começaram a correr em direção aos lagos, não deveríamos acreditar nisso. Mas se fosse verdade, não seria um milagre tão grande como quando toda a natureza de um homem, que se precipita para o mar da destruição com grandes saltos, com cataratas do mal, de repente é virada para o outro lado e mudada para buscar a Deus, o Deus de quem ele fugia tão impetuosamente. Sim, a graça de Deus pode fazer isso, e essa é uma das glórias da graça. Se um homem é tão mau que só o próprio diabo o supera, a graça de Deus pode renová-lo. Se seu coração é tão frio como um iceberg e tão duro como uma pedra de diamante, a graça de Deus pode derretê-lo e quebrá-lo; e embora sua natureza seja como um Saara sombrio com sua areia ardente, se a morte marchou sobre ele e destruiu o pouco de vida que havia ali, ainda assim o Espírito de Deus pode vir e fazer o deserto florescer como o Sarom, sim, como o jardim do Senhor. Esta é, então, outra parte da glória dessa graça: é gratuita, é onipotente.

Outra parte da glória da graça reside nisto: a graça é sempre coerente com os outros atributos de Deus. A graça de Deus nunca interfere em qualquer outro grande atributo do Altíssimo. Você já ouviu alguns idiotas dizerem que, se Deus não perdoa o pecado sem uma expiação, não há graça nisso. Pobres tolos! É a graça mais transcendentemente exibida, porque, na sabedoria de Deus, a graça plena não tem permissão para eclipsar qualquer outro atributo da Divindade. Observe: Deus é justo; Deus pode ser misericordioso às custas da justiça, mas eu questiono se seria misericórdia, pois não é misericordioso para uma comunidade deixar escapar um criminoso. Não estou certo de que nossas vidas estejam mais seguras porque certos assassinos dos últimos tempos, pelos quais eu não conseguia ver nenhum motivo para misericórdia, foram isentos dos direitos da justiça. Não tenho certeza se suas casas estariam mais seguras à noite, ou nossos irmãos na rua, se os juízes permitissem que os ladrões e assaltantes fossem livres sem punição. Seria uma misericórdia para eles, talvez, mas não para nós. Agora, a misericórdia de Deus é misericordiosa e verdadeiramente assim, e não interfere com a justiça, pois Deus é tão justo no caso de cada pecador perdoado como Ele teria sido se aquele pecador tivesse sido lançado no inferno. A vingança contra aquele pecador foi suportada por Jesus Cristo. O Filho de Deus pagou a dívida e, portanto, o pecador está dispensado. Foi a graça que deu ao pecador tal Salvador; mas é a própria glória da graça que é perfeitamente coerente com a justiça mais severa.

Portanto, a graça de Deus é coerente com a verdade divina. Se Deus tivesse de retirar uma palavra que já havia dito para salvar os homens, seria uma grande desgraça, pois Deus não pode ser suspeito de falsidade ou de permitir que sua palavra caia por terra. Se Ele o fosse, os fundamentos da sociedade seriam abalados e o mundo perderia muito, por mais que a misericórdia pudesse ser elogiada por alguns. Contudo não há nenhuma ameaça de a justiça de Deus ser violada; não há uma única palavra que saiu de sua boca que não tenha se cumprido. As leis de Deus, como as leis dos medos e persas, nunca foram alteradas, mas uma nova lei — a da graça — veio sobre sobre as demais, e Deus, sem interferir na sua justiça, certamente mostrou-se verdadeiro.

Além disso, a graça certamente é coerente com a santidade. Se você encontrar uma pessoa que diz: "Eu tenho a graça de Deus e, portanto, vivo em tal e tal pecado", tal pessoa fala falsamente. A graça de Deus nunca gerou pecado algum, sim, e nunca o fará! O apóstolo diz sobre alguns que declararam que viviam em pecado que a graça poderia abundar para que a condenação deles fosse justa — como se ele quisesse dizer: "Todo mundo sabe, e todo mundo pode ver com a metade de um olho que sua condenação é a justa justiça". Não, a graça de Deus neste mundo nunca levou um homem a fazer mal a seus semelhantes, nem a fazer mal a seu Deus. Ela tem uma influência sagrada onde quer que atue, e quando atinge o limite, santifica o coração que está sob seu poder e o torna perfeito — levando-o para o céu.

E deixe-me dizer que a graça de Deus é sempre coerente com a bondade divina. Quero dizer isto: que embora a graça de Deus não alcance todos os homens da mesma forma, existem aqueles que a recebem e são salvos por ela, enquanto outros perecem em seus próprios pecados — ainda assim, a graça de Deus nunca fez uma injustiça a alguém. Finalmente não haverá alguém no tribunal de Deus que seja capaz de acusá-lo de parcialidades. É muito fácil espalhar essa palavra agora, mas não será assim no porvir. Não haverá um pecador sequer com uma desculpa válida. Não haverá um pecador sequer que possa colocar seu pecado nas costas de Deus ou sua ruína aos pés do Altíssimo. Cada alma salva glorificará a graça de Deus, mas não haverá na salvação dessa alma uma única violação da benevolência de Deus ou de sua justa justiça para com os filhos dos homens. Ele sabe como isso pode ser feito. Podemos não ser capazes de justificar os caminhos de Deus aos homens: estamos contentes em dar a resposta de Paulo: "Mas quem és tu, ó homem, para argumentares com Deus?" (Romanos 9.20).

II

Agora, outro ponto. É uma parte, como eu acredito, da glória da graça divina que é imutável. Certos irmãos pensam que a graça de Deus vem aos homens e depois os deixa. Não aprendemos assim de Cristo. Onde a graça de Deus começa — efetivamente começa, e o coração do homem é realmente mudado —, a obra que foi iniciada será completada. A esse cumprimento haverá muita oposição da carne e das tentações, de fora e de Satanás; mas aquele que começou a obra não é um construtor incompetente, que não pode terminá-la. Aquele que sai para esta guerra não é aquele cujas forças são fracas demais para enfrentar o inimigo gigantesco. Bendize o Senhor, ó minha alma! Você tem de lidar com um Deus imutável! "Eu, o SENHOR, não mudo; por isso, vós, ó filhos de Jacó, não sois destruídos" (Malaquias 3.6). A graça que pode ser perdida é uma graça que merece ser perdida. A única graça que vale a pena ter é a graça que, quando se apodera de nós, nunca nos deixa ir, mas nos coloca em segurança na glória, de acordo com aquela antiga promessa: "O SENHOR dará graça e glória; não negará bem algum aos que andam com retidão" (Salmos 84.11).

Outra característica da graça é sua suficiência total. É a glória da graça que satisfaz todas as necessidades do pecador. Se o pecador está morto, ela lhe dá vida; se ele estiver sujo, ela o limpa; se ele estiver nu, ela o veste. O pecador está com fome? Ela o alimenta. Ele está com sede? Ela lhe dá de beber. As necessidades do pecador aumentam ainda mais depois que ele se torna um santo ou ele tem uma compreensão mais profunda delas? Então as provisões são tão profundas quanto sua necessidade. Fontes sem fim são os tesouros da graça divina:

> Tão profunda quanto nossos tormentos,
> E sem fim como nossos pecados.

Você nunca chegará a um ponto em que a graça falhará — nunca chegará a um extremo em que terá de dizer: "Aqui, finalmente, o braço da graça está paralisado; portanto, devo procurar por socorro em outro lugar". Oh, não!

Deste local até a beira do Jordão, e através do Jordão, e até o grande trono branco do julgamento, e através do julgamento, e até que de corpo e alma, casado novamente em um casamento esplêndido para a eternidade, sentarei na festa de casamento lá em cima — até então não haverá falhas na graça, nem teremos de pensar nela de outra forma que não seja totalmente suficiente.

Assim, examinamos brevemente algumas das características que são a glória da graça divina. Quem não teria uma graça como esta?

E agora, em segundo lugar, apenas por alguns minutos, queremos falar um pouco sobre onde a glória da graça de Deus pode ser mais bem vista. Acho que há dois ou três lugares para os quais eu poderia levar você. Um está no novo convertido. Basta olhar para ele. Você vê como ele está feliz, cheio de alegria, e essa alegria corre pelo seu rosto em torrentes brilhantes de lágrimas. Você conhece aquele homem? Há pouco, ele era desprezível e infeliz. E, um pouco mais no passado, ele estava feliz, mas era uma felicidade como o crepitar de um espinho queimando: ele arde e deixa de existir. Ele gostava da companhia de quem falava lascivamente. Possivelmente ele próprio era libertino. Ele amava ficar na cervejaria e seria encontrado entre aqueles que violavam o sábado e profanavam o nome de Deus. Olhe para ele agora! Ele diz que foi perdoado; ele olhou para Cristo, e sua alma foi iluminada; você pode ver pelo próprio olhar do homem que uma mudança muito estranha ocorreu nele. Ele é uma nova criatura em Cristo Jesus. Lembro-me de quando tal mudança me ocorreu. Muitos de vocês não se lembram daquela época? E oh! Qual foi a glória da graça de Deus para você! Você esteve à beira do inferno e foi salvo; sentiu em sua própria consciência uma sentença de condenação, e aí você foi absolvido. Todo pecado foi embora; você tornou-se limpo como a neve e foi aceito no Amado como se, em vez de um pecador, você tivesse sido um santo todos os nossos dias. Você foi perfeitamente salvo pelo simples ato de fé — fé no Salvador que sangra.

Oh! Houve glória na graça de Deus naquele dia!

E agora vou levar você para outro lugar. A glória da graça de Deus muitas vezes pode ser vista nos cristãos. Eu vi isso em cristãos em sua pobreza — quando eles tiveram de suportar muitas dificuldades, mas não se lamentaram; antes, agradeceram a Deus pelo que tinham. Eu vi isso nos cristãos em

A GLÓRIA DA GRAÇA DE DEUS

suas tentações, quando, como José, eles disseram: "Como poderia eu cometer este grande mal e pecar contra Deus?" (Gênesis 39.9). Tenho visto a glória da graça de Deus em cristãos quando passam por pesadas provações. Os filhos deles morreram; talvez a esposa ou o marido também tenha morrido, e aquele que ficou para trás disse: "O SENHOR o deu, e o SENHOR o tirou" (Jó 1.21), e, embora quase sufocassem ao dizer isso, eles acrescentaram: "Bendito seja o nome do SENHOR" (v. 21). "Ainda que ele me mate, nele esperarei" (Jó 13.15).

Bem, essa foi a glória da graça de Deus, e eu a tenho visto muitas vezes, e espero que você a tenha visto e sentido também. E como essa glória foi vista na hora da morte! Muitas e muitas vezes alguém ficou ao lado do leito de morte e invejou o santo que partia — invejou-o, porque, embora os ossos estivessem prontos para atravessar pela pele, ele certamente teve uma poção mais feliz do que nós, que estávamos com saúde e força. Sua mente estava mais descansada em Cristo e mais em paz, e ele parecia mais cheio de êxtase e alegria. Tenho ouvido coisas dos lábios de santos agonizantes que nunca ouvi dos vivos — quero dizer, nunca algo tão decidido. Os poetas nunca foram capazes de rivalizar com as inefáveis declarações dos cristãos que partem quando o céu brilhou bem em seus rostos e eles começaram a ouvir o canto dos coros eternos. Oh, sim, a graça foi gloriosa naqueles momentos! E você lê, no Livro dos Mártires,[1] e em outras obras, como os santos de Deus morreram — morreram na tortura, na masmorra ou na fogueira. Porém, apesar de tudo isso, se gloriaram no Deus de sua salvação. Essas coisas não estão escritas no Livro das Guerras do Senhor![2] Aí vocês podem ver o que Deus fez aos fracos ao torná--los corajosos, tornando-os fortes. Lembre-se do que disse Anne Askew[3] sentada em placas úmidas e frias, quando eles a torturaram até que não houvesse um único osso em seu corpo, cheio de dor:

---

[1] Escrito por John Foxe em 1559 na Inglaterra. Conta a história de cristãos perseguidos e seus sofrimentos, de Jesus até o reinado inglês de Maria I. Foi muito lido na Inglaterra e influenciou muito os cristãos ingleses.

[2] Livro mencionado em Números 21.14-15, ao qual Spurgeon faz uma breve alusão, não havendo relação direta com o que é falado aqui.

[3] Poetisa e protestante inglesa do século XVI. Foi torturada no cavalete (aparato que estica o indivíduo pelos pulsos e tornozelos) e queimada viva por causa do que se chamava de "heresia protestante".

Eu não sou aquela pessoa
Que lança sua âncora
Diante de uma névoa úmida;
Meu navio é inabalável

Ela sentiu que Deus estava em seu coração. Ela chamou o cavalete e todas as suas afrontas de apenas uma névoa úmida, não chegando a ser uma tempestade; ela sentiu o mais absoluto desprezo pelas crueldades que eles foram capazes de lhe impor. Sim, há glória na graça de Deus em um caso como esse.

Contudo agora eu gostaria de ter o poder de um Dante Alighieri ou de um John Milton,[4] e poder levar você pelo ar até a região onde o Príncipe das Trevas mantém sua corte. Eu o levaria pelo menos até a beira daquele fosso sombrio, daquela horrível prisão de almas condenadas pela justiça do Altíssimo. Se você pudesse ficar de pé, e por um momento ver a fumaça de seu tormento e ouvir os gritos e gemidos de espíritos ressequidos para sempre pelo sopro da justiça, eu deveria então dizer a você: "Esse teria sido o meu destino e o seu se não fosse pela graça de Deus". E quando partíssemos daquele abismo terrível e não ousássemos olhar para ele, e fechássemos nossos ouvidos àqueles sons terríveis, pensaríamos: "Ó Deus! Quão ilimitada é tua graça que nos manteve longe dessas moradas sombrias de desgraça!" E então, se algum serafim pudesse nos levar até o sétimo céu e nos colocar lá, sobre o mar de vidro misturado com fogo, e pudéssemos ficar por um tempo naquele chão plácido, mas lustroso, e ouvir os harpistas tocando suas harpas, e receber nossa própria harpa, e ter nossa própria coroa colocada em nossa cabeça, como certamente será se a graça de Deus olhar para nós — se pudéssemos nos curvar entre eles e cantar o louvor a Emanuel —, então este pensamento também entraria em nossas almas: "Oh! A glória desta graça que eleva espíritos que poderiam ter sido condenados a serem glorificados e faz imortais os que poderiam ter sido imortais em sua agonia se tornarem imortais em sua glória. Ó gloriosa graça! Onde estão as palavras com as quais podemos falar de ti! Queremos nossas

---

[4] Dante Alighieri: escritor florentino do século XIV; John Milton: poeta inglês do século XVII. Ambos escreveram em suas obras (*A divina comédia* e *Paraíso perdido*, respectivamente) uma descrição própria do inferno.

A GLÓRIA DA GRAÇA DE DEUS

harpas, nossas harpas de ouro, para cantar o teu louvor; queremos a liberdade de um espírito que é aperfeiçoado e glorificado, a fim de ser capaz de expressar a tua majestade".

III

E agora, por último, devemos encerrar com apenas algumas palavras práticas sobre como podemos manifestar a glória da graça. E eu digo a cada cristão aqui — a primeira coisa é: cuidemos em sempre atribuir nossa salvação à graça de Deus. Sempre fico feliz quando o povo de Deus pode falar com clareza; alguns deles não podem. Eu sei que eles são meus irmãos e irmãs, e eu os amo apesar de tudo isso, mas não gosto de ouvi-los balbuciando e gaguejando pela casa como alguns deles fazem. Pois há aqueles que não podem dizer "graça" sem que, de uma forma ou de outra, um som de "lei" entre nisso. Eles não podem dizer "graça" abertamente; eles misturam a Antiga Aliança com a Nova. Alguns parecem conhecer Cristo depois de Moisés, e confundem o cajado de Moisés com a cruz de Cristo. São coisas muito diferentes. Eu sou favorável ao estudo teológico; a grande necessidade para um estudante é saber a diferença entre Sinai e Sião, entre Sara e Hagar, entre Jerusalém e Arábia. Quero saber o que é graça e quais podem ser as obras; mas você não pode misturá-las. Elas são como óleo e água; portanto, não vão se misturar. Se é por meio de obras, é tudo obras; se é por meio da graça, é tudo graça. Se devo chegar ao céu por meu próprio mérito, devo chegar lá pura e simplesmente por meu próprio mérito: não posso chegar lá em parte por mérito e em parte por graça. E se é por meio da graça, é tudo graça. Um homem pode confiar em parte nas obras e em parte na graça, mas ele tem, por assim dizer, um pé na terra e outro no mar, e certamente cairá. Ele está entre duas banquetas e deve ir ao chão. É graça para começar, graça para prosseguir e graça para terminar, ou então você não deve tentar a graça de forma alguma, mas deve tentar suas próprias obras e tentar efetuar seu caminho para o céu, o que você nunca conseguirá. Será um fracasso retumbante. Procure atribuir tudo ao seu Deus. Existem algumas pessoas do povo de Deus que nunca farão isso até irem para a faculdade onde Jonas foi estudar. Era uma faculdade estranha em uma região solitária nas profundezas do mar. Ele estava na barriga de uma baleia; e foi aí que ele se tornou um calvinista, pois ele disse: "A salvação pertence ao SENHOR". Se pudéssemos enviar alguns de nossos amigos para a mesma academia, seria uma grande misericórdia para eles. Busque atribuir a salvação — tudo — à graça.

Em seguida, vamos nos gloriar na graça de Deus diante de outras pessoas. Não tenha vergonha de contar o que Deus fez por você nem de admitir que você sabe o que é graça ou de dizer isso claramente por meio de suas vidas, bem como de seu modo de falar; e se você deseja glorificar a graça de Deus, viva na energia dela! Receio que estejamos todos entrando em um estado de sono novamente. Tivemos um tempo mais animado. Há pouco tempo, os avivamentos eram muito comuns. Nem todos eram bons para muita coisa, mas alguns o eram, e a igreja parecia orar e estar desperta. Contudo agora há um espírito de sono em quase toda parte. Existem exceções felizes, mas temo que sejam poucas. Se queremos glorificar a graça de Deus, devemos glorificá-la em ação. Devemos orar fervorosamente para que Ele traga milhares e dezenas de milhares para a igreja de Cristo; pois a infidelidade está com a boca bem aberta. Assim, também, o ritualismo está fazendo o seu melhor, e o que se deseja como uma resposta tanto ao racionalismo quanto ao ritualismo é que a graça de Deus seja exibida em seu grande poder. Oh! Se o Senhor salvasse algum grande pecador, algum membro importante do parlamento, algum sacerdote, algum homem que pregou falsa doutrina! Prouvera a Deus salvar algum grande pecador — repito a palavra — algum ladrão, algum bêbado e trazer alguém cuja conversão surpreendesse os filhos dos homens e os fizesse dizer: "Este é o dedo de Deus". O Senhor o enviou, e Ele terá o louvor. Que todos, no entanto, possamos viver para o louvor da glória de sua graça.

Mais uma coisa, e isto é: se quisermos ver a glória da graça de Deus, devemos acreditar na verdade, confiar nela e lançar nossas almas sobre ela. Pecador, se você vier a Cristo, Ele não o rejeitará. Se você for a Deus pleiteando suas próprias obras, você certamente será expulso de sua presença, mas se você vier e apelar para a misericórdia dele e confiar na graça dele, Ele não pode e não irá rejeitá-lo. Ele se deleita na misericórdia. Deus está mais feliz em oferecê-la do que você ficará em recebê-la. É a alegria de seu coração abençoar os filhos dos homens. Busque misericórdia esta noite por meio de Jesus Cristo e você a terá. Vá para o seu quarto e chore copiosamente. Sim, que agora mesmo, Deus lhe conceda disposição para colocar sua confiança em Jesus, e você descobrirá que a graça mais rica e gratuita virá a você. Mesmo neste momento, o perdão perfeito para uma vida de pecado deve ser obtido com um olhar para o Salvador crucificado.

Que Deus nos dê esse olhar, para que possamos dar esse olhar a Cristo. Amém e amém!

11

QUANDO DEUS FALA

Escutarei o que Deus, o SENHOR, disser, porque ele promete paz ao
seu povo e aos seus santos; que eles jamais voltem à insensatez.
(Salmos 85.8)

SERIA difícil dizer o quão baixo um verdadeiro cristão pode cair quanto à graça interior e ao consolo. Espero que nenhum de nós jamais faça o experimento; mas é certo que há ocasiões em que alguns cristãos andam tão descuidadamente que, pouco a pouco, a alegria de sua religião se afasta deles, a confiança de sua fé se enfraquece, seu amor se torna tão tênue que chega a ser como uma centelha se apagando, e eles próprios andam nas trevas e não veem a luz. Sabemos que, em tais ocasiões, eles nutrem dúvidas sobre se alguma vez tiveram alguma religião; se, afinal, eles não foram enganados, ou mesmo os enganadores; e então, nessas horas, a consciência deles os açoitará atrozmente, lembrando-os das alegrias que uma vez possuíram, dos dias em que a luz do Senhor brilhava ao redor deles; e se antes eles foram santos altamente favorecidos, tanto maior será sua angústia de espírito quando parecerem ouvir o Senhor dizer: "Irei e voltarei para o meu lugar, até que reconheçam que são culpados e busquem a minha face. Quando estiverem aflitos, eles me buscarão ansiosamente" (Oseias 5.15).

Enquanto o coração é abatido dessa forma pela angústia, é possível que a mão de Deus, em sua providência, também se estenda contra seu filho errante — e frequentemente é assim, e é uma bênção que seja assim também. Sabemos que o negócio do cristão desviado começa a enfraquecer e a não lhe dar sustento. Sabemos que, concomitantemente, a doença entra em sua família: filhos morreram, a esposa adoece. Ou, talvez, a mão de Deus tenha se estendido contra seu corpo: houve alguma doença em sua pessoa ou algum dano em seus membros; ele sabe o que significam dias cansativos e noites sem dormir. Agora, quando os dois mares, de provações internas e de aflições externas, se encontrarem, o cristão será despertado para clamar ao seu Deus. Se ele puder continuar a dormir então, sim, e se ele se tornar um provocador contra o Altíssimo, e for levado a ir de um pecado a outro e de mal a pior, haverá naquele homem um sinal de reprovação, não de eleição; mas se ele for um filho de Deus, quando sentir, antes de tudo, o seu próprio coração ferindo-o — isso é um golpe duro — e então sentir os castigos de Deus ferindo-o ao mesmo tempo, ele descobrirá que está em uma situação muito ruim e levantará os olhos para o seu Deus a fim de saber o que pode fazer para ser libertado disso.

A misericórdia é que existe uma forma de escapar desse estado. Nenhum filho de Deus deve permanecer contente com isso. Todo cristão que perdeu seu primeiro amor deve buscá-lo novamente, todo crente que desceu de sua antiga posição elevada deve lamentar-se, e suspirar e chorar, até que o Senhor o levante novamente; sim, e o levante até uma posição ainda mais elevada do que a anterior. Não é a vontade do Senhor que seus filhos sejam escravizados: não é o desejo dele que eles sejam humilhados. Mesmo a aflição, o Senhor a envia de má vontade, "porque não lhe agrada afligir nem entristecer os filhos dos homens" (Lamentações 3.33).

Agora, o texto desta noite será especialmente útil para aqueles que estão na condição que indiquei; mas alguns de vocês que não estão nesse estado podem deixá-lo à espera das possibilidades que possam ter, e, talvez, a palavra dita nesta noite possa estar em prontidão contra algum tempo mau que possa estar se aproximando.

Observe que o texto se divide naturalmente em três partes. A primeira parte chamaremos de sábia decisão: "Escutarei o que Deus, o Senhor, disser". A segunda parte é uma expectativa de confiança: "Porque ele promete paz ao seu povo e aos seus santos". A terceira parte, no entanto, é um desejo de prudência: "Que eles jamais voltem à insensatez".

I

Em primeiro lugar, então, temos diante de nós, no texto, uma sábia decisão por parte de quem deseja avivamento, sentindo que está se afastando de Deus e sofrendo na alma. Observe a decisão: "Escutarei o que Deus, o Senhor, disser".

É a pessoa levada a um impasse. Ela vagou; ela perdeu seu caminho; ela está na escuridão densa e está parada. Sua alma havia andando por aí, perambulando atrás de mil coisas. Porém, agora, em sua profunda aflição, ela diz: "Eu esperarei em meu Deus. Vou ouvir o que o Senhor Deus diz".

Evidentemente, há na mente aqui um senso tanto de majestade divina, que a assombra, quanto de fidelidade divina, que a encoraja e a atrai. "Escutarei o que Deus, o SENHOR, disser." Devo ouvir o que Ele disser. Ele não é Deus? Ele não é o Senhor autoexistente, o "EU SOU O QUE SOU" (Êxodo 3.14)? Meu coração, você chegou a esta condição deplorável por ouvir outras vozes; você se privou do conforto por esquecer as promessas de Deus; você se deu ao pecado por não se importar com os mandamentos de Deus; você negligenciou a voz de amor e de repreensão de Deus. Fique parado agora e tenha vergonha de si mesmo; seja humilde e, a partir deste momento, feche o ouvido a todos os outros sons e decida ouvir o que Deus, o Senhor, disser. Veja, é um senso da autoridade da voz divina que vem sobre a alma e, portanto, decida ser surdo para qualquer outra coisa, e certamente você ouvirá a voz de Deus.

E então essa mesma autoridade parece estimular o espírito de confiança, pois diz dentro de si: "Agora estou nesta condição — na qual ninguém pode me ajudar senão Deus. Nenhuma voz além da de Deus pode me direcionar; nenhuma voz além da dele tem poder para me livrar; portanto, por isso mesmo não esperarei para ouvir o que qualquer outro pode dizer, mas irei diretamente a Deus e ouvirei o que Ele tem a dizer. Talvez, se eu esperar pelo pregador, ele possa não entender minha experiência, ou venha sem que seja enviado para esse fim, e o que são as palavras de um mortal se atrás dele não há Deus para inspirá-lo? Não vou correr para amigos cristãos e pedir os conselhos deles; isso pode ser útil em outra ocasião, mas cheguei ao momento em que nada me convém agora, exceto a voz de Deus. Quando eu vago tão longe, nenhuma voz de um irmão pode me chamar de volta: o próprio Pai deve me chamar. Quando eu afundo tanto a ponto de ser como Lázaro em seu túmulo, nenhuma voz de um discípulo pode me chamar para uma vida nova; o próprio Mestre deve falar. Portanto, "ouvirei o que Deus, o SENHOR, disser".

Oh! Há grande sabedoria nessa decisão para qualquer pessoa, a qualquer momento, mas especialmente para qualquer pessoa que sabe que entrou em um estado de escassez de graça. Querido irmão, querida irmã, sei que deseja sair dessa condição. Agora, sentado no banco, que esta seja sua decisão — e que a graça o sustente ao executá-la: "Eu agora me apressarei ao meu Deus; meu espírito dirá a Ele: 'Fala, Senhor, porque o teu servo ouve'. Voltarei ao meu primeiro marido, embora tenha vagado, pois estava numa situação melhor então do que agora. Voltarei ao meu Noé, ao meu descanso, como fez a pomba que, embora voasse sobre o deserto das águas, não encontrou lugar para descanso para a planta do pé. Eu voltarei para aquela arca. Eu vou voltar para o meu Deus. Vou ouvir o que Deus, o Senhor, disser".

Esse parece ser o primeiro ponto na decisão — o destaque que ela dá à autoridade divina e à confiança implícita, embora não expressa, que é colocada na voz de Deus, se for ouvida.

Agora, vamos notar, queridos irmãos e irmãs, ao tentar cumprir esta decisão, que Deus fala conosco de várias maneiras, e se quisermos ouvir o que Deus, o Senhor, vai dizer, devemos estar atentos às muitas vozes.

Claro, Ele fala conosco em sua Palavra, que é a luz mais segura da profecia, e faremos bem em obedecê-la. Esse é o mapa de todo marinheiro cristão. Essas são as ordens do grande capitão de nossa guerra santa, por isso devemos ser mais diligentes em ler a Bíblia — não apenas em ler mais (talvez não erremos nisso), mas em lê-la mais solenemente —, não a ler com os olhos, como alguns fazem, mas com a própria alma, sugando a Escritura como a esponja absorve a água, enchendo-se dela ao máximo, com santo pensamento espiritual segundo a Palavra de Deus. Se você se desviou, meu querido irmão, não pode fazer nada melhor do que se tornar um explorador mais constante das Escrituras. Diga: "Eu ouvirei o que Deus, o Senhor, disser. Talvez eu tenha ficado desanimado por não ter ouvido suas promessas; talvez eu tenha me tornado descuidado porque não ouvi sua admoestação; talvez eu tenha ficado fraco porque não recebi forças alimentando-me do maná de sua Palavra: irei, portanto, irei à Escritura novamente e ouvirei o que Deus, o Senhor, disser".

E, amados, vocês também devem ouvir essa palavra conforme é falada pelos servos de Deus. Infelizmente, há muitos cristãos que não se importam em ouvir a Palavra de Deus no púlpito. Quero dizer isto: que na escolha de um ministério, eles buscam o que pode estar na moda, ou atraente, ou agradável ao ouvido, enquanto a verdadeira medida de um ministério é: Deus fala por meio dele para a alma? Se não, cuidado com isso. Embora seja sua própria congregação, não se ganha mais nada em passar fome em uma congregação do que em qualquer outro lugar. Embora possa ser o lugar de reunião que seus pais sempre frequentaram, não se ganha mais nada para sua alma passar fome no lugar de reunião da família do que em qualquer outro lugar. Não busquem o que é mais enfeitado nem o que mais encanta seus ouvidos, mas o que alimenta sua alma. Esteja decidido quanto ao fato de que os domingos são preciosos demais para serem desperdiçados ouvindo apresentações de oratória e digam: "Eu ouvirei o que Deus, o SENHOR, disser". "Preste atenção no que você ouve" e "preste atenção em como você ouve", pois ambos os preceitos são igualmente valiosos. Que esta seja a nossa decisão: ouvirmos a voz de Deus quando ela nos fala pelo ministério.

O Senhor fala ao seu povo de outra maneira, a saber, na providência, e eu gostaria que tivéssemos um ouvido para ouvir. Cristãos com pequenos problemas devem ouvir os ramos do galho, pois aqueles que não ouvirem os ramos, terão de ouvir a parte mais dura do galho. Se ouvíssemos o sussurro de Deus, não precisaríamos ouvir o seu trovão. Sem dúvida, muitas de nossas provações nos sobrevêm duramente porque provações menores não têm utilidade. Um bom médico não administra a um paciente o remédio mais forte a princípio, mas, se houver remédio, ele começa com aquele que é mais fraco, porque, talvez, isso possa ser suficiente ao caso; mas, se não, antes que o paciente morra, ele certamente dará os remédios mais fortes que puder. E é assim com Deus. Ele nos trata com ternura. "Não sejais como o cavalo, nem como a mula, que não têm entendimento, cuja boca precisa de cabresto e freio, pois de outra forma não se sujeitam a ti" (Salmos 32.9). Muitas tristezas acompanham os caminhos dos ímpios. Se não estivéssemos tão inclinados a andar com os iníquos, nossas tristezas seriam menores. Vamos perguntar a Deus em toda providência: "Senhor, o que queres dizer com isso?", pois a providência é como um hieróglifo de Deus — apenas alguns olhos podem entender o significado. Deus escreve para nós em tudo o que nos acontece ao longo do dia. Nada acontece sem Deus, e Ele não faz nada sem sentido. Agora, muito frequentemente, se alguém lesse, ele poderia ler seu próprio pecado em seu castigo. Ele poderia descobrir onde havia errado pela própria forma dos castigos que vieram sobre ele. Que possamos ter graça, então, uma vez que existem maneiras de entender o significado de Deus, para descobri-lo e nos beneficiar com isso. "Vou ouvir o que Deus, o Senhor, disser."

Além disso, Deus tem uma voz em nossos corações. Ele nos fala quando se afasta de nós. Você perdeu a luz do semblante de Deus? Ele não precisa falar: há uma voz nisso. O que Ele diz senão isto: "Não posso andar contigo, porque tu não andas corretamente comigo. Eu não disse: 'Me mostro inflexível para com o perverso'; 'Por acaso andarão duas pessoas juntas, se não estiverem de acordo?'" O Senhor, ao deixá-lo sozinho, está dizendo: "Você confiou muito em si mesmo, tentou viver sem mim. Agora veja como você pode! Deixo você por sua conta para que possa descobrir quão fraco é um braço de carne". E, na verdade, muitas vezes isso pode ser ouvido no coração, se escutarmos a voz do Espírito de Deus sugerindo muitas coisas. Eu acredito que o Espírito de Deus traz constantemente à nossa visão todas as coisas dentro de nós e todas as coisas de Cristo para nós; mas, infelizmente, existem alguns espíritos que não parecem ser suscetíveis à ação do Espírito Santo. Que o Senhor nos livre dessa dureza espiritual de coração! "Escutarei o que Deus, o Senhor, disser."

Agora, como Deus fala de maneiras diferentes, Ele também fala em tons diferentes, e devemos desejar ouvir sua voz em qualquer tom que Ele se dirigir a nós. Às vezes é com repreensão: "Meu filho, você errou; você se perdeu e entristeceu o meu Espírito". Ouça! Ouça! Embora o som perfure seu coração, ouça. Há alguém entre vocês que deseja ser negligente com a voz de repreensão de Deus? Pois se você for assim, acarretará mal maior, e então, em vez de repreensões, o Senhor terá de usar a vara dele contra você. É sempre bom estarmos dispostos a ler e ouvir aquilo que nos sonda e nos prova, e não aquilo que continuamente nos conforta. Conheço alguns ouvintes que sempre desejam que doces promessas sejam expostas. São como crianças pequenas que sempre devem ter doces na boca, mas os sábios sabem que isso não é o melhor para a saúde. Um tônico geralmente nos faz bem, e um ministério que sonda a alma é o que nossa alma deve buscar. Esteja disposto a ouvir Deus falar, embora Ele não fale coisas doces, mas coisas afiadas que transpassam por sua alma completamente.

Ao mesmo tempo, o Senhor fala de maneira muito encorajadora e doce, e devemos estar igualmente dispostos a ouvi-lo. Você diz: "Claro, estamos", mas eu respondo que há alguns que não estão; pois há filhos de Deus em um certo estado que sempre rejeitam todo encorajamento. Sua alma aborrece toda espécie de alimento. Se for encorajador, eles dizem, "Oh! Não pode ser para mim! É muito bom para ser verdade". Não diga isso, querido irmão, mas, em vez disso, decida: "Escutarei o que Deus, o SENHOR, disser. Como eu o teria ouvido se Ele tivesse falado rudemente comigo, muito mais se Ele falar suavemente a mim, eu darei meu ouvido e meu coração a Ele: deixe-o dizer o que quiser".

E devemos especialmente ouvir o Senhor quando estamos em uma condição triste, se Ele fala de uma maneira que direciona e ensina. Sem dúvida, muitos cristãos podem se elevar a um estado revigorado e novamente desfrutar de luz e liberdade, se seguirem as instruções do evangelho. Às vezes, um dever esquecido será como um osso apodrecido no organismo, ou um pecado — talvez um pecado que não se sabe ser um pecado — será como um espinho no pé que não foi percebido até que deixe o viajante mancando. Nenhum de nós sabe o quanto pode perder a cada dia por negligenciar fazer a vontade do Senhor em algum ponto que não consideramos essencial. Todo dever cristão é essencial, não para a salvação, mas para a consolação; e a omissão de qualquer dever conhecido, sim, direi que qualquer dever desconhecido pode envolver grande perda para nós. É nosso dever, portanto, estar sempre dizendo: "Senhor, diga-me o que eu devo ser em qualquer outro ponto, e eu ouvirei o que tu terás a me dizer".

Agora, devo observar por um ou dois segundos como devemos ouvir o que Deus nos diz. Quando o salmista disse: "Escutarei o que Deus, o SENHOR, disser" (Salmos 85.8), ele não quis dizer: "Eu ouvirei despreocupadamente, como os homens ouvem uma história nas ruas", mas, "Vou ouvi-la com atenção, inclinar meu ouvido para ela, absorvê-la, ouvi-la distintamente. Vou discernir a diferença entre a voz do homem e a voz de Deus. Não serei enganado pelo brilho humano, mas ouvirei o texto divino; eu ouvirei, separando como uma peneira a palha do trigo, o precioso do vil, e ouvirei com discernimento, e quando eu tiver ouvido, eu ouvirei com submissão. Se for a voz de Deus, não vou reclamar. Se o Senhor o disser, não caberá a mim questionar. Ele disse isso? Deve estar certo. E então eu ouvirei obedientemente. Qualquer que seja a sua palavra, pela sua graça farei o que Ele me mandar. Se Ele disser: "Vá!", irei; se Ele disser: "Fique!", ficarei.

Eu digo a vocês, irmãos e irmãs: uma pessoa não está longe de um estado muito gracioso de avivamento da alma quando ela pode usar as palavras do texto no sentido que eu as coloquei. Se agora ela está decidida a obedecer à Palavra de Deus, não demorará muito para que seu brilho resplandeça como a manhã e sua glória, como uma lâmpada acesa. Aquele que permanece na escuridão densa em meio a uma tempestade no lodo, cercado por águas profundas, ainda permanece em um estado abençoado e esperançoso se em seu coração e em sua língua estiverem estas palavras graciosas: "Escutarei o que Deus, o SENHOR, disser". Que essa seja a decisão de todos aqui, pois é uma decisão pessoal. "Eu ouvirei, mesmo que os outros não escutem: se não houver avivamento geral da religião, nenhum desejo de que aconteça, contudo, ouvirei o que Deus, o Senhor, disser. Não serei um mero falador; não vou simplesmente entrar em uma conversação cristã; eu nem mesmo agirei com um ouvido surdo, mas vou me submeter em silêncio e me curvar diante de meu Salvador. Como Maria, vou sentar-me aos pés do Mestre. Esta será minha escolha feliz daqui em diante". Tudo isso por essa sábia decisão.

II

Agora, em segundo lugar, temos em nosso texto uma expectativa de confiança: "Porque ele promete paz ao seu povo e aos seus santos" (v. 8). Que frase encantadora é essa! Que alegria! Como faz o coração pular! "Escutarei o que Deus, o SENHOR, disser, pois Ele falará de paz". Afinal, não há coisas terríveis! Embora Ele fale com repreensão, em tons de trovão, ainda assim a soma e a substância, a tendência e o fim do que Ele terá a dizer será paz para seu povo e para seus santos.

Acho que a palavra aqui pode ser traduzida como "prosperidade". Vamos traduzi-la assim, colocando "paz" com ela. "Deus dirá paz e prosperidade aos seus santos em breve." E, queridos irmãos, isso não é certo? Deus não deve dizer paz ao seu povo, pois não é essa a porção deles? A paz não lhes foi dada na aliança? Voltemos novamente para onde estávamos. Então Deus deve dar paz e prosperidade aos seus filhos, porque é garantida a eles na aliança da graça. Jesus Cristo deixou isso para eles como um legado: "Deixo-vos a paz, a minha paz vos dou. Eu não a dou como o mundo a dá" (João 14.27). E eu não posso acreditar que o Santo Pai irá reter de seu povo o legado que seu próprio filho lhes deu. Oh, não! Cada gota do sangue de Jesus implora por paz. Todas as suas feridas falam e imploram pela prosperidade de seu povo; e, portanto, certamente, o Senhor nos visitará novamente e nos fará subir até das profundezas do mar.

Além disso, não é a vontade de Deus que seu povo seja cheio de paz e felicidade? Você acha que Ele tem prazer em ver seu povo abatido, infeliz, decadente e desviado? Longe disso! Assim como um pai se deleita com a saúde de seu filho, nosso Pai se deleita com nossa prosperidade. Ao pedir, portanto, aquilo que sabemos que será seu prazer em dar, podemos pedir com perfeita confiança. "Ele dirá paz ao seu povo." E não é para sua própria glória? Será que algum dia será para a glória de Deus que seu povo fique abatido, fraco e trêmulo, leve uma vida inútil e duvidosa e tenha "icabode" ("foi-se a glória de Israel" — 1Samuel 4.22) escrito nas paredes de sua igreja? E sua poderosa Sião, que deveria ser a glória de todas as terras, será desonrada, e seu poderoso nome blasfemado por isso? Não, amados. É para a glória de Deus que seu povo se levantará e brilhará. Os mortos não louvarão a Deus; os que descem à cova não lhe darão graças. Se Ele entregar a alma de seu povo aos adversários, esses adversários não o louvarão. Se Ele abandonar seu povo, isso não o enriquecerá; se Ele retirar sua misericórdia, isso não o honrará. Pelo contrário, levantar as mãos que estão caídas e fortalecer os joelhos fracos produzirão muitas canções alegres de louvor e encherá tanto a terra como o céu com aleluias. Portanto, visto que é para a glória de Deus, podemos ter a certeza de que Ele dirá paz ao seu povo.

Agora, Satanás estará dizendo a alguns de vocês que se desgarraram e se desviaram: "O Senhor nunca terá outra palavra boa para vocês. Vocês o deixaram, o abandonaram: sua ira está ardendo contra vocês". Amados, não acreditem em todos os espíritos, e especialmente não acreditem no espírito maligno, pois, tenham certeza de uma coisa: o Senhor que amou seu povo uma vez, os amou de uma vez por todas. "Eles dizem: Se um homem rejeitar sua mulher, e ela se separar dele e se ajuntar a outro homem, por acaso ele voltará para ela? Aquela terra não ficaria inteiramente contaminada?" Estas são as palavras do próprio Deus. "Mesmo assim", disse Ele, "Retorne!" Oh, graça gloriosa! Ele representa a alma de seu servo como tendo cometido a mais infame das transgressões, e ainda assim diz: "Voltai, ó filhos rebeldes, diz o SENHOR, pois sou como o vosso mestre" (Jeremias 3.14).

Oh! Que possamos sentir que há esperança; que por mais baixo que possamos ter caído, ainda há esperança. Certamente, se Deus pretendia rejeitar seus servos, Ele teria rejeitado alguns de nós há muito tempo; mas Ele restaurou nossas almas, e irá restaurar sua alma e conduzi-la no caminho da justiça, por amor do seu nome. Vá até Ele, vá até Ele com a decisão de nosso texto: "Escutarei o que Deus, o SENHOR, disser", e Ele falará com você — não palavras que dirão: "Malditos, afastai-vos", mas Ele irá colocar palavras em sua boca, e ensiná-lo a confessar seus pecados e a humilhar-se diante dele, e então Ele ministrará a promessa dele com poder à sua alma.

III

Agora, um terceiro ponto do texto é uma súplica à prudência: "Que eles jamais voltem à insensatez". Se o seu Senhor visitar você novamente, não o afaste. Se algum dia você for restaurado à sua antiga alegria e paz, será necessário que você ande com muito cuidado e guarde seu tesouro restaurado com um redobrado ciúme. Em primeiro lugar, foi uma loucura quando você se voltou para o pecado. O pecado é sempre tolice. De vez em quando, os homens de negócios pensam que fazer o mal será uma coisa prudente nas circunstâncias; mas o pecado é sempre tolice. Às vezes, parece que rebaixar o rígido padrão do dever pode, talvez, ser prudente para a ocasião; mas o pecado é sempre tolice — sempre tolice — e aqueles que pecam assim o descobrem. Quando seu Deus se vai, quando a luz do amor do Salvador está oculta, quando o Espírito de Deus não mais os vivifica para a alegria e força, então eles sabem que o pecado é loucura. Não deixe, contudo, o homem que foi restaurado daquela

QUANDO DEUS FALA 147

loucura voltar a ela novamente. Quando uma criança comeu algo que encontrou nos campos que parecia uma frutinha doce e acabou sendo envenenada, se depois de semanas de padecimento ela ainda for salva, até mesmo aquela criança teria sabedoria para não voltar a comê-la. O mestre John Bunyan[1] apresenta o jovem Mateus[2] e outros comendo ameixas que crescem no jardim do diabo. Os ramos pendiam da parede para onde os peregrinos iam, e ele nos conta como Mateus estava doente e há muito tempo. Não descobrimos se ele voltou a comer daquelas ameixas. "Que eles jamais voltem à insensatez." Dizemos: "Uma criança queimada teme o fogo". Há alguns que queimam primeiro os dedos e vão queimar os braços mais tarde. Eu conheço alguns que professam a fé cristã que sofreram com o pecado no início e começaram a sentir que estavam se desviando aos poucos, e ainda assim eles foram piorando cada vez mais, indo cada vez mais longe, não apenas voltando a serem insensatos, mas, por assim dizer, sendo duplamente tolos, pois aquele que, sendo um tolo uma vez, aprendeu que era um tolo e depois volta a ser tolo novamente, é duplamente tolo. Que possamos ser libertos de voltarmos a tal insensatez.

Eu acho, no entanto, que ouvi um de vocês dizer: "Se alguma vez eu for restaurado e trazido à plena liberdade, sempre me sentarei no banquete de vinho com o Rei e inclinarei minha cabeça em seu seio; eu nunca vou voltar à insensatez novamente". "Tu falas como uma louca" (Jó 2.10), como Jó disse a sua esposa. Ora, homem, se Deus lhe alcançasse ao terceiro céu, e então colocasse você na terra novamente e o deixasse um minuto sozinho, você faria o papel de bobo como o pior dos seres. Não há pecado do qual os homens não seriam capazes se o Senhor os deixasse sozinhos. O cuidado é necessário: "Que eles jamais voltem à insensatez". "Não", diz alguém, "estou curado de tal pecado; eu nunca irei entrar nisso". É onde você pensa estar mais bem curado que a doença tem maior probabilidade de irromper novamente. Onde quer que você possa dizer: "Estou seguro", certifique-se de que está em perigo. Onde você tem medo e tremor, provavelmente está seguro, mas onde está carnalmente protegido é que o mal vem. "Porque tu dizes: Sou rico e tenho

---

[1] John Bunyan, escritor batista inglês do século XVIII. Foi autor de *O peregrino*.
[2] Personagem do livro *O Peregrino*. Era o filho mais velho de Cristão e Cristiana.

prosperado, mas não sabes que és infeliz, miserável, pobre e nu" (Apocalipse 3.17). Pelo simples fato de você se gabar, sua glória não é boa, mas é tolice. "Que eles jamais voltem à insensatez."

Pode haver, contudo, algo lamentável nisso no querido Redentor. Quando sua ovelha se extraviou e Ele percorreu quilômetros para encontrá-la, cansando-se, e a trouxe de volta sobre seus ombros e a colocou no chão, Ele poderia muito bem dizer: "Minha ovelha, não volte a se perder". Ao filho pródigo restituído à casa de seu pai com um anel no dedo e com sapatos nos pés, certamente poderia ser dito pelo coração afetuoso e ansioso de um pai: "Meu filho, não volte à insensatez. Suas loucuras já entristeceram seu Senhor, afligiram sua igreja, fizeram com que seu nome fosse blasfemado, roubaram de si a luz do semblante de Deus e trouxeram cabelos grisalhos sobre você aqui e ali e debilidade espiritual. Quer voltar à insensatez? Você provou do cálice envenenado e sabe que há amargura nos seus sedimentos: você se voltará à insensatez novamente?"

Sinto como se pudesse ficar aqui e implorar com lágrimas em meus próprios olhos a alguns membros de igrejas cristãs que, uma vez indo bem, desviaram-se, mas foram restabelecidos novamente e perseveraram por muito tempo, mas tornaram a se desviar novamente. Uma vez não foi suficiente? Ora, os tempos passados, antes de sua conversão, podem ter bastado a você para fazer a vontade da carne: por que você vai voltar a satisfazer aquela vontade uma segunda vez? Tendo sido perdoado, você voltará à tolice? Assim diz o Senhor: "Agora, que interesse você tem em ir ao Egito, para beber as águas do Nilo? E que interesse você tem em ir à Assíria, para beber as águas do Eufrates? Volte-se para o Senhor, porque Ele lhe dará de beber das águas da vida, claras como o cristal! Por que você anda tanto para todos os lados a fim de mudar seus caminhos? Não vá até eles, mas siga a Deus e mantenha-se próximo das pegadas do seu Salvador". "Que eles jamais voltem à insensatez."

Qual foi a insensatez? Espero que não tenha sido alguma tolice grosseira, algum pecado da carne. Oh! Pelo sangue de Jesus, seja limpo disso! E se foi o seu orgulho, se foi o seu temperamento raivoso que veio à tona, se foi a sua autoconfiança, se foi o seu mundanismo, se foi o seu amor pelo vestuário — seja o que for (não vou entrar em detalhes) —, não volte à insensatez. Oh, observe esse pecado! Observe esse pecado. Já lhe custou muito. Não volte a ele de novo. Você não alegará uma segunda vez que foi enganado. "De fato, não faz sentido estender a rede diante de uma ave que está à espreita." Por acaso a caça cairá na armadilha que já conhece? Os próprios pássaros parecem mais sábios do que nós, se voltarmos à insensatez; e ainda, queridos amigos, precisamos transformar isso em uma oração, e enquanto Deus nos diz: "Que eles jamais voltem à insensatez ", temos de repetir, alterando apenas as palavras: "Não me deixe voltar à insensatez". Oh! Quão doloroso é pensar que aqueles de nós que sustentaram um caráter honrado por vinte, trinta ou quarenta anos, possamos, em cinco minutos, destruir tudo, mesmo tendo vivido na estima dos irmãos cristãos. Uma insensatez, como uma mosca em um frasco de bálsamo, pode fazer o mais doce nardo do boticário feder nas narinas dos homens. "Sustenta-me, e serei salvo." Deus infinito, preserva teus servos! Ouviremos o que tu dizes. Tu dirás prosperidade às nossas almas. Oh, não voltemos à insensatez!

Pedimos por amor de Jesus. Amém!

12

NO JARDIM DO DESCANSO DE DEUS

Porque somos nós, os que temos crido,
que entramos no descanso.
(Hebreus 4.3)

"DESCANSO" é uma palavra de ouro abençoada. É a única coisa, certamente, que o mundo busca. Pode ser verdade que todo homem busca a felicidade; eu questiono se não é igualmente verdade que cada homem busca o descanso. Existem alguns poucos espíritos inflamados que não desejam descansar, são como raios que se precipitam para seu alvo predestinado, e apenas uma atividade incessante e doentia lhes convém; mas para a maioria de nós, a expectativa de descanso é muito agradável, e apreciá-lo agora na medida escassa em que podemos obtê-lo é um de nossos maiores refrigérios.

A época atual precisa de descanso abundante. Nossos pais viajavam em carroças simples puxadas por cavalos, mas não nos contentamos, ou mal nos contentamos, mesmo com o motor a vapor. "Mais rápido! Mais rápido! Mais rápido!", parecem ser as exigências do comércio mundial. O que fizemos, devemos fazer de novo, embora nos tenha desgastado uma vez, e devemos fazer o dobro, e depois o dobro daquilo. Ao nosso redor, parece haver gritos mais altos e exigências mais ferozes por uma velocidade ainda maior. É isso, não tenho dúvidas, que encheu nossos manicômios, que manda muitos para um túmulo prematuro. Esquecemos nosso lugar de descanso e nos tornamos como uma coisa rolante diante de um redemoinho que não descansa, e não conheço uma maldição maior do que esta que pode cair sobre uma era.

Muitas coisas das quais nos orgulhamos não são, de forma alguma, melhorias. Se alguém inventasse um motor que trabalhasse tanto e tão bem quanto os outros e nos deixasse dormir um pouco mais e descansar um pouco mais, poderia ser tão bom para o bem geral das pobres pessoas de carne e osso. O mundo anseia pelo descanso mental, pois hoje em dia tudo parece instável. As amarras foram alteradas; as embarcações que pareciam ancorar e permanecer lá muitos dias viram seu ancoradouro cedendo e estão à deriva no mar. Novas luzes, em vez das velhas, estão constantemente sendo exigidas, e aquele que costumava ensinar no Livro antigo agora é solicitado a não fazer nada desse tipo, mas a pensar com sua própria cabeça e a dar algo melhor do que os pensamentos de Deus, arrancando as flores comuns da terra e apresentando-as aos homens em vez das estrelas do céu, colocando o bezerro derretido em sua própria fornalha e dizendo: "Aí está, ó Israel, o teu deus". Escravidão!

Em toda parte, há a mesma inquietação. Quanto à inquietação espiritual, ela pode ser percebida por todos aqueles que realmente dão atenção a ela. Certas mentes mais grosseiras negligenciam suas necessidades espirituais, mas aqueles que pensam e buscam o que é altaneiro, o que é eterno, o que é divinamente puro, ainda clamam por descanso. A pomba de Noé estava sozinha, mas as outras voavam como uma nuvem, elas buscam descanso e não encontram nada, e nunca o encontrarão até que retornem à arca da aliança e à mão de Noé, que é o descanso de Deus e também o nosso. Não encontramos nas mentes dos homens agora a crença de que eles irão descansar em algum lugar ou outro? Para falar de assuntos comuns: quando ainda éramos jovens, considerávamos que nossos dias de escola eram repletos de escravidão aos livros. Calculávamos que, quando escapássemos deles, iríamos descansar um pouco. Há muito tempo que fomos desiludidos a respeito disso, e descobrimos que os cuidados e os negócios da vida quase nos fazem invejar os dias em que nos sujeitávamos ao trabalho duro da escola.

I

E agora dá para olharmos para o futuro. Muitos negociantes esperam, depois de poupar dinheiro suficiente e atingir uma aposentadoria, se retirarem para alguma casa no campo e lá descansarem. Mesmo assim, encontramos homens idosos nessa condição e não vemos que eles, afinal, descansam; enquanto muitos sequer alcançam a idade madura em que esperam ir para águas tranquilas. Aqueles que o fazem ainda estão reclamando, ainda murmuram, querendo outra coisa; e ainda, quando não é mais possível cuidar de si, encontram os cuidados de filhos e netos, privando-os de descanso. A noção de alguns é que o descanso pode ser encontrado na vida no campo. Afastam-se do barulho do trânsito, das numerosas moradias dos homens; saem para onde a natureza ainda está em sua simplicidade intocada, e assim pensam poder obter descanso; e os camponeses foram pintados para nós como sendo os próprios modelos e retratos de uma bem-aventurança quase beatífica. Se você for lá e ouvir a própria história deles, logo ficará desencantado com a ideia de encontrar qualquer descanso ali.

Outros com, talvez, um senso um pouco mais prático disseram: "Não, não será entre os humildes e pobres com muitas necessidades que iremos encontrar descanso, mas nas classes superiores — onde os rendimentos são na casa dos milhares e os amplos acres dificilmente podem ser contados. Lá há descanso". Não foi visto ser assim em tais lugares, pois as biografias de homens ricos, famosos, eruditos e estadistas empenharam-se para mostrar que eles não estavam mais descansados, depois de seu enorme sucesso, do que antes, e que ainda choravam "Quem vai nos mostrar algo de bom?" Ainda a alma deles, como as sanguessugas em Provérbios, gritava: "Dá! Dá! Dá!" Insaciável como uma cova, o espírito deles nunca poderia se satisfazer com nenhuma dessas coisas.

Talvez haja alguns aqui esta noite que especialmente anseiam por descanso, pois parecem estar submersos em problemas. Onda após onda, eles foram jogados de um lado para outro. Parecem ter passado apenas de uma prova para outra. "Descanso", dizem eles, "quando chegará? Trabalhamos duro de manhã até a noite para ganhar uma ninharia; quando escaparei deste trabalho duro?"

Ora, meu texto é uma palavra de consolo, pois, em primeiro lugar, dá as boas-novas. Diz a vocês que há descanso para alguns; e, com base nisso, sinto-me autorizado a dar-lhes conselhos, a saber, instar muitos aqui, e também encaminhá-los para um lugar onde possam encontrar descanso para suas almas. Muito brevemente, na verdade.

Primeiro, aqui está uma boa notícia. Algumas pessoas encontraram descanso. "Porque somos nós, os que temos crido, que entramos no descanso" (Hebreus 4.3).

Quem são essas pessoas? A resposta é: elas não são estranhas; não são pessoas em algum país remoto; não são um povo em alguma antiga idade de ouro; nem são o tipo de pessoa que andará no período milenar. Não. Há pessoas aqui que acreditaram e entraram no descanso — pessoas de sua idade, de sua posição social e capacidade mental, pessoas que uma vez foram culpadas de seus próprios pecados e ainda sujeitas às suas enfermidades. Em muitos casos, deixe-me acrescentar, essas pessoas que entraram em repouso são seus próprios parentes. Alguns de vocês têm um pai que acreditou e descansou. Muitos de vocês têm mães nessa condição feliz, e irmãos, irmãs e parentes de todos os graus. Eles acreditaram e entraram no descanso. E não são pessoas entusiasmadas que lhes dizem o que não é verdade, nem fanáticos cuja imaginação lhes fornece fatos. Vocês os conhecem e os estimam. Vocês moram com eles; vocês sabem que eles são pessoas que merecem crédito; vocês colocam toda a confiança neles; na verdade, vocês os amam. E eles vão lhes dizer esta noite, quando vocês chegarem em casa, se vocês desejarem ouvir a história — e eu acredito que vocês irão — que eles acreditaram e por causa disso entraram no descanso. Há muitos de nós agora presentes que, sem exagero, podem declarar que, desde a querida hora que nos trouxe aos pés do Salvador, quando a graça nos permitiu olhar para Ele e confiar nele, de fato e de verdade, entramos no descanso.

Agora, nosso texto nos diz que essas pessoas "entraram". Ele aponta para o portal, o portão perolado deste jardim dourado. Mostra o caminho para entrar neste paraíso de descanso. "Nós, os que temos crido, que entramos no descanso." O caminho para a paz perfeita com Deus, com a consciência e com nossos semelhantes, é o caminho da fé em Deus, fé no que Deus revelou, especialmente fé em seu Filho Jesus Cristo. Aquele que quiser descanso, deve vir ao pé da cruz, deve ali confessar seu pecado e deixá-lo lá, deve olhar para cima e ver as feridas visíveis do Emanuel, e aceitar o sacrifício substitutivo do Filho de Deus que foi morto. Aquele que fez isso entrou no descanso. Aquele que fizer isso entrará no descanso. Moisés não pode mostrar a você o portal para o descanso. Ele pode mostrar a você o portão pelo qual Adão foi expulso quando a espada flamejante nas mãos do querubim guardava o caminho. Aquele querubim ainda está parado ali, e sua espada não está embainhada. Pelo caminho das obras nenhum homem pode descansar, visto que as obras de todos os homens

No jardim do descanso de Deus

são deficitárias, imperfeitas e ficam aquém das exigências de Deus. Contudo, por meio da confiança, existe um caminho acessível.

Estou certo de que muitos aqui deveriam ser verdadeiramente gratos por haver tal caminho para o descanso, pois se fosse pelo caminho das obras, eles não poderiam ter entrado; mas pelo caminho da fé, até o pecador pode entrar e, por mais contaminado que esteja, pode se aproximar do trono de Deus pelo exercício da fé na justiça de outro, sim, do Filho de Deus. É por acreditar que obtemos descanso — por nenhum outro meio; não por manipular, conspirar, planejar, pensar, criticar, julgar, duvidar e questionar, mas por crer — a submissão da alma à verdade de Deus, a entrega do coração à salvação de Deus. Feito isso, deitamo-nos em pastos verdejantes e somos conduzidos ao lado das águas tranquilas.

II

Bem, eu falei assim das pessoas que encontraram descanso, e do portão pelo qual entram no jardim dourado. Eles lhes dirão — e eu serei seu porta-voz — algo sobre os passeios naquele jardim, algo sobre aqueles canteiros de especiarias de onde se obtém a fragrância do descanso. Eles dirão que encontram muito do seu descanso nas experiências que vivenciaram. Eles experimentaram o perdão completo do pecado, pois aqueles que creram em Jesus são perdoados. Um perdão gratuito é decretado pelo rei do céu a todo aquele que crê em Jesus. Agora, se o pecado for perdoado, estamos seguros. Mesmo a morte não tem aguilhão. Além disso, esse é um passeio apreciado no jardim do descanso. Uma vez perdoado o pecado, amados, como vocês podem não descansar? Seus espíritos devem se alegrar quando Jesus Cristo lavar seus pecados. Eles têm, desde então, experimentado a aceitação no Amado, pois todo aquele que crê em Jesus é aceitável a Deus. Deus olha para ele com complacência; Ele o trata como uma pessoa justa. E este não é um privilégio pequeno — ser aceito por Deus. Oh! Este é um passeio deliciosamente refrescante no jardim do descanso, e feliz é o homem que pode passear livremente nele. Perdoado do pecado e aceito na justiça de Cristo — aquela pessoa agora experimentou uma aprovação na vontade divina. Ela sente agora que o Senhor pode fazer o que Ele quiser com ela. Se Ele o perdoou, Ele pode fazer o que quiser com ela. Agora ela dirá: "Vem a mim, Senhor, pois tu me perdoaste. Não terei questionamentos contigo, visto que tive tais provas de teu amor". E quando a mente está perfeitamente desejosa de que Deus faça o que lhe agrada, ela não pode deixar de descansar. Ora, esta não é uma bênção pequena: ter sido trazido à paz com Deus por meio do perdão dos pecados, por vestir a alma com justiça e por ter o espírito alegremente se submetido à vontade governante de Deus. Benditos passeios são esses nesse jardim dourado.

E então eles dizem que encontram muita paz com o que sabem pela fé. Aqui estão alguns de seus segredos. Aqueles que creram sabem pela fé que Deus os amou antes de o mundo começar. Eles acreditam no amor eterno — amor que nunca teve um começo. Eles se regozijam em saber que foram escolhidos em Cristo desde antes da fundação do mundo. Se você soubesse disso, isso não lhe daria descanso? Bem, isso dá descanso aos que creem. Eles sabem também pela fé que Deus os ama imutavelmente; que Deus não pode amá-los mais e não os amará menos; que seu amor nunca muda e não pode ser removido de seus destinatários. O povo de sua escolha Ele não pode, e não irá, rejeitar. Eles sabem disso; apesar de conhecerem essa mudança, eles têm um Deus imutável com quem lidar. Pense bem, isso não lhes dá descanso?

Eles também sabem que a obra que salva suas almas é uma obra consumada — que não está feita pela metade, mas feita por inteiro. Eles estão salvos. Para o perdão deles, não há necessidade de um grama novo de sofrimento; para suas roupas, não há necessidade de um novo fio de retidão. Eles estão completos em Cristo — completamente salvos, e eles sabem que, aconteça o que acontecer, nunca estarão perdidos. "Portanto, agora já não há condenação alguma para os que estão em Cristo Jesus" (Romanos 8.1). Ele deu às suas ovelhas "a vida eterna, e jamais perecerão; e ninguém as arrancará da [sua] mão" (João 10.28).

Vocês acham que essas coisas não lhes dão descanso? Se não descansaram, certamente devem estar agindo de maneira inconsistente com a natureza e com a razão das coisas. Eles também sabem pela fé que são um com Cristo, unidos a Ele como a esposa está ao marido, em laços que nunca podem ser rompidos, unidos a Ele como o pescoço está à cabeça, pois somos membros de seu corpo, de sua carne e de seus ossos. Oh, que alegria há nessa verdade! Certamente aquele que sabe que isso é verdade sobre si, mesmo pela fé, não pode deixar de entrar no descanso. Como poderia ele ser perturbado no espírito? Então, eu mostrei a vocês as coisas que eles experimentam e uma ou duas das coisas que eles sabem, pelas quais eles entram no descanso.

E há algumas coisas implantadas nas mentes dos que creem que os fazem descansar; pois, a menos que você mude a natureza de uma pessoa, ela não vai descansar, coloque-a onde quiser. Afinal, nossa felicidade depende mais de nossos próprios corações do que de qualquer outra coisa. O cristão tem um novo coração; ele tem um coração satisfeito, submisso à vontade divina, um coração que não vive no presente, mas vive no futuro; ele tem um coração que olha para o outro lado do rio da morte, uma alma que se alegra por viver de coisas invisíveis e eternas. Sua mesa pode ser escassa, mas ele come o pão dos anjos; miseráveis podem ser suas vestes, mas suas vestes são da realeza. Ele pode ser desprezado pelos homens, mas sabe que é um filho de Deus. Ele pode não ter um metro de terra, uma propriedade, mas sabe que todo o céu é seu, de um extremo ao outro. Uma mente como essa não pode deixar de ser descansada — como uma mente feita para se conformar com Deus e se alegrar nele. Tal pessoa certamente descansou; não pode ser de outra forma.

III

Observe novamente o que essas pessoas, embora tenham entrado no descanso, têm de dizer a você: "Nós apenas entramos no descanso; não professamos saber tudo sobre isso — nós apenas entramos nele". Eles podem ter entrado no descanso, mas é como se ainda estivessem na primeira parte do jardim. Eles acreditam que há passeios internos onde o fruto é mais saboroso, onde as fontes são mais frescas, onde os riachos fluem com leite e mel com mais abundância. Eles entraram no descanso. Eles bendizem a Deus por isso, mas eles apenas entraram nele. E esta é uma das razões pelas quais você às vezes encontra cristãos perturbados. Eles não foram longe o suficiente no jardim de descanso para não mais ouvir o som dos cães do lado de fora. Eles podem ouvir o uivo dos cães do inferno nos portões do jardim, embora tenham descansado. Eles são como homens em um de nossos navios revestidos por blindagens impenetráveis, alvejados; e embora não estejam mortalmente feridos, podem ouvir as bolas de canhão batendo no ferro do lado de fora e ficam um tanto perturbados. E há momentos em que eles não vivem pela fé como deveriam, e então perdem o descanso; pois é somente quando eles acreditam que eles verdadeiramente entram no descanso.

Eu sei que existem alguns cristãos que não acreditam no pão de cada dia e estão preocupados com isso. Existem alguns que não conseguem acreditar. Eles querem dirigir seus próprios cavalos em vez de sentar na carruagem e permitir que o Senhor os conduza. Eles perdem o descanso. Sei que há alguns que querem cortar pedaços para si mesmos, mas cortam os dedos e recebem apenas uma pequena fatia em seus pratos; ao passo que se eles deixassem tudo para Deus e fizessem sua parte, ou seja, fossem obedientes à vontade de Deus e deixassem o restante com ele, eles se sairiam muito melhor. Eles não acreditam e, portanto, não descansam; mas você sempre descobrirá isso na proporção em que eles acreditam que descansam. Você já ouviu falar de um homem mais tranquilo do que o evangelista George Muller, de Bristol? — um homem perfeitamente feliz com o cuidado de um orfanato com mais de 2 mil crianças e nenhuma preocupação, porque ele acreditava na providência de seu Pai e deixava o Senhor administrar o orfanato. Muitas vezes eu desejaria poder fazer isso. Você não deseja isso também? Quem é você que disse: "Entreguei minhas ansiedades ao Senhor" e depois volta e as pega novamente? Como é que você pode falar em deixá-las com Ele e, depois de tudo, tentar suportá-las por conta própria? Contudo, aquele que crê entra no descanso.

Não digo que a vida do cristão que crê seja toda em paz, pois sua condição é peculiar nesse sentido. Quando os filhos de Israel entraram em Canaã, eram o retrato de um santo entrando no descanso. Primeiro, eles tiveram que cruzar o Jordão: quem crê tem de cruzar o Jordão de seu pecado. Ele foi completamente seco, e ele marcha pela graça divina. Então, lá estão, dentro da Terra Prometida, os muros de Jericó, ou seja, suas próprias corrupções e sua própria natureza pecaminosa. Leva tempo para colocá-las no chão, mas depois disso, quando os muros são colocados abaixo, ainda há cananeus na terra. Canaã não era um bom tipo de céu, pois eles estavam sempre lutando em Canaã, sempre tendo

No jardim do descanso de Deus

que guerrear contra o adversário. Esse é um bom tipo de descanso ao qual os que creem chegam. Eles descansam. Eles sabem que o céu é deles; que eles são salvos; que todas as suas dificuldades cooperam para o seu bem; eles sabem que são o povo de Deus. Ainda assim, eles têm de lutar contra o pecado, e isso não é mais incoerente com o seu descanso do que com o fato de a Terra Santa pertencer aos israelitas, embora ainda tivessem de continuar lutando contra os cananeus. Somos como os que estão no mar: o navio é jogado de um lado para o outro, mas não naufraga, e nunca naufragará. Há uma grande quantidade de água fora do navio que o joga de um lado para outro, enquanto a água é completamente bombeada para fora. Bendizemos a Deus porque podemos conhecer o significado deste texto: "Não se perturbe o vosso coração" (João 14.1). O problema está lá fora; não entra no coração. O Senhor nos ajudou a nos livrar disso: colocamos nosso fardo de pecado, tristeza e angústia aos pés de Jesus, e agora que cremos, descansaremos.

IV

Devo, portanto, encerrar agora com o bom conselho que gostaria de dar, e é este: o descanso deve ser obtido por aqueles que o procuram da maneira certa. É preciso acreditar. Eu sei que você está há meses tentando se livrar do peso do pecado. Rapazes, vocês podem descansar esta noite se vocês acreditam em Jesus. Neste exato momento, você pode ter descanso completo. Se você, no entanto, recusar isso e sair por aí, tentando consertar seus caminhos, e encontrar a salvação para si mesmo por suas próprias ações, você nunca terá descanso. Você que deseja subir ao céu pelo caminho do Sinai, é melhor olhar para as chamas que Moisés viu, e se encolher, e estremecer, e se desesperar. O calvário é uma montanha mais fácil de escalar. Quando Deus dá graça para acreditar, o descanso é obtido imediatamente. Oh! que o Senhor faça algum andarilho terminar suas andanças agora ao pé da cruz e encontrar paz perfeita!

Lembre-se de que a porta para esse jardim sagrado está aberta. Acreditar em Jesus não é um assunto que precise de uma grande explicação da minha parte. "Se estiverdes prontos a ouvir, comereis o melhor desta terra" (Isaías 1.9). Se vocês quiserem, "ouvi-me atentamente, comei o que é bom e deliciai-vos com finas refeições" (Isaías 55.2). "A fé vem pelo ouvir, e o ouvir, pela palavra de Cristo" (Romanos 10.17).

Você já ouviu a Palavra de Cristo, pois este é o testemunho de Deus, que Ele deu seu Filho Jesus para ser uma propiciação pelo pecado, e todo aquele que crê nele, isto é, confia nele, descansa nele, se apoia nele, depende dele para esta fé — quem quer que faça isso é perdoado, é filho de Deus, é aceito, é salvo. Ele nunca estará perdido e entrará no céu tão certo quanto vive. É função de Cristo mantê-lo e aperfeiçoá-lo, e apresentá-lo sem defeito diante da presença do Pai com grande alegria. Essa é a porta da fé. Pecador, você vai entrar? Se você se recusar a entrar, saiba disto, não há nenhum outro nome dado sob o céu, entre os homens, pelo qual você possa ser salvo ou encontrar descanso. Você diz: "Eu sou inadequado para entrar"? É pelos inadequado que Jesus morreu. Ele morreu pelos ímpios.

Lembre-se disso! Ele "veio ao mundo para salvar os pecadores". Apreenda essa palavra preciosa e deixe sua indignidade, em vez de consolá-lo ao invés de deprimi-lo, já que sua indignidade é sua reivindicação à promessa por meio da graça de Deus. Ele veio para salvar os pecadores — até mesmo os principais.

"Oh! Se eu tivesse descanso", disse alguém. Por que não? Não se afaste disso. Não abandone a sua própria salvação, mas que Deus, por seu doce Espírito que traz descanso, leve você agora a repousar em Cristo, e seu será o descanso, e dele será a glória para todo o sempre. Amém!

13

O DIA DA EXPIAÇÃO E A FESTA DOS TABERNÁCULOS

*O décimo dia desse sétimo mês será o Dia da Expiação; tereis
assembleia santa; então vos humilhareis e apresentareis uma oferta
queimada ao SENHOR. Nesse dia não fareis trabalho algum...*
(Levítico 23.27-40)

ESSES dois festivais foram ambos extremamente didáticos. Pegue qualquer um deles e você os verá repletos de significado. Sem qualquer exagero de ideias espirituais, ou esforço para encontrar ensinamento em cada detalhe, há muito a ser aprendido com cada um deles; e, talvez, a maior lição de todas é esta: que o Dia da Expiação vem primeiro com sua tristeza pelo pecado, e então a Festa dos Tabernáculos vem depois com suas santas alegrias e júbilo zeloso. Falaremos de cada um deles à medida que prosseguirmos.

E, primeiro, vamos falar um pouco sobre o Dia da Expiação, o qual se apresenta com humilhações, e então, depois, a Festa dos Tabernáculos se apresenta com sua grande alegria.

I

Primeiro, então, o Dia da Expiação. O objetivo era mostrar a todo o Israel que o pecado era um grande mal, que Deus não poderia suportá-lo e que deveria ser eliminado. Uma vez por ano, devia haver uma grande demonstração de como apresentar o pecado diante de Deus. A primeira coisa a ser feita naquela ocasião era trazer um sacrifício, e um sacrifício de sangue, pois de todas as verdades, a mais importante para aprendermos é que sem derramamento de sangue não há perdão. Nunca houve um pecado perdoado por Deus neste mundo à parte da expiação pelo sangue, e nunca haverá. O céu e a terra podem passar, mas esta regra sempre permanecerá: "sem derramamento de sangue não há perdão". Deus é misericordioso, mas também é justo e, a menos que sua justiça possa ser satisfeita, sua misericórdia não pode acontecer. É da natureza de Deus que todas as suas características sejam plenas e perfeitas. Sabemos que, em relação aos homens, muitas vezes uma de suas virtudes encobrirá as demais.

Nenhuma pessoa pode ter um caráter perfeitamente equilibrado; sempre há algo em excesso. Conhecemos muitas pessoas cuja franqueza superou sua cortesia e ternura, e muitas outras cuja ternura foi demonstrada às custas de sua honestidade e de seu amor pelo que é certo. Ter todas as partes de seu caráter equilibradas seria perfeito, claro; e isso é o que Deus é, e Ele nunca permitiria que um de seus atributos fosse glorificado às custas de outro. Deus planejou uma maneira pela qual Ele pode ser misericordioso sem violar sua justiça, e essa maneira está de modo simples contida na pessoa de Jesus Cristo. Jesus carrega o castigo devido pelo pecado. A misericórdia intervém e nos dá Jesus. O amor do Pai infinito entrega Jesus do seu íntimo. Portanto, a misericórdia tem alcance mais amplo possível em dar o dom indizível; e a justiça é totalmente satisfeita depois do sacrifício de Cristo pelo pecado.

A questão é: como a misericórdia poderia sacrificar Cristo por pecados que não eram dele? E a resposta é muito fácil. Adão era o cabeça de nossa raça e pecou por nós. Jesus Cristo é o segundo cabeça e seu povo é um com Ele. Era justo que, quando eles estivessem em dívida, Ele a saldasse, pois estava unido a eles. Era justo que, quando eles pecassem, Ele fosse punido, porque Ele era o seu representante e eles estavam nele. O mal lhe era cobrado, não porque Jesus o tivesse feito, mas porque Ele era o representante legal daqueles que haviam transgredido; e era justo e legal que Ele sofresse em seu lugar. E assim Ele o fez. No Dia da Expiação, o sacerdote matava o novilho e o bode, entrava com o sangue deles na presença misteriosa de Deus após o véu e aspergia o sangue ali. Queridos amigos, toda a nossa esperança de ter o pecado perdoado deve estar em Jesus, o grande Sumo Sacerdote, cujo sangue foi levado após o véu. Ele estava após o véu, eu poderia dizer, naquela escuridão densa que pairava sobre o calvário quando Ele estava derramando sua alma na morte na cruz. Lá, naquela negridão e agonia profundas, onde ninguém poderia ir até Ele, pois estava completamente

O Dia da Expiação e a Festa dos Tabernáculos

163

sozinho — foi ali que Ele fez expiação pelos pecados e aspergiu seu sangue sobre o trono eterno. Vamos louvá-lo e exaltá-lo esta noite ao pensarmos na expiação.

Então, a próxima parte da cerimônia do Dia da Expiação era trazer o bode expiatório. O bode não era morto. Matá-lo não fazia parte do tipo, mas o pecado era confessado sobre sua cabeça, e então o homem designado conduzia o bode para o deserto. Há algum tempo, havia na faculdade uma foto da morte do bode expiatório. Não deveria ter sido pintada. Se o bode expiatório morria ou não, entretanto, nada tem a ver com isso. Todo o significado disso é que ele era levado para o deserto e era perdido, e o pecado era perdido. Não havia necessidade de se fazer mais nada. Quando o bode era retirado, o pecado do povo era retirado também. Agora, quando Jesus Cristo foi descido da cruz morto, nossos pecados foram retirados. Ele os lançou em sua própria sepultura, e eles estão enterrados lá, para nunca mais ressuscitarem.

Irmãos, é muito importante que tenhamos bem fundamentado em nosso espírito essas duas verdades. A primeira, que nossa expiação, nossa salvação, é pela morte substitutiva de Cristo. Nenhuma pessoa é salva pelo que faz, mas pelo que Cristo sofreu. E é igualmente necessário que saibamos que, se cremos em Jesus, Ele levou nossos pecados, e eles deixaram de existir. Eles não devem mais nos incomodar, pois não existem. O que diz a Escritura? "Para fazer cessar a transgressão" (Daniel 9.24). Que termo mais peculiar do que esse poderia ser usado? "Para dar fim aos pecados" (v. 24) Oh, que expressão magnífica! "Para dar fim aos pecados"! Eles já foram retirados. Porque os pecados já não existem, não é possível que continuem sendo colocados sob a responsabilidade do povo de Deus — não há existência. São inexistentes. Uma pessoa está em dívida: a dívida foi saldada. Onde está essa dívida? Não existe dívida. A pessoa não pode ser intimada ou chamada a prestar contas. Está paga, e quando foi paga, deixou de existir. E nossa responsabilidade como pecadores perante o Deus eterno terminou quando Jesus Cristo "levou nossos pecados em seu corpo sobre o madeiro" (1Pedro 2.24). Oh! Feliz é aquele que sabe que seus pecados foram levados ali, e que ele teve uma parte naquele grande sacrifício, quando Cristo deu sua vida por suas ovelhas.

Outra parte da cerimônia do Dia da Expiação consistia na queima dos restos do bode e do novilho, cujo sangue fora levado para o templo. Uma parte da gordura era colocada sobre o altar, mas as peles, os ossos e as vísceras ainda permaneciam. Todos esses eram retirados e carregados para fora do acampamento — a uma distância de alguns quilômetros, em um vasto acampamento; e então eram levados para um lugar isolado, o lugar dos leprosos, o lugar dos impuros; e ali, essas coisas eram totalmente consumidas pelo fogo.

Além disso, para nos mostrar como Jesus Cristo, quando levou nossos pecados, se tornou detestável diante do Senhor como nosso representante, Ele teve de ser levado para fora do portão de Jerusalém, para o lugar impuro, o Tyburn,[1] o Old Bailey[2] de Jerusalém, onde os malfeitores eram normalmente executados, e ali Ele teve de sofrer. E Ele teve de sofrer, além disso, longe de seu Deus, pois clamava: "Deus meu, Deus meu, por que me desamparaste?" (Mateus 27.46) — uma imagem muito didática para nós, bem como para os judeus da antiguidade, de como o Senhor odeia o pecado — porque, mesmo quando Ele vê o pecado em seu próprio Filho, Ele o fere com golpes de alguém implacável. "Foi da vontade do SENHOR esmagá-lo e fazê-lo sofrer" (Isaías 53.10).

Também devo lembrá-los de que uma parte da cerimônia consistia em uma mudança muito significativa de vestimenta do sumo sacerdote naquele dia. O sumo sacerdote tinha de tirar as vestes de glória e colocar-se no lugar do pecador; como também tinha de vestir a vestimenta mais humilde para comparecer perante o Senhor, assim como nosso Senhor, sobre quem está escrito: "[...] fazendo-se semelhante aos homens. Assim, na forma de homem, humilhou a si mesmo, sendo obediente até a morte, e morte de cruz" (Filipenses 2.8). E então, depois que a expiação era feita com sangue, o sacerdote vestia suas belas vestes novamente, assim como nosso querido Mestre, tendo se curvado à humilhação desta vida mortal e às agonias da morte, agora retomava as vestes de sua glória. João no Apocalipse, quando o viu, o viu com seu semblante como o sol, cingido com um cinto dourado na altura do peito, e tão brilhante e belo que nossos olhos, desde então, anseiam por contemplar a

---

[1] Vilarejo antigo nos arredores de Londres, onde os criminosos e mártires religiosos eram executados.

[2] Tribunal Central criminal da Inglaterra, em Londres.

glória daquela visão, a visão santa. A expiação foi feita; portanto, Ele foi para a sua glória. Um sacrifício eterno, oferecido por Ele, que tira todos os pecados do seu povo. Seus pecados deixaram de existir e, portanto, Jesus se veste com as vestes de glória e descansa de sua obra.

Contudo o grande ponto que quero que você observe é que, durante o Dia da Expiação, na hora designada para essas cerimônias, todo israelita recebia a ordem de se humilhar. Leia os versículos 27 e 29 do capítulo 23 de Levíticos: "Vos humilhareis e apresentareis uma oferta queimada ao SENHOR. [...] Todo aquele que não se humilhar nesse dia será eliminado do seu povo". Isso quer dizer que ninguém jamais recebe a expiação de Cristo a menos que o pecado seja repugnante para ela. Não me atrevo a pregar, como ouvi alguns pregarem — acho que erram muito ao fazê-lo —, uma fé que está separada do arrependimento. Estou convencido de que não existe fé que possa salvar uma alma que não seja acompanhada de humilhação pelo pecado. Será possível que Cristo levou meu pecado e sofreu por ele, e eu ainda possa pensar no pecado sem qualquer repulsa? Você crê que aquela é uma pessoa perdoada, se ela nunca se arrependeu? Ela conhece, ou pode conhecer, a alegria do Senhor, se antes de tudo não sentiu a tristeza divina por causa de sua transgressão? E, queridos irmãos, cada um de nós, quando viermos para a cruz novamente, devemos vir com humilhação. Eu sei que alguns vão pensar que quero dizer que se deve duvidar se alguma vez já foram salvos. Eu não quero dizer isso. O israelita deveria humilhar-se quando soubesse que estava perdoado; e é por isso mesmo que deve se humilhar, porque se sabe que está perdoado.

Agora, o legalista não vai entender isso. Ele dirá: "Se meus pecados forem perdoados, não há necessidade de me arrepender". Digo-lhe, alma, que você não pode arrepender-se de modo correto, a menos que tenha, de alguma forma, alguma fé em seu perdão, pois é quando somos perdoados que começamos a sentir a força do pecado.

Eu sei que eles estão perdoados,
mas agora a dor para mim
É toda a tristeza e angústia
que lançaram, meu Senhor, em ti.

"Em ti." Ter transgredido contra aquele que é tão bom e gentil, e que já me perdoou — essa é a amargura.

Meus pecados, meus pecados, meu Salvador,
sua culpa eu nunca conheci,
Até que, contigo no jardim,
eu perto de tua paixão me vi.

Devemos ver as gotas de suor ensanguentadas, e observar as feridas em sua querida carne, e ver o que custou a Ele para nos redimir, antes que, de fato e em verdade, tenhamos nos humilhado de maneira evangélica. Ora, é algo doce e amargo estar sempre se arrependendo. Não imagine que acabamos com o arrependimento quando começamos a acreditar, pois quanto mais acreditamos, mais nos arrependemos; e logo antes de morrer, é provável, nosso arrependimento por termos pecado será mais profundo e mais puro do que nunca foi em nossas vidas antes; notem, não a convicção de pecado, não o terror de consciência, não as dúvidas e temores, mas uma verdadeira fé e graça como de uma criança, ao pensar que alguém poderia ter ofendido um Deus tão bom e gracioso. Você nunca veria a expiação tão bem quanto através de suas lágrimas. Acredite em mim, John Bunyan estava certo quando colocou o Sr. Olhos Úmidos para acompanhar a petição da cidade de Alma Humana ao Príncipe Emmanuel;[3] e eu acredito que o Sr. Olhos Úmidos tem visão mais clara do que a maioria, e quando a gota de lágrima está no olho, ela age como um vidro telescópico.

Oh! Deixe-me chorar por nada a não ser o pecado,
E por ninguém além de ti!
E eu seria (oh, como gostaria de ser!) então,
Sem cessar, um chorão.

Em algum momento no Dia da Expiação, os judeus acrescentaram a essa humilhação a cessação de todo trabalho. Vou ler o versículo 28: "Nesse dia não fareis trabalho algum" (Levíticos 23.28); e no versículo 30: "Todo aquele que

---

[3] Lugares e personagens do livro *A guerra santa*, de John Bunyan.

O Dia da Expiação e a Festa dos Tabernáculos 167

fizer algum trabalho nesse dia, eu o destruirei do meio do seu povo". Quando vamos a Cristo, vemos que todo o trabalho cessou. Quando contemplamos sua expiação e vemos o sumo sacerdote sair com todas as suas vestes douradas, sabemos que está consumado; e se foi consumado, não há mais nada a fazer, e cessamos todas as nossas obras da lei. Agora, aqueles que desejam trabalhar pela salvação podem obter todo o ânimo que puder do versículo solene que li agora. Eles serão destruídos do meio do povo. Pelas obras da lei ninguém será justificado, pois "pela lei vem o pleno conhecimento do pecado" (Romanos 3.20). Eu acredito que o verso em um de nossos hinos de avivamento é perfeitamente verdadeiro:

O trabalhar é uma coisa mortal,
O trabalhar termina em morte,

Se for com o objetivo de obter o favor de Deus, ou apagar o pecado. Você pode trabalhar o quanto quiser por motivos de gratidão, porque você está salvo; mas trabalhar por mérito para a salvação é destruir sua alma. Você desiste do caminho de salvação de Deus e estabelece um caminho de salvação para si mesmo; mas você perecerá em sua rebelião impertinente contra Deus. Agora, aquele que recebe a expiação cessa de todo trabalho servil e descansa em Cristo, de forma que, embora houvesse uma humilhação naquele dia, havia uma medida de alegria ao mesmo tempo.

Contudo observe que, embora eles tenham cessado o trabalho servil, está dito: "Apresentareis oferta queimada ao Senhor" (Números 28.19). Isso é o que o filho de Deus faz. Ele conhece seu Pai e agora oferece seu sacrifício com boa vontade e alegria; ele traz seu próprio coração, corpo, alma e espírito, que são apenas um culto racional. "Estou redimido", diz ele. "Não sou meu, portanto, pertenço a Deus. Agora, uma vez que vi meu pecado ser eliminado por meu Substituto, pelo amor com que carrego seu nome, Ele terá tudo o que tenho e tudo o que sou e tudo o que espero ser, e usarei o que tenho e serei usado em seu serviço".

O filho de Deus faz isso, mas é uma coisa muito diferente do trabalho servil. Ao todo, o Dia da Expiação, embora fosse um dia de humilhação, era um dia de descanso sabático. É dito: "O sétimo dia é o sábado do SENHOR" (Êxodo 20.10). Ó queridos ouvintes! Vocês sabem do que se trata esse descanso sabático? Vocês já o desfrutaram? Vocês alguma vez chegaram a isto: "Agora eu vi meu pecado ser lançado sobre o Filho de Deus; eu vi o Filho de Deus suportando todo o castigo desse pecado, e agora para mim não resta medo do inferno"? "Agora já não há condenação alguma para os que estão em Cristo Jesus" (Romanos 8.1), assim diz a versão antiga da Bíblia, e corretamente. O filho de Deus não tem medo de ser expulso da presença Divina. "Eles serão o meu povo, e eu serei o seu Deus" (Jeremias 32.38) coloca isso além de todo o medo, assim o filho de Deus entra em um estado de perfeita felicidade — um estado de descanso, no qual ele descobre que Cristo é tudo o que ele pode desejar e ainda mais.

Agora, se você já chegou lá, eu sei como você chegou: foi pela obra do Espírito de Deus, que levou você a olhar diretamente de si mesmo para o querido Salvador que está em seu lugar. E se você nunca chegou lá, vou lhe dizer uma coisa: você perdeu a maior alegria deste lado do céu; você está em perigo, e enquanto você ser quem é — seja você quem for, a pessoa mais moral e amável do mundo —, há apenas um passo entre você e a morte, e entre você e o inferno. Deus está irado com você todos os dias, e como você não creu em Cristo, você já está condenado, porque não creu no Filho de Deus. Deus dá a você o testemunho de que Ele nos deu a vida eterna, e essa vida está em seu Filho. Se você não aceita o Filho de Deus e não confia nele, você faz de Deus um mentiroso porque não creu em seu testemunho a respeito de seu Filho. Você não pode ter paz. Você pode ter acabado de sentir uma onda de alegria porque sua consciência não foi despertada, mas se algum dia isso acontecer, você estará cheio de angústia, e eu oro para que você esteja, para que sua alma, estando aflita, possa voar para o sacrifício expiatório. Mas observe esta palavra: se você morrer sem aquele sacrifício expiatório, "Debaixo do céu não há outro nome entre os homens pelo qual devamos ser salvos". "Quando alguém rejeita a lei de Moisés, morre sem misericórdia [...] imaginai" — observe esta pergunta extraordinária — "quanto maior castigo merecerá quem insultou o Filho de Deus?" Tenha isso em mente, pois você o pisa quando procura outro caminho. Só isso a respeito do Dia da Expiação.

II

Agora, em segundo lugar, vamos voltar para a Festa dos Tabernáculos. Quando o Dia da Expiação terminava, Israel recebia a ordem de colher o fruto da terra. E eles deviam tomar galhos de árvores e de salgueiros e fazer cabanas em que deveriam morar por alguns dias, e se alegrar tanto quanto pudessem. Depois que a expiação termina, vem a alegria. Depois que a alma vê seu pecado ser eliminado, então vem o bendito júbilo, resumido na expressão de Cristo: "A minha alegria permaneça em vós, e a vossa alegria seja plena" (João 15.11).

Agora, por que eles faziam essas cabanas? Eles deviam lembrar que moravam em cabanas quando saíram do Egito para Sucote. Portanto, Deus deseja que seu povo receba o perdão no sangue precioso. Logo, se você foi salvo apenas na última hora, você tem muito a olhar para trás e ver o que Deus fez por você ao tirá-lo da Casa da Escravidão e libertá-lo. Sua gratidão deve lhe causar alegria. O Senhor fez tanto para nós, e não ficaremos contentes? Ficaremos, até que aqueles ao redor digam: "O Senhor fez grandes coisas por eles, das quais eles se alegram", e diremos: "Ele fez grandes coisas para nós". Foi, então, uma lembrança da misericórdia recebida.

Contudo as cabanas também eram um símbolo da paz que sentiam. Homens em tempos de guerra moram em castelos e cidades cercadas; eles não vão para os campos e habitam em cabanas. Ninguém se atreveu a assustá-los. Eles estavam quietos e felizes. Isso é exatamente o mesmo sob a expiação. Agora cada um está sentado sob sua videira e figueira; suas dúvidas e medos acabaram; ele não tem medo da morte súbita, do inferno, nem de nada. Por que ele deveria temer? O Senhor se reconciliou com ele, e ele pode cantar: "Eu te louvarei todos os dias, agora que a tua ira se afastou". Esse, eu acho, é outro motivo para eles habitassem em cabanas.

Por outro lado, esta festa estava ligada à colheita. Porque acontecia na época da colheita, era uma época de fartura, uma época em que eles podiam pagar pelas festas além de qualquer período do ano. E assim o filho de Deus, quando perdoado, encontra abundância de graça. Os frutos de alegria e amor são muito abundantes em seu espírito, pois ele está desfrutando do amor de seu cônjuge e, portanto, está extremamente feliz; a Festa dos Tabernáculos, após a expiação, traz consigo uma colheita de ações de graças. Também me disseram que esta época da Festa dos Tabernáculos era em setembro, uma estação do ano que no Oriente é incerta, sujeita a perturbações e, portanto, eles tiveram alguns desconfortos enquanto estavam nesses tabernáculos. Tudo isso, no entanto, servia para lembrá-los de que aquele não era o descanso deles. Agora, para o pecador, essa é uma ideia muito confortável. Ele deseja que esse seja seu descanso; mas o filho de Deus, quando recebeu a expiação, sabe que está morando em uma cabana, não em uma casa, e sabe que quando este tabernáculo terrestre se desfizer, ele terá uma casa não feita por mãos, mas eterna nos céus. Eu acredito — e há boas razões para acreditar — que nosso Senhor Jesus Cristo nasceu no dia da Festa dos Tabernáculos, ou em algum dia do mês de setembro. Não há razão terrena alguma para acreditar que Ele nasceu em dezembro, mas existem mil razões para acreditar que seu nascimento aconteceu em setembro. Algumas delas podem ser deduzidas de sua época e de todas as circunstâncias das festividades judaicas na época de seu Nascimento. E se assim foi, eles poderiam muito bem celebrar a Festa dos Tabernáculos, quando Ele viesse — "o Verbo se fez carne e tabernaculou entre nós, pleno de graça e de verdade; e vimos a sua glória, como a glória do unigênito do Pai" (João 1.14).

Sem dúvida, sua habitação em tabernáculos levaria aqueles que eram cristãos instruídos entre eles a pensar na vinda de Cristo em carne, a pensar no tempo em que o tabernáculo de Deus deveria estar entre os homens, e "quão amável!", posso dizer do corpo de Cristo. "Ó Senhor dos Exércitos, como os teus tabernáculos são amáveis!"

E não tenho dúvidas de que as cabanas fariam as mentes daqueles que eram cristãos pensar além, naquele período mais feliz que está profetizado e ainda está por vir — o tempo do Milênio, quando será dito de fato e em verdade: "O tabernáculo de Deus está entre os homens, pois habitará com eles" (Apocalipse 23.1). Esse tabernáculo fará com que pensem no dia em que Ele enxugará de nossos olhos todas as lágrimas e nos conduzirá às fontes de águas vivas, e esta terra terá sobre ela a Nova Jerusalém que descerá do céu em toda a sua glória; a própria terra sacudirá de si a maldição, e o manto de névoa que o pecado espalhou será enrolado e colocado de lado, e este planeta brilhará em seu brilho imaculado.

O Dia da Expiação e a Festa dos Tabernáculos

Há uma coisa sobre a Festa dos Tabernáculos que eu mencionaria para encerrar, e é isto: ela parece nunca ter sido celebrada desde os dias de Josué até os dias de Neemias. Eu não entendo, mas se você ler em Neemias, verá que as pessoas que voltaram do cativeiro celebraram a Festa dos Tabernáculos, e é dito que ela não era guardada desde os dias de Josué, o filho de Num. O que aconteceu com Davi, Salomão e todos os outros para que esse rico festival fosse esquecido? Deve ter havido um grande erro nisso; mas me parece típico desse fato que há muitos cristãos que receberam a Festa da Expiação que nunca se importaram em guardar a Festa dos Tabernáculos. Quero dizer, eles são salvos, mas não se alegram. Eu gostaria que eles o fizessem. Deus quis que eles assim o fizessem, e é sua própria culpa que não o façam. Existem muitos cristãos descansando em Cristo que têm uma noção nebulosa sobre a expiação. Eles não acreditam que Ele foi literalmente seu substituto. Se o fizessem, seriam tão felizes como os dias de verão. Se eles somente soubessem que seu pecado se foi e nunca mais poderia retornar; que tanto quanto o Oriente é distante do Ocidente, assim Deus removeu a transgressão deles, certamente eles começariam a se alegrar, e cantariam alguns daqueles salmos célebres, e algumas daquelas grandes declarações de Paulo estariam em seus lábios. Eles podem até ir tão longe quanto aquele hino que cantamos na Ceia:

Meu nome, das palmas de suas mãos
A eternidade não pode apagar;
Impresso em seu coração, ele permanece
Em marcas de graça indelével.
Os terrores da lei e de Deus
Comigo não podem nada ter,
a expiação e o sangue do meu Salvador
Escondam todas as minhas transgressões de seu ver.

Sim, eu até o fim resistirei,
Tão certo quanto o penhor é dado,
Mais felizes, mas ainda mais seguros
São os espíritos no céu glorificados.

Essa é a maneira de celebrar a Festa dos Tabernáculos. Queira Deus que possamos cumpri-la agora, com todo o nosso coração e alma, gloriando-nos naquele sacrifício expiatório que não foi oferecido em vão, naquele sangue precioso que não foi derramado em vão. Eu acredito que tudo pelo que Cristo morreu, Ele terá. Nada menos do que Ele pagou, Ele terá. Não consigo entender o Filho de Deus intercedendo em vão por tudo o que sofreu em nosso lugar. Deus não pode lançar no inferno uma alma cujos pecados foram lançados sobre seu próprio Filho. Oh! Regozijem-se e alegrem-se vocês que creem nele e guardam a festa neste dia. Vá do Tabernáculo ao Templo e celebre a festa do seu querido Redentor.

14

SEGURO E GUARDADO

*Mas não me envergonho; porque eu sei em quem tenho crido e estou certo
de que ele é poderoso para guardar o meu tesouro até aquele dia.*
(2Timóteo 1.12)

UMA interpretação foi dada a essa passagem que eu acho não ser o seu significado, mas ainda assim, pode ser. Paulo tinha falado a Timóteo sobre uma incumbência que lhe havia sido confiada, a saber: a pregação do evangelho; e a palavra usada aqui pode ser traduzida assim: "Estou certo de que é poderoso para guardar o meu depósito". O evangelho foi um depósito colocado nas mãos de Paulo. Ele era muito cuidadoso e preocupado com isso. Naquele momento, ele era perseguido e provavelmente morreria. Toda a fúria do imperador romano foi posta em ação para esmagar o cristianismo; porém, Paulo disse: "Eu sei que Cristo é capaz de guardar o meu depósito; Ele é capaz de guardar aquele evangelho que confiou a mim. Não trabalharei em vão. Embora eu seja eliminado, outros serão levantados para continuar a boa obra. A causa de Cristo está suficientemente segura em suas próprias mãos, pois Ele é capaz de preservá-la, e Ele o fará".

Agora, certamente temos o mesmo consolo em todos os momentos. Encontramos pessoas que dizem que o papismo está voltando, e que virão todos os tipos de dias ruins. Bem, eu acredito que Cristo é capaz de manter seu próprio evangelho vivo no mundo; que Ele é mais forte do que Satanás e, portanto, não há dúvida sobre a vitória. Certamente chegará o dia em que, apesar dos esforços dos adversários da verdade, o Rei Jesus reinará em toda a terra. Vamos expulsar nossas desconfianças sombrias e ter bom ânimo.

Ainda assim, acho que esse é um significado exagerado e que não viria à mente do leitor. Parece-me que a Bíblia foi destinada à leitura das pessoas comuns e que seu significado geralmente está na superfície, exceto onde a verdade ensinada é extremamente profunda e misteriosa. Lendo isso, não ocorreria a ninguém que Paulo quis dizer que ele próprio — seu corpo e alma — tinha se entregado por si mesmo pela fé às mãos de Cristo, e que ele se sentia bastante seguro ali; que, aconteça o que acontecer, Jesus seria capaz de guardá-lo até aquele dia. Bem, vamos entender isso como sendo o significado, e devemos notar em nosso texto, primeiro, o que o apóstolo tinha feito: ele havia confiado sua alma à guarda de Cristo; e então, em segundo lugar, o que ele sabia — em quem ele havia crido; e então, em terceiro lugar, do que ele tinha certeza — de que Cristo era capaz de guardá-lo; e, em quarto lugar, o que ele, portanto, não estava — ele não estava envergonhado.

I

Primeiro, o que Paulo fez: ele havia se entregado aos cuidados de Cristo. Ele sentia que sua alma era muito preciosa. Todos vocês sentem isso? Será que nós, alguns de nós, sentimos a preciosidade de nossa natureza imortal como deveríamos? Não estamos frequentemente perguntando: "Que comeremos? Que beberemos? Com que nos vestiremos?", como se espíritos cuja existência é coetânea à de Deus, que viverão por toda a eternidade, fossem fazer destas as perguntas principais: comer, beber e vestir. Receio que nenhum de nós valorize nossas almas como deveria. Ainda assim, se pela graça fomos ensinados como Paulo, nós realmente as valorizamos: queremos vê-las bem seguras. Paulo, no entanto, sabia que sua alma estava em perigo; ele percebeu o mal de dentro dela e as tentações de fora dela. Sentimos isso como devemos? Estamos cientes de nossos muitos perigos? Alguns homens agem como se não estivessem no país de um inimigo, mas como se as tentações do mundo que os destruiriam fossem realmente suas amigas, como se o pecado não fosse um malefício, e trazer sobre si a ira de Deus não representasse perigo algum. Paulo, entretanto, viu que seu espírito estava em perigo e, valorizando-o, desejou vê-lo abrigado em segurança. Ele também sentiu que não poderia guardá-lo. Infelizmente, quantos pensam que podem! Onde o apóstolo estremecia, alguns se atrevem. Eles sentem que poderiam muito bem se preservar sem a ajuda divina; mas ah! Isso não é assim. Se deixado sozinho, o tesouro inestimável de nossa alma certamente

Seguro e guardado 175

se perderá: ele se tornará presa de Satanás. Como um homem pode preservar sua própria alma? Paulo, sabendo de tudo isso, tinha, portanto, ido e entregado sua alma como um depósito santo sob a guarda segura do Senhor Jesus Cristo, o Salvador.

Esse é o grande ato de fé. Isso é o que alguns de nós fizemos — o que todos nós fizemos quando fomos levados a Cristo pela primeira vez. Dali em diante, paramos de confiar em nós mesmos e confiamos nele. E é isso que fazemos todos os dias, se formos verdadeiramente cristãos. Amo me colocar de novo, todas as manhãs, nas queridas mãos do Crucificado com tudo o que me diz respeito e tudo o que me pertence, pois quando sinto que tudo está ali — esta igreja ali, e toda a obra de Deus está ali —, então sinto que tudo está seguro. Contudo é ruim viver até mesmo uma só hora como seu próprio guardião, ou ter qualquer coisa que você mesmo deva guardar. É doce, abençoado e feliz viver quando você deixa tudo nas mãos de Cristo Jesus e, portanto, está livre para servi-lo e com alegria fazer o que a vontade dele quer. Suponho que, se Paulo tivesse que explicar o que quis dizer, ele nos diria que se entregou nas mãos de Cristo, como um doente se entrega nas mãos do médico. "Ali", disse ele, "minha doença é grave e não a entendo, mas, bom Mestre, tu tens muita habilidade em anatomia e em medicina: faz o que queres comigo". Isso é o que o cristão fez — ele se entregou como uma alma doente nas mãos do bom médico.

Então, observe, ele toma o remédio do Bom Médico. Alguns divorciam a fé das obras de tal maneira que não é fé de forma alguma. Pois se confio em um médico, tomo seu remédio, sigo suas prescrições. Minha alma foi entregue a Cristo como médico, e desejo, portanto, fazer o que Ele me ordena. Nossa alma com certeza será curada se estivermos realmente confiando nos cuidados do Grande Médico.

Paulo quis dizer que confiou a si mesmo novamente, assim como alguém confia todas as suas necessidades nas mãos de outro — como a ovelha confia a si mesma ao pastor. Não é preocupação das ovelhas se sustentar; o pastor faz isso. Nós também. Se formos como devemos ser, devemos confiar nós mesmos e todas as nossas necessidades da alma nas mãos de Jesus. Ele é nosso pastor, e nada nos faltará. Vocês sabem, no entanto, que as ovelhas seguem o pastor aonde quer que ele vá. Elas se mantêm juntas dele. E assim (se nossa fé for verdadeira e real) devemos manter-nos perto do querido Redentor e seguir por onde Ele nos guiar. Se não nos entregarmos verdadeiramente aos seus cuidados, se escolhermos nosso próprio caminho e corrermos de um lado para o outro, seremos obstinados; contudo, se realmente tivermos o desejo de seguir cuidadosamente por onde Ele nos guia, entregamo-nos a Ele como a um pastor.

Então, Paulo se entregou a Jesus como um capitão entrega seu navio a um piloto. "Este é um novo rio para mim", diz ele. "Eu nunca o atravessei. Existem cardumes e canais estreitos. Piloto, você sabe o caminho para a cidade. Pegue o leme e conduza minha embarcação com segurança." Portanto, em meio aos cardumes e areias movediças desta vida mortal, não conhecemos nosso caminho, mas nos entregamos nas mãos de nosso grande Piloto — o Piloto do Mar da Galileia, o Senhor Alto Almirante dos Mares, com quem havia muitos outros navios no dia da tempestade. Ele nos guia e mostra o caminho. Então, ao confiar nele, fazemos o que Ele manda — navegar no recife e fazer tudo o que Ele nos comandar; e não estaremos realmente confiando se também não formos obedientes na confiança.

E, irmãos, nós nos entregamos a Jesus da mesma forma como uma pessoa que tem um caso na justiça o entrega a seu advogado. Se ele for um homem sábio e tiver um bom advogado, nunca interferirá. Você já ouviu, eu sei, a história de Thomas Erskine May:[4] quando ele estava defendendo um homem sob uma acusação de pena de morte, o homem escreveu em um pedaço de papel: "Serei enforcado se não fizer minha própria defesa", e Erskine simplesmente respondeu: "Você será enforcado se fizer exatamente isso". Este é o nosso caso. Jesus Cristo nos defende e, se pensarmos que podemos nos defender por nós mesmos, perderemos nossas almas, mas se deixarmos que Ele fale por nós, Ele sabe como frustrar todos os artifícios de Satanás. O Senhor que nos redimiu repreenderá nosso adversário, e sairemos absolvidos de cada processo perante o tribunal de Deus se deixarmos nossa alma nas mãos de Cristo Jesus.

Também nos entregamos ali, como uma nação indefesa entrega-se aos cuidados de um grande capitão e seus soldados. Não podemos resistir a nossos

---

[4] Thomas Erskine May, 1º Barão de Farnborough, um dos maiores peritos em constituição britânica de todos os tempos. Viveu no século XIX.

inimigos espirituais. Se sairmos contra eles, seremos como palha para o fogo. Nosso escudo é o ungido de Deus, e o destruidor subiu à nossa frente. Ele limpa o caminho e fere os quadris e coxas de nossos inimigos com uma grande matança, e embora eles venham contra nós como uma enxurrada, sua mão manchada de sangue levanta a cruz e eles caem diante dele. Pois quem pode resistir ao Cristo de Deus? Entregando nossas almas, então, aos seus cuidados como os indefesos aos cuidados do guardião, o grande ato de fé é realizado; mas então os indefesos permanecem em sua própria cidade. Eles são obedientes àqueles que os protegem. E tal deve ser a nossa fé se for ao menos parecida com a fé do apóstolo Paulo.

Gostaria de pedir a toda a minha audiência esta noite — como já pedi ao meu próprio coração —, a cada um: "Já confiou a sua alma às mãos de Jesus? Você confiou a Ele para guardá-la como um depósito santo?" Do contrário, oro para que o faça esta noite, antes que seus olhos se fechem para dormir; mas se você já o fez, faça novamente e continue a fazer. Você já deve ter aprendido, se já fez isso antes, como isso é doce. Faça de novo e confie no seu Senhor em tudo o que tem a ver com você. Lance seu fardo sobre Ele — seus pequenos fardos, bem como os grandes. Entregue todas as suas necessidades e todos os seus cuidados, agora e por toda a eternidade; entregue seu corpo e sua alma, seus filhos e seus bens e tudo o que você tem nas mesmas mãos; pois onde estiver o seu tesouro, ali estará seu coração. Se você confiar tudo a Cristo, você amará Cristo mais do que tudo, e tudo o que você já ama, você ainda amará, pois Ele guarda tudo para você. Você, se for rico, encontrará Cristo em tudo, e se for pobre, encontrará tudo em Cristo, e a diferença não é grande. Apenas entregue tudo a essa mão querida e fiel. Isso é o que o apóstolo Paulo fez.

II

Agora, a segunda coisa é o que o apóstolo Paulo sabia. "Eu sei", disse ele literalmente, "em quem tenho crido". Não é saber que cremos em Cristo, mas conhecer o próprio Cristo. Isso é grandioso. Paulo não confiava em um Salvador desconhecido. Ele conhecia o Cristo em que confiava; Ele era um conhecido seu. Nós conhecemos Cristo? Pois você pode dizer que crê em Cristo, mas essa não é a fé que salvará. É realmente confiar; é confiar nele como alguém que você sabe ser real — o verdadeiro Cristo, o verdadeiro Salvador. Como Paulo conheceu Cristo? Ele o conheceu, primeiro, porque Cristo se encontrou com ele no caminho para Damasco. Cristo nunca se encontrou conosco precisamente dessa maneira e nos falou do céu, mas houve um tempo em que Ele nos encontrou.

Você se preocupa com o lugar, ou o exato local
onde Jesus o conheceu?

Sim, porventura, você sabe bem isso esta noite. Você se lembra de quando Ele revelou pela primeira vez seu rosto adorável, e você viu expressões de amor naquele rosto querido.

Paulo conheceu o Salvador porque, sem dúvida, ele reuniu tudo o que podia sobre Jesus; ele tinha um relacionamento íntimo com Lucas; ele tinha os meios de conhecer — e conhecia — Marcos, e sem dúvida ele falou com Mateus; e João lhe era familiar. Embora Paulo não tivesse estado com nosso Senhor nos dias de sua carne, ele entesourou todos os incidentes que poderia ter ouvido de outros; e ele estava sem dúvida familiarizado com tudo o que deve ter sido escrito em sua época. Bem, mesmo assim, sabemos em quem temos crido. Espero que, se confiaram em Cristo, vocês sejam estudantes fiéis da Palavra de Deus, amados. Esforcem-se e saibam tudo o que puderem sobre aquele em quem vocês confiam. Vocês devem confiar em Cristo porque Ele é revelado na Escritura; assim, quanto mais o conhecem, mais fácil será para vocês confiarem nele. A ocupação de um cristão deve ser tornar mais plena sua familiaridade com Cristo. Sabendo um pouco sobre Ele, o cristão deve, a cada dia, adicionar algo ao que sabe, até que possa dizer com maior ênfase: "Eu sei em quem eu tenho crido."

Pois Paulo conheceu o Senhor pela comunhão pessoal com Ele. Muitas e muitas vezes o Senhor falou com Paulo. No íntimo do seu quarto, em oração, Paulo subiu às alturas da comunhão com Jesus. No louvor santo e na devoção extasiada, não tenho dúvidas de que, às vezes, o apóstolo sentia que ele não sabia se estava no corpo ou fora dele, pois Jesus Cristo havia se revelado tão plenamente a ele.

Queridos irmãos cristãos, temo não haver tempo suficiente para a comunhão com Cristo nestes dias. Nossos antepassados puritanos tinham suas horas de devoção todos os dias. Estamos tão ocupados agora — tão ocupados! Não seria uma espécie de ociosidade ocupada que negligencia o Salvador? Estamos ficando ricos, talvez; mas não seria uma verdadeira riqueza que não nos torna ricos para com Deus? Parece que conhecemos todo mundo hoje em dia, menos Cristo. E há alguns cristãos que conheço que conhecem as doutrinas, mas parecem não conhecer Cristo. Eles conseguem separar na teologia um fio de cabelo tão longe um do outro como o oriente do ocidente, mas ainda em seu espírito eles parecem não ter amor e, portanto, não podem conhecê-lo. E há alguns que sabem biografias, e sabem sobre os vários grupos da igreja, e conhecem a história da igreja, e sabem não sei mais o quê. Mas o principal é conhecer Jesus. Foi um estudo para toda a vida contemplar sua pessoa bendita e conhecê-lo como Deus-Homem, conhecê-lo da cabeça aos pés, da glória à vergonha, conhecê-lo em Belém e conhecê-lo no calvário, conhecê-lo na glória e conhecê-lo em seu segundo advento. Este é o conhecimento dos conhecimentos, a mais alta de todas as conquistas. Deus aceitaria só isso? O cristão deve conhecer Cristo como conhece as obras literárias clássicas; Cristo deve ser a coroa de seus estudos. Cristo deve ser a própria alma da poesia; conhecê-lo dever ser a própria essência da filosofia. Como pode ser assim, a menos que tenhamos mais comunhão com Ele?

O apóstolo Paulo conheceu Cristo, além disso, por experiência. Ele o tinha experimentado e comprovado, e não há nada assim. "Eu sei em quem tenho crido. Eu me lembro", o apóstolo poderia ter dito, "quando eu estava nas profundezas e o navio estava quase naufragando, eu sei como o Senhor ficou ao meu lado na meia-noite fria. Eu o conheço; Ele não me abandonou. Sei como Ele animou meu coração no caminho para Roma, quando enviou os irmãos para me encontrar na praça de Ápio. Sei que Ele ficou ao meu lado quando eu enfrentei o imperador que parecia um leão, e como eu fui capaz de falar a palavra certa, e então minha vida foi preservada". Tal era Paulo, já idoso e estremecendo em sua cela asquerosa, mas com o coração quente com amor pelo seu Mestre, escrevendo sua epístola e ajoelhando-se de vez em quando ao Deus e Pai de seu Senhor e Salvador Jesus Cristo, sentindo que sua cela brilhava com a glória do Crucificado até ficar infinitamente mais brilhante do que a casa dourada de Nero — Paulo conhecia seu Mestre; ele sabia que o Mestre era um amigo fiel que cumpria sua palavra, Paulo conhecia aquela doce palavra. "Vejam! Eu estou convosco todos os dias, até o final dos tempos", foi cumprido e, portanto, ele disse: "Eu sei em quem tenho crido".

Agora falo para muitos que creram em Cristo. Espero que a maioria de vocês creia; mas você o conhece? Você o conhece? Quando você confia seu dinheiro a um banqueiro, não é necessário que conheça o banqueiro. Se ele for um homem de boa reputação, não importa o conhecimento pessoal, embora eu ouse dizer, se você o conhecesse pessoalmente, sentiria ainda mais confiança; mas com relação a Cristo Jesus, um Salvador desconhecido é em grande parte um Salvador de quem se duvida. Sua fé perderá força, com certeza se tornará fraca, a menos que a ignorância seja afugentada e você conheça seu Senhor. "Eu sei em quem tenho crido." Procure conhecê-lo; e que a mesa posta para a ceia do Senhor desta noite o ajude a conhecê-lo melhor. Ao comermos do pão e bebermos do cálice, que esses emblemas instrutivos tragam Jesus para perto de nós, e que possamos conhecê-lo ainda melhor do que nunca o conhecemos antes.

III

E agora, em terceiro lugar — aqui está o ponto —, trataremos do que o apóstolo Paulo tinha certeza. Suponho que o apóstolo tinha certeza. Ele tinha certeza de que Cristo era capaz de guardar o que lhe havia confiado. E suponho que cada um de nós diria que também temos certeza. Às vezes, no entanto, agimos como se não tivéssemos tanta certeza. Estamos cheios de dúvidas, medos e desconfianças, o que não deveria acontecer.

Agora observe, primeiro, Paulo conhecia a capacidade de Jesus de guardar as almas que tinham sido entregues a ele. Ele sabia que Jesus era Deus: e quem pode derrotar a Divindade? Paulo também sabia que, como Homem e Mediador, todo poder foi dado a Jesus no céu e na terra; e, se todo poder está com Cristo, que poder existente pode opor-se a Ele? Nenhum. Que poder existe, se Cristo tem todo o poder no céu e na terra? Paulo sabia que, se nosso perigo surgisse de nossos pecados passados, Cristo poderia enfrentá-lo, pois Ele havia oferecido uma expiação total. O apóstolo Paulo sabia que, se o perigo surgisse das exigências da lei, Cristo poderia enfrentá-lo, pois Ele "é o fim da lei para a justificação de todo aquele que crê" (Romanos 10.4).

Ele sabia, além disso, que Cristo era tão infinitamente sábio que podia prever e remover todos os perigos. Se fosse o destino de Paulo passar em uma peneira, ele sabia que Cristo oraria por ele para que sua fé não falhasse. O olho presciente de nosso grande Sumo Sacerdote prevê o mal e o prevê antes que aconteça. Ele é capaz de nos salvar de mil perigos e de manter longe de nós todos os inimigos. As chaves da morte e do inferno balançam em seu cinto, e o governo está sobre seus ombros. Não precisamos temer, portanto, nenhum de nossos inimigos, sejam eles homens ou anjos caídos, ou a própria morte. Cristo, tendo todo o poder, é capaz de nos proteger de todos esses perigos.

Paulo sabia disso; mas a questão não era apenas saber que Cristo poderia guardar as almas, mas "que Cristo é poderoso para guardar o meu tesouro". Você se lembra da frase de Bunyan, que diz: "Esses são apenas pontos gerais: chegue aos específicos, homem". E, oh! É maravilhoso chegar aos detalhes do evangelho. Que Cristo pode guardar as almas é um ponto geral, mas saber que Ele é poderoso para guardar o meu tesouro é um fato específico e precioso para mim. Às vezes posso crer por todos; mas a fé para crer por mim mesmo surge do conhecimento pessoal de Cristo, pois aquele que pode dizer: "Eu sei em quem tenho crido", também pode dizer: "Estou certo de que ele é poderoso para guardar o meu tesouro" (2Timóteo 1.12). Sua alma, quaisquer que sejam suas particularidades, seu caso, quaisquer que sejam seus perigos, estão suficientemente seguros nas mãos de Jesus. Você acredita nisso?

Nesse caso, observe novamente, o apóstolo Paulo cria que Jesus era poderoso para guardá-lo — "Ele é poderoso para guardar o meu tesouro" —, poderoso agora — "Agora que estou nesta cela, agora que em breve terei de ser executado: Ele é poderoso para me guardar". Você sabe que é tão fácil dizer que Ele foi poderoso para nos guardar anos atrás, e é tão fácil esperar que Ele seja poderoso para nos guardar em breve, mas descansar nele agora, acreditar que esta onda não vai inundar o navio, que este fogo não vai me consumir, olhar para esta provação presente e sentir que agora, pela graça de Deus, alguém poderia "enfrentar uma tropa; saltar uma muralha" — isso é algo magnífico.

Eu conhecia um compatriota que me disse isso. Ele era um homem idoso e dizia: "Senhor, durante todo o inverno, eu gostaria de poder trabalhar na colheita. Eu sinto que se eu tivesse uma oportunidade, poderia colher mais do que qualquer homem no país; mas de alguma forma", disse ele, "quando chega o outono e eu pego minha foice, vejo que o Tom é um homem velho". E muitas vezes é assim conosco. Achamos que a fé não tem limites — talvez um pouco de sobra —, mas ter fé quando você tem problemas: essa é a questão. A boa fé prática é aquela que crê, sejam quais forem as circunstâncias, que "Ele é poderoso para guardar o meu tesouro".

Mas então Tom também sabia que Cristo era poderoso para guardá-lo "até aquele dia". Muitas vezes fico maravilhado com a descrença das pessoas idosas. Quando penso em alguns deles chegando aos 70 e tendo dúvidas e temores, depois de conhecerem o Senhor por 50 anos, talvez, e de terem sido guardados por Ele por todo esse tempo, fico realmente surpreso. Quanto tempo você espera viver? Você não pode confiar em Cristo pelos próximos dez anos? O Mestre carregou você por tanto tempo e você consegue duvidar dele agora? Certamente, todos esses anos devem se levantar e repreendê-lo por sua incredulidade. Quando vejo um cristão idoso à beira da sepultura, sentado às margens do Jordão com os pés no riacho e dizendo: "Ainda não sei se estou salvo", espero nunca chegar a essa condição. Peço a Deus que eu não chegue. Deve ser um estado muito lastimável, pois aquele que o guardou por tanto tempo certamente pode ser confiado para guardá-lo até o fim. É um péssimo exemplo para os jovens que você que está envelhecendo tenha dúvidas e medos. É possível, no entanto, uma pessoa ser uma excelente cristã e ter dúvidas e medos? Ela pode ser uma cristã; não direi nada sobre sua excelência. A segurança é uma coisa necessária para um cristão? Bem, irmãos, uma pessoa pode estar viva e não falar, mas acho que falar é uma coisa necessária para alguém apesar de tudo. Quer dizer, é geralmente necessário — necessário para seu conforto, e eu não gostaria de ficar sem isso. Direi isto esta noite: se eu não soubesse em quem cri, e se não estivesse convencido de que Ele é capaz de guardar o meu tesouro, não ousaria dormir esta noite até que estivesse ciente disso; ou se adormeço por cansaço, a primeira atividade da manhã seria clamar ao Deus vivo até que eu estivesse ciente de que passei da morte para a vida. Eu posso entender vocês serem céticos, mas não consigo entender que vocês sejam céticos tranquilos e constantes. A condição natural de um filho de Deus deve ser a de plena confiança em Cristo, a quem ele confiou uma alegre certeza de que tudo está bem porque a mão que nos guarda é uma mão que nunca se cansa, uma mão que nunca para. Se você ainda não confiou sua alma a Cristo, bem então, venha agora como uma alma perdida; mas se já o fez, por que se afligir, se preocupar, questionar e contestar? Esteja certo de que você está seguro agora e permanecerá seguro, se é nisso que você confia. Como você pode duvidar do seu Senhor? Como pode desconfiar da mão que ergue o céu e a terra? Oh! Vá e se arrependa desse grande pecado e descanse naquele querido Salvador de agora em diante e para sempre.

IV

Agora, a última coisa a ser dita era o que o apóstolo Paulo não sentia. Ele não se envergonhava, dizia ele, pois sabia em quem havia crido. Com isso, ele pretendia primeiro nos ensinar que se sentia feliz. Paulo era um prisioneiro, desprezado, caluniado, mas não se envergonhava disso. Ele conhecia Cristo e sabia o quão seguro estava com Cristo e, portanto, não se envergonhava. Se algumas pessoas conhecidas que escondem suas verdadeiras essências e parecem ir às escondidas para o céu apenas conhecessem Cristo um pouco melhor, elas seriam mais felizes em suas almas e então seriam mais corajosas em suas ações. Foi uma visão feliz ver Paulo aguardando a morte sem se arrepender de ter sido levado a morrer por pregar a Cristo — nada a alterar, nenhum desejo de voltar e refazer seus passos, e ser um judeu e um aluno de Gamaliel a fim de salvar sua própria vida. Não, ele não desejou isso! E então, se estivermos descansando em Jesus, não teremos desejo de voltar aos princípios elementares fracos e pobres do mundo. Portanto, oro para que vocês confiem mais nele, para que possam ser mais felizes nele e provavelmente não se envergonhem dele.

Queremos, em nossos dias, mais da coragem de Paulo. Vocês, trabalhadores, eu sei, têm de trabalhar em lojas onde a religião não é bem vista. Se alguém em alguma de nossas grandes fábricas for conhecido até mesmo por frequentar um local de culto, ele se tornará imediatamente uma pessoa indesejada. Bem, espero que vocês que pertencem a esta igreja, a qualquer momento, se forem ridicularizados por Cristo, não apenas suportem isso com paciência, mas com alegria. Afinal, o que há para se envergonhar disso? A vergonha está do outro lado. Responda com ousadia, embora com mansidão. Dê uma razão para a esperança que há em você, e inflija a cada pessoa que o ridiculariza a punição de ouvir o que o evangelho é. Eles serão menos lentos para ridicularizar quando virem que você é mais corajoso em confessar quanto mais eles o perseguem. Oh, por uma geração de leões mais uma vez! Mais velozes do que as águias, eles podem estar com intenso amor apaixonado por Cristo, e mais bravos do que os leões, com a determinação de confessá-lo e lutar por Cristo até a morte. Que nenhum de nós, quer sejamos pobres ou ricos, analfabetos ou educados, jamais, a partir desta hora, pense em esconder o sentimento que temos, ou nunca pense em esconder o fato de que, com o crucificado, participamos da vergonha e da cusparada para que possamos tomar parte na glória com Ele no futuro.

Vou encerrar com uma história. Era uma vez um rei que enviou seu filho a uma província de seus domínios que havia se rebelado; e tal filho não foi até lá em uma túnica principesca, mas vestido como um camponês comum do país. E os homens daquela terra lhe fizeram mal e o caluniaram, e o puseram no pelourinho.

Enquanto ele estava naquele pelourinho de desprezo, veio um que ficou ao seu lado, e quando a fúria das mãos sedentas de sague caiu sobre o príncipe, também caiu sobre ele. Ele ficou ali procurando proteger o príncipe como pudesse, feliz por suportar o desprezo e compartilhá-lo com ele. Todos os homens o consideraram louco; mas houve um dia, depois de um tempo, em que o grande rei daquela terra deu uma festa, e os cortesãos foram reunidos ao redor de seu trono. Naquele mesmo dia, o príncipe voltou da terra onde havia recebido tal tratamento, vestiu seus mantos de seda de glória e beleza. E havia lá, no meio da multidão, nos corredores do palácio, muitos príncipes de grandes propriedades, aristocratas do reino e nobres de sangue. No entanto o príncipe, quando chegou à sua glória, examinou toda a cena e, identificando o homem que estivera lado a lado com ele no pelourinho da vergonha, disse: "Abram caminho, príncipes e nobres, para este homem que estava comigo na minha desonra: ele agora estará comigo na minha glória."

Será assim no final, quando Cristo se sentar em seu trono. Você conhece a interpretação da parábola? Ele lançará seus olhos sobre querubins, serafins e as fileiras brilhantes de anjos, e verá aquele que foi desprezado por sua causa, e Ele dirá: "Abram caminho, anjos!", e assim será feito; "Abram caminho, querubins!", e assim será feito; "Abram caminho, serafins!", e assim será feito; e lá virá o homem uma vez desprezado e perseguido, e Cristo o encontrará e dirá: "Você se assentará comigo no meu trono, assim como eu venci e me assentei com meu Pai no trono dele".

Que seja esse o seu e o meu caso! Amém!

15

UMA ORAÇÃO ABRANGENTE

Ó Deus, nosso escudo, olha e contempla o rosto do teu ungido.
(Salmos 84.9)

DAVI ansiava por estar nos átrios da casa do Senhor, e ele pensa que já está lá. Seus desejos parecem tê-lo carregado em suas asas: em todo caso, ele age como se estivesse ali e se entrega à oração. Ele se sente como se já tivesse se aproximado de Deus, quer tenha vindo ao tabernáculo, quer não; e, portanto, ele derrama sua oração no ouvido daquele que ele sabia estar presente e pronto para ouvi-lo.

Talvez isso nos sirva como uma oração esta noite. Na verdade, acho que deveria servir; pois dificilmente há qualquer condição de coração para a qual essa oração não seja adequada, se essa condição de coração estiver certa, ou se houver um desejo de estar certa.

Acho que podemos considerar essas palavras como uma oração de três maneiras. Elas parecem ser, antes de tudo, uma oração do rei Davi; depois, elas podem ser lidas, eu acho, como uma oração por todos os santos; mas depois, principalmente e por último — e, na verdade, embora último na ordem, isso é o primeiro em importância —, elas são uma oração a respeito de nosso bendito Senhor.

I

Primeiro, então, essas palavras são uma oração de Davi. "Ó Deus, nosso escudo, olha e contempla o rosto do teu ungido." Davi escreveu essas palavras para o povo orar pelo seu rei. Deus é o verdadeiro escudo de Israel e, portanto, o versículo pode ser lido assim: "Ó tu, Deus, que és nosso escudo, olha e contempla o rosto do teu ungido". Existem alguns críticos que sustentam que essa é a leitura correta; e, de fato, seja a leitura correta aqui ou não, é uma verdade. Deus é o escudo de seu povo — o único escudo verdadeiro. De todo o mal Deus os defende. Eles estão pessimamente defendidos, ou melhor, estão expostos a mil perigos se confiarem em qualquer outra defesa; mas eles ficariam indefesos longe de Deus, pois Ele é seu castelo e sua torre de defesa impenetrável, e eles estão seguros nele.

Portanto, a oração é: "Ó tu, que és o nosso escudo, olha para o nosso rei e acoberta-o no dia da batalha! Proteja-o e proteja teu povo". Ou, se a leitura deveria ser: "Ó Deus, nosso escudo, olha", e pelo termo "escudo" se entende uma pessoa que é posteriormente chamada de "ungido", então é verdade no sentido secundário que reis se tornam os escudos da nação; e um rei como Davi foi, nas mãos de Deus, um escudo para o povo de Israel. Era para Israel clamar a Deus por Davi, assim como é para nós clamarmos a Deus por qualquer pessoa por meio da qual recebemos as bênçãos do Altíssimo. O texto diz: "Contempla o rosto do teu ungido". Isso significa, "Consola e alegra o rei; apoia-o e fortalece-o; deixa-o ter uma noção de teu favor; ouve suas orações; aceita-o; ilumina seu semblante. Que ele veja o brilho do teu rosto, para que o seu próprio rosto brilhe".

É uma oração longa e abrangente de um povo por um rei que é muito amado; e, irmãos, ela nos ensina exatamente isto, que devemos orar por aqueles que têm autoridade sobre nós. Muitas vezes esquecemos nosso dever. Estou bem convencido de que, se sentíssemos por um curto período um gostinho de despotismo ou de anarquia, iríamos valorizar as bênçãos que agora desfrutamos, e estaríamos mais atentos à regra cristã de que orações deveriam ser feitas em favor dos reis e de todos os que estão em posição de autoridade. Na verdade, não se trata apenas dos reis. Deus faz com que outros homens também sejam um escudo para nós e os unge para certos fins. Não são todos os pastores enviados por Deus, de fato, os escudos de sua igreja? E não são eles ungidos para pregar as boas-novas — ungidos por Deus para levar suas mensagens? Na verdade, de que vale o ministério deles, se não for na unção do Santo? Que poder há nisso a menos que seja o poder da unção do Espírito Santo, aquele que está com eles? Orem, pois, por nossos irmãos a quem Deus chamou e separou para serem mestres para Ele, e para serem a sua boca para o povo. Orem por nós. Orem por todos os santos ministros e diga: "Ó Deus, nosso escudo, olha e contempla o rosto do teu ungido".

Como pregaríamos melhor se nosso povo orasse mais por nós! Estou aqui para confessar francamente que, do fundo do meu coração, atribuo a grande prosperidade que Deus deu a esta igreja muito mais às orações do povo do que a qualquer coisa que Deus possa ter me dado. Eu sei que é assim. Às vezes (espero que não seja superstição), creio que sou sensivelmente consciente da quantidade de oração que há nesta igreja. Parece que sinto — não sei como é, mas o Espírito de Deus que opera em nós nos faz sentir — quando vocês estão orando bastante, e sinto quando o espírito da oração começa a ficar fraco entre nós. Oh! Que nunca nos tornemos preguiçosos na oração! Implorem para que todos a quem Deus unge para qualquer serviço possa receber força dada por Ele. Considere o caso dos servos de Deus que não têm êxito, os quais precisam muito ser apoiados na obra, talvez onde sua falta de êxito não seja culpa deles. Orem por eles; e orem para que o tempo de sua semeadura não dure para sempre, mas possa ser seguida por uma colheita abençoada. Se pudéssemos, pelo menos uma vez, fazer com que toda a igreja orasse, teríamos certeza de que Deus abençoaria todo o país. Frequentemente desejamos ver pessoas consultando Deus, mas devemos nós mesmos consultá-lo. "Mais uma vez permitirei ser consultado pela casa de Israel para fazer-lhe isto" (Ezequiel 36.37). Uma igreja com bastante oração é uma igreja com bastante poder. Acho que haverá menos negligências a serem encontradas no ministério quando houver menos negligências nos cristãos em seus quartos de oração. Vocês serão edificados quando trouxerem consigo a sua parcela de inquietações por meio das muitas orações para enriquecer a igreja de Deus.

Vou deixar, então, este primeiro pensamento. É uma oração de Davi, que pode ser uma oração por todos os que são ungidos para governar e por todos aqueles que são ungidos para pregar o evangelho. Senhor, envia dessa forma uma resposta de paz à oração.

II

Em segundo lugar, irei forçar o texto se disser que essa me parece ser uma oração por todos os santos? Ou pode ser usado assim, para todos os efeitos, pois todos os santos são ungidos por Deus? Não é dito de nosso Senhor que Ele foi ungido com o óleo da alegria mais do que a seus companheiros? Segue-se, portanto, que seus companheiros também foram ungidos, em certa medida, embora Ele fosse ungido acima deles. Não é realmente dito: "Vós tendes a unção da parte do Santo, e todos tendes conhecimento"? Irmãos, a unção que foi derramada sobre a cabeça de Cristo não desce até as orlas de suas vestes, como o óleo sagrado foi para as orlas das vestes de Arão? E nós que somos, por assim dizer, as orlas das vestes de Cristo participamos da unção divina e nos regozijamos hoje. Seu nome é como óleo derramado, e na doçura desse nome temos uma participação.

Bem, então, não podemos pedir que todos os ungidos de Deus possam ser olhados por Deus? Olha-os, ó Deus! Contempla as faces de todos os teus ungidos. Alguns deles querem um olhar de simpatia. Eles estão sofrendo em segredo, sofrendo na obscuridade. Se alguém dissesse meia palavra para eles, seriam encorajados. Se apenas algum irmão em uma condição mais feliz apenas sussurrasse uma palavra de consolo, eles ficariam felizes. Mas, oh! Se Deus os contemplar, e eles souberem — se eles compreenderem a compaixão de Cristo, e que Ele é tocado com sentimento pelas suas enfermidades, e sente em seu coração todos os seus suspiros e gemidos, não será uma grande alegria para eles? Lembre-se dos presos, como se estivesse preso com eles; e lembre-se deles orando ardentemente esta noite, enquanto pensar sobre seus casos em separado: "Senhor, contempla os teus ungidos!"

Eles desejam não apenas um olhar de compaixão, mas precisam receber de Deus um olhar de amor. Oh, o olhar amoroso do Eterno! Alguns de nós não sabem o que significa? Temos estado em dúvida, temendo, tremendo, mal sabendo se fomos salvos ou não. Não conseguíamos encontrar em nossos corações aquele amor que desejávamos encontrar e começamos a duvidar se Ele nos amava; mas uma promessa encontrou abrigo em nossa alma, ela foi como um vislumbre do olhar eterno e falou conosco. Esse olhar falou muito mais clara e docemente do que as palavras poderiam fazer; e no íntimo de nossa alma, aquele olhar disse: "Com amor eterno te amei; por isso, com fidelidade te atraí" (Jeremias 31.3). Que êxtases tão divinos nosso espírito experimentou quando o Senhor olhou assim para seus ungidos!

E então muitos do povo de Deus precisam de um olhar que lhes dê verdadeira ajuda e força, pois há poder no olhar de Deus. Ele olhou para os egípcios fora da nuvem, e as rodas das carruagens deles foram arrancadas, de modo que elas os arrastaram pesadamente; mas quando Ele olha para seu povo, esse mesmo olhar dá poder aos fracos; e para os que não têm poder, esse mesmo olhar aumenta as forças. Muitas das mãos cansadas e dos joelhos vacilantes precisam ser firmados por um olhar onipotente do Deus eterno, que não se cansa nem se fatiga. Oremos por muitas de nossas igrejas enfraquecidas — nossos irmãos que estão ficando cansados nos caminhos de Deus — para que possam ser ajudadas, apoiadas, sustentadas e revigoradas por um olhar.

Certamente, queridos irmãos, devemos orar por todos os ungidos do Senhor dessa forma. Temo estarmos bem preparados para, em nossas orações, orarmos por todos os santos de Deus teoricamente em vez de realmente. "Ó Deus, nosso escudo, olha", tu que és nosso escudo, "contempla o rosto do teu ungido", como se fosse um só rosto. Contempla toda a tua igreja como se ela fosse o que, de fato, ela é em tua aliança eterna — apenas uma —, e faça dela uma. E olhe para ela — toda ela. Que todas as partes dela sejam revividas e revigoradas. Eu estou certo de que, quando vivemos perto de Deus, nunca desejamos a prosperidade de nossa denominação de cristãos às custas de outra, nem mesmo em preferência a outra, exceto e somente na medida em que acreditamos que mais verdade possa haver lá. Que qualquer coisa que consideramos um erro seja destruída pelo sopro do Todo-poderoso, e qualquer coisa que seja considerada um erro em qualquer outra igreja murche e seque como a grama diante da foice do cortador! Que caia e pereça completamente; mas que todas as verdades em todos os lugares e todas as verdades que sustentam o ser humano possam ser imortais. E que a graça esteja em qualquer lugar, em todos os lugares, onde quer que seja; se for a graça de Deus, que continue a ficar cada vez mais forte e vença. Eu oraria sinceramente por cada cristão verdadeiro em Cristo, mesmo se ele estivesse na igreja de Roma — oraria para que ele tivesse a graça de sair dela de qualquer forma, e de algumas outras igrejas que eu poderia mencionar também —, oraria para que ele ainda possa ter graça para amar, temer a Deus e se alegrar nele, não obstante todas as dificuldades que o cerquem. Senhor, se tu tens um filho que esteja sentado na própria porta do inferno, resplandeça a luz do teu semblante sobre ele. Onde quer que ele esteja, ou em qualquer estado em que possa ter chegado, por mais excêntrico que ele possa ser, por mais zangado que ele possa se tornar, por mais que ele rejeite frequentemente todos os meus conselhos e todas as minhas ideias e por mais desagradável que ele seja como pessoa, ajuda-o com tua presença apesar disso. Assim devemos orar.

Devo confessar que é preciso muita graça para orar muito por algumas pessoas. Elas não parecem ser um povo por quem se deva orar. Ninguém se opõe à esperança de viver com eles para sempre no céu, mas viver dez minutos com eles aqui na terra exige muita graça. Bem, ou o Senhor os muda ou nos muda! Sem dúvida, às vezes, nossas imperfeições entram em conflito, e um conjunto de imperfeições pode ser inadequado para entrar em contato com outro conjunto de imperfeições. Portanto, vamos orar para que Deus abençoe todo o seu povo, trazendo-os para si mesmo, olhando para eles e derramando sua luz sobre eles.

III

Agora, para não o deter mais sobre esses significados secundários, não parece a você que o grande significado do texto diz respeito ao nosso Senhor Jesus Cristo? De quem pode-se dizer com propriedade que Ele é o nosso escudo e o ungido do Senhor? De quem, digo, senão do Senhor Jesus Cristo, que está entre nós e Deus, que nos protege, e foi ungido por Deus para que Ele pudesse fazer isso?

Amado, não vamos nos alongar sobre esses dois títulos de nosso Salvador, visto que imediatamente sugerem seu próprio significado. Que escudo temos contra a justiça com seus raios de fogo? Que escudo temos contra Satanás, com suas maquinações maliciosas? Que escudo temos contra o mundo ou contra a carne, ou contra qualquer um de nossos inúmeros inimigos? Com que escudo podemos nos proteger com perfeita segurança, senão com Jesus Cristo, nosso Senhor? Bem, vamos nos alegrar nele como tal e nos sentir perfeitamente seguros quando estivermos escondidos nele; porém Ele é o ungido do Senhor, e parece haver muito consolo nisso. Quero refrescar a memória de vocês para as seguintes verdades: se Deus ungiu Cristo para nos salvar, Ele o aceita como nosso Salvador; se Ele ungiu Cristo para ser sacerdote, Cristo é um sacerdote aceitável;

se Ele o ungiu para nos defender e ser o representante, o intercessor e o mediador, Cristo tem a unção que o próprio Deus designa. Jesus Cristo não é um Salvador amador. Ele não se ofereceu para assumir a obra sobre si mesmo sem ser devidamente comissionado; mas o Espírito do Senhor está sobre Cristo e o ungiu para ser o pregador da justiça e o Salvador dos pecadores. Regozijemo-nos nisto: em nos valermos do nome que Ele mesmo apresentou para ser um nome salvador e em apresentarmos a Deus a lembrança de uma oferta que Ele próprio designou. Tu és o nosso escudo, ó Salvador, mas também és o Ungido de Deus; e isso nós invocamos quando elevamos nossas almas em oração a Deus.

Agora, o desejo da oração é que o Senhor olhe para Cristo. E o que isso significa? Por que devemos desejar que Deus olhe para Cristo? Não é para que Ele nos olhe com favor e amor? Cristo é para nós um irmão mais velho. Estamos errando; temos sido pródigos. "Pai, aceita a família por amor do irmão mais velho. Ele nunca, em momento algum, transgrediu teus mandamentos, e tudo o que tu tens pertence a Ele. Olha para Ele; então olha para nós; e lembra-se dele, e por causa dele, considera-nos."

Cristo é mais do que o irmão mais velho, no entanto. Ele é nosso representante e nosso cabeça. Quando Deus olhou para Adão, Ele viu a raça humana nele; e a queda de Adão foi a queda de todos nós. Quando Deus olha para Cristo, Ele vê seus eleitos em Cristo, e a posição de Cristo é a posição de todos os cristãos, de todo o seu povo. Em Cristo morremos; em Cristo fomos sepultados; em Cristo ressuscitamos. Em Cristo somos levantados juntos e postos sentados juntos nos lugares celestiais, nele próprio; de modo que, quando Deus olha para Cristo, Ele está olhando para toda a sua igreja, olhando para todo o seu povo, com o mesmo olhar com o qual Ele olha para a face do seu Ungido.

E então, além disso, o Senhor Jesus Cristo é um conosco. Existe uma união matrimonial entre nossas almas e Cristo. Devo confessar que muitas vezes me sinto maravilhado quando realizo uma cerimônia de casamento aqui, e então leio aquela passagem em Efésios em que o apóstolo Paulo fala do noivo deixando seu pai e sua mãe para tornar-se uma só carne com a noiva e declara que somos membros do corpo, da carne e dos ossos de Cristo. Parece uma união tão extraordinária, de modo que Paulo, quando fala, parece estar falando do casamento, e então diz: "Eu me refiro a Cristo e à igreja", como se as mesmas palavras servissem para um e para o outro. Todos os cristãos são casados com Cristo — entraram em uma união indissolúvel na qual o amor eterno é o vínculo que nunca pode ser quebrado! Minha alma está casada com o Cristo de Deus! Oh! Existe um céu adormecido dentro desse único pensamento! É suficiente para fazer o espírito dançar como Davi diante da arca pensar que se é casado — casado para nunca se divorciar — com o Filho do Altíssimo, com o próprio Cristo de Deus.

Agora, queremos que o Senhor olhe para o rosto de nosso Noivo. Não temos formosura, mas Ele nos dá toda a sua beleza. Quando nos tomou, Ele nos tomou como éramos, mas nos fez ser como Ele é. Tomou todas as nossas impurezas, mas nos deu toda a sua justiça e, portanto, dizemos: "Senhor, quando tu olhares para a família, não venhas e olhes para a esposa. Não venhas e olhes para o vaso mais fraco, mas se tu estimas a casa, olha para o esposo, o marido, o chefe, o senhor, o mestre. Ele é nossa força; ele é nosso representante".

IV

E agora, quando o Pai olha para Cristo, o que Ele vê? Eu quero que você pense sobre isso. Não vou tentar colocar isso em muitas palavras, mas deixo para sua própria meditação particular. Medite sobre isso. Eu, estando em Cristo, desejo que Deus Pai olhe para Cristo em vez de para mim. Por quê? Ora, porque, em primeiro lugar, quando o Senhor olha para Jesus Cristo, Ele vê a si mesmo, pois o Senhor Cristo é Deus e é um com o Pai por uma união maravilhosa e misteriosa que não pode ser explicada; de modo que, quando Ele olha para seu Filho, Ele olha com amor e afeição inefáveis, porque Ele está olhando para a divindade — a divindade perfeita — na pessoa de Jesus Cristo. Há algo de lindo nisso — a divindade representa a mim, e Deus, ao olhar para o meu representante, vê a si mesmo. Ele não pode ver nada ali, exceto o que será bem agradável para Ele; mas então, Ele vê em Cristo a humanidade perfeita. Quando o Senhor pensa na humanidade, já não existe o suficiente para fazê-lo sentir-se cansado só de pensar nela? Lembre-se de como, antes do dilúvio, Ele se arrependeu de ter colocado o homem sobre a face da terra; e muitas vezes, certamente, se o Senhor fosse como nós, teríamos sido destruídos.

Humanidade! Ela deve estar ligada na mente de Deus com tudo o que é ingrato, antinatural, vão, tolo, devasso, perverso.

A palavra "humanidade" é assustadora! Mas agora, quando o Senhor olha para seu Filho, Ele vê a humanidade perfeita — aquela que nunca teve sequer um traço de pecado —, a mesma humanidade que a nossa, com esta única exceção: nunca se perdeu em pensamento, palavra ou ação. Deus vê ali o que a humanidade pode realizar — a humanidade que obedeceu à sua lei sem uma única falha, a humanidade que sofreu até a morte para a glória de Deus. E Deus ama o homem porque existe um homem como Cristo Jesus — por meio do qual houve a possibilidade de uma criatura ser feita como o homem e ser capaz de sofrer sem pecado, o que eu suponho que os anjos não poderiam fazer. Deus olha, portanto, para a humanidade por causa do que Cristo foi e é, e ainda olha para ela com amor.

Mas, então, amado, há um relacionamento especial entre Jesus Cristo e seu próprio povo; assim, quando o Senhor olha para Jesus, Ele vê a perfeita obediência. Isso é o que Ele esperava ter de seu povo, e Ele vê isso no representante de seu povo. Cristo representa o seu povo, e quando o Senhor pede obediência, Cristo a apresenta: "Aí está". Deus não pode pedir ao homem mais do que Cristo, o Homem, apresenta a Ele. Tudo em Cristo satisfaz os santos atributos de Deus. Não se pode dizer que Ele não é puro aos olhos do Senhor, ou que foi acusado de loucura. Não. Mas o três vezes santo tem prazer na obediência de seu Filho unigênito. E assim, também, quando Deus olha para Cristo, Ele vê uma expiação completa por toda a desonra feita à sua santa lei. Para todos os que creram em Jesus, existe em Cristo, o Homem, o sofredor, um sacrifício apresentado a Deus que afasta para sempre toda a reminiscência do pecado. "Este, tendo oferecido um único sacrifício pelos pecados, assentou-se para sempre à direita de Deus, esperando, daí por diante, que os seus inimigos sejam colocados por estrado de seus pés. Pois com uma só oferta aperfeiçoou para sempre os que estão sendo santificados" (Hebreus 10.12-14). Assim, a lembrança do Getsêmani é muito doce para Deus. As lembranças da flagelação, da vergonha, da cusparada estão na mente do Altíssimo, e Ele não mais vê o pecado de seu povo. Foi lavado pelo sangue expiatório de Jesus Cristo. O Senhor olha para o rosto de Cristo e me vê lá. Ele vê naquele rosto os memoriais do calvário. Ele olha para suas mãos e vê as cicatrizes; Ele olha para os pés e vê as feridas abertas; Ele olha para o seu lado e vê ainda o corte que atingiu seu coração; pois Jesus se parece com um cordeiro que foi morto, no próprio monte Sião, e ainda traz as memórias de seu sacerdócio. Oh! É maravilhoso pensar nisto — que Deus vê em Cristo um sacrifício perfeito, e uma obediência perfeita, e uma natureza perfeita, e um homem perfeito.

E então, lembre-se: Deus vê em Jesus Cristo nossa justificação, pois embora Jesus tenha morrido por nossas ofensas, Ele ressuscitou para nossa justificação. Deus vê em Cristo a nova vida que também recebemos em nossa regeneração; e Ele vê a nova vida na ressurreição de seu querido Filho, por meio da qual Ele nos deu a garantia de que nos salvará, nos preservará e nos conduzirá à nossa ressurreição também. Na verdade, quando olha para a face de Cristo, o Pai vê a aliança, pois Ele não disse: "Eu o dei como testemunha aos povos" (Isaías 55.4)? Ele vê o selo da aliança, o sacrifício da aliança, o sangue que ratificou a aliança. Ele vê em Cristo que toda promessa cumprida tem o sim e o amém, e é garantida a todos os descendentes. Na verdade, não posso me estender sobre o que o Senhor Deus vê em Cristo, pois, posso verdadeiramente dizer que só Deus conhece tudo o que vê em Cristo, mas quando o vê, Ele está cheio de amor por nós por causa do que vê em Cristo. É bom lembrarmos que nossa salvação não depende de vermos Cristo, mas sim de Deus vê-lo. Não somos salvos a menos que o vejamos, é verdade; contudo, o verdadeiro fundamento de nossa salvação está em Deus ver Cristo. O tipo da Páscoa traz isso imediatamente diante de nós, pois o Senhor disse: "Se eu vir o sangue, passarei adiante" (Êxodo 12.13). O sangue não foi colocado dentro de casa para eles verem. Estava na porta, mas não do lado de dentro da porta: era do lado de fora para que Deus pudesse ver — para que o anjo pudesse ver; e quando Deus viu o sangue, Ele passou por seu povo. Quando Deus olha para Cristo, aí é que Ele tem misericórdia de seu povo. Ao mesmo tempo, não devemos nos esquecer de que também olhamos para Ele e somos salvos. Isso é o que acontece, mas o fundamento disso é o fato de que Deus olhou para Cristo, e assim verdadeiramente Cristo se manifestou em nós, e então o pecador diz: "Olhe através das feridas de Jesus em mim".

Agora, para reunir tudo em uma ou duas palavras. Quando Deus Pai olha para seu Filho, é com afeição inefável; é com união íntima; é com infinito deleite. Então, quando estamos em Cristo, Ele olha para nós e há uma união entre nós e Ele; há um amor dele por nós; sim, existe um prazer em nós. O Senhor se deleita em seu povo quando os vê em seu próprio Filho. Portanto, agora vou apenas suplicar aos presentes que façam uso disso como uma oração. Talvez haja um pecador aqui que sinta necessidade de um Salvador e quer saber como deve se apresentar ao Deus Altíssimo. Amado amigo, coloco esta oração em sua boca; que Deus coloque isto em seu coração. Diga: "Ó Deus, sou vil e pecador: não olhes para mim, mas olha para o teu ungido. Eu me abrigo em tuas feridas. Não fiques irado comigo, embora eu mereça, mas deixa o teu amor por Ele constrangê-lo a mostrar o teu amor por mim!" Ó pecador, se você examinar sua natureza, você não encontrará nenhuma defesa que possa usar diante de Deus; mas se você toma a pessoa de Jesus Cristo como seu argumento de misericórdia, você prevalece. Deus nunca negará seu Filho.

Há algo em Jesus que, ao ser invocado diante do trono, imediatamente traz misericórdia ao pecador. Diga: "Oh, por tua causa, por tua agonia e suor de sangue, por tua cruz e paixão, por tua preciosa morte e sepultamento, por tua gloriosa ressurreição e ascensão, tem misericórdia de mim, ó Deus!" Você é ouvido, pecador, se essa for a sua oração. Tal oração não pode ser ignorada pelo Altíssimo.

Será, contudo, que qualquer filho de Deus desviado pode usar exatamente a mesma oração esta noite? Ó andarilho, você que perdeu todo o sentido da vida e do amor, volte. Leve com você as palavras, vá deste modo ao seu Deus, e diga a Ele: "Meu Senhor, eu mudei, mas o meu Redentor não. Fui infiel, mas o meu Senhor não. Eu mereço tua ira, mas Ele merece teu amor. Eis, ó Deus, meu escudo. Escondo-me atrás dele. Olha para o seu rosto e depois olha para mim". Desviado, pelo amor de Deus, eu lhe peço, use essa oração esta noite e volte para o seu Salvador, cujo coração você tanto entristeceu.

V

E isso não convém a qualquer cristão aqui que tem trabalhado arduamente para Cristo? Vocês sabem, irmãos, acredito que aqueles que trabalham mais arduamente para Cristo são aqueles que estão mais conscientes de que seu trabalho não é aceitável em si mesmo. Se você encontrar alguém que se regozija com o que faz, ele não faz muito; pois aquele que faz muito tem uma ideia tão elevada do que deseja fazer, e do que deve fazer, e de como deve fazer, que está sempre insatisfeito e nunca traz nada que seja próprio em suas mãos; mas ele diz: "Senhor, confirma a obra de minhas mãos. Abençoa os pecadores. Glorifica-te. Faz com que o querido nome de Jesus seja belo no mundo. Contudo eu oro para que o ouças, não por minha causa, mas olha em seu rosto e diz se Ele não merece ser honrado, se Ele não merece ter almas preciosas? Se tenho procurado, mesmo da maneira mais humilde, promover o teu Reino, não sou um contigo neste desejo? Não queres que Ele reine? Contempla, então, o rosto de teu ungido e, por amor a Ele, que a bênção venha sobre meus pobres serviços, por mais indignos que sejam".

E não poderia qualquer filho de Deus que está implorando pela conversão de outros usar esta oração? Suponho que você, querida esposa, tem implorado ao Senhor que Ele tenha misericórdia de seu marido; ou você, irmã, tem procurado a conversão de seu irmão. Você ainda não prevaleceu. Você já experimentou este argumento: "Ó Deus, olha na face do teu ungido. Ouve-me pelo teu nome que era cheio de terna compaixão e chorou por Jerusalém; por teu amor que não deixaria o pecador morrer; por teu coração, que mesmo depois de tua morte derramou sangue e água pelos pecados dos homens. Senhor, ouve-me e salva meu irmão; salve meu marido, salva meu filho". Não seria uma boa súplica? E essa não será uma boa súplica quando morrermos? Eu não conheço uma oração que se tornaria melhor em nossos lábios quando eles estiverem fazendo sua última oração na terra, e se preparando para sua primeira canção no céu, do que dizer aqui: "Eis, ó Deus, nosso escudo, e olha para a face de teu ungido", e então, no momento em que a oração acabar, dizer: "Meu Deus, eu também olhei para o rosto do teu ungido, e agora que a visão beatífica me encantou para a felicidade, esqueci todas as dores da morte; eu alcancei a imortalidade e a vida; pois vejo o ungido do Senhor, que é para sempre agora meu escudo contra a morte".

Oh, sim, podemos muito bem morrer com essa oração em nossos corações, e então transformá-la em uma canção eterna, e dizer aos anjos, e querubins, e serafins: "Eis o nosso escudo e olhem para a face do ungido de Deus. Reúnam aqui todos os santos que foram redimidos pelo sangue. Venham aqui todas as hostes de espíritos ministradores e mundos distantes com todas as suas variadas raças de criaturas. Todas as coisas que têm bom senso, inteligência, sagacidade, olhos para contemplar e corações para amar venham até aqui, e olhem para o nosso escudo, e contemplem a face do ungido de Deus. A glória já foi alguma vez mais brilhante? O amor já foi mais transcendente?"

E Jesus ainda é nosso irmão. Um homem que se assenta no trono de Deus. "Pois a qual dos anjos disse alguma vez: Tu és meu Filho, hoje te gerei?" (Hebreus 1.5). Ele não assumiu a natureza dos anjos, mas sim a da semente de Abraão; e agora entre Deus e o homem não existe nenhuma distância, pois o homem é um com Deus, e o Senhor pode verdadeiramente dizer: "O homem tornou-se como um de nós", e nós nele nos tornamos para o Deus eterno, em comunhão e companheirismo que durarão para sempre.

Deus nos leve até lá em seu próprio tempo! Amém!

16

SATANÁS COM OS FILHOS DE DEUS

*Certo dia, os filhos de Deus vieram apresentar-se diante
do SENHOR, e Satanás também veio com eles.*
(Jó 1.6)

NÃO adianta perguntar que dia era. Os rabinos judeus, que gostam de perder tempo com questões difíceis — questões sem proveito algum —, dizem que era um *shabbat*, e isso é muito possível; mas eu temo que Satanás não viaje para fora somente aos domingos,[1] ele também é encontrado em congregações que se reúnem nos dias de semana; e quando os filhos de Deus se reúnem em qualquer momento, geralmente acontecerá que Satanás estará entre eles. A pergunta que também se faz é: "Satanás foi para o céu, então?" Não vejo nada sobre o céu no texto. Os filhos de Deus se reuniram. Eles podem ter sido os filhos de Deus na terra — os descendentes deles — ou outros homens piedosos que tinham o hábito de se reunir para oração e louvor. Eles podem ter sido os anjos no céu; e, às vezes, eu gosto de pensar que o *shabbat* é guardado no céu, bem como na terra, e que, quando nos reunimos em celebrações especiais aqui embaixo, os santos anjos estão celebrando um festival especial lá em cima, pois embora seja sempre *shabbat* para eles, pode haver um *shabbat* dos *shabbat*; eles podem ter seus dias importantes e feriados além de guardarem as datas conosco aqui embaixo, apenas nos superando na quantidade de seu louvor. Satanás poderia se apresentar a Deus sem estar no céu. Todo o universo é a sala de audiências de Deus, e quando Ele sobe no trono e convoca todas as suas criaturas reunidas, elas se apresentam todas ali, diante dele, qualquer que seja sua posição quanto àquele local. Satanás parece ter se misturado intencionalmente, no entanto, tanto

---

[1] Spurgeon considerava os domingos como o *shabbat* (dia de descanso) cristão.

quanto podia, com os filhos de Deus, onde quer que esses filhos de Deus fossem encontrados na presença do Altíssimo.

Não há algo a ser aprendido com isso? Vamos ver se não há algum ensinamento nisso.

E o primeiro fato, eu acho, é muito claro: simplesmente estar presente no meio do povo de Deus não tem valor algum, pois "Satanás também veio com eles". Espero que nenhum de vocês jamais pense, embora eu receie que seja comum, ter feito algo extremamente admirável ao frequentar regularmente um lugar de culto e especialmente ter um assento próprio,[2] embora você nunca entregue seu coração a Deus e nunca se arrependa de seus pecados, ou creia em Cristo. Alguns parecem imaginar que estão em uma posição vantajosa por serem ouvintes regulares. Eles observam o *shabbat*, frequentam a igreja e a capela. Agora, veja o erro que tais pessoas cometem, pois Satanás também guardou o feriado, seja ele qual for, e apareceu com os santos de Deus. Satanás se misturou à multidão. E não foi apenas uma vez que ele veio, mas no que diz respeito ao livro de Jó, houve dois dias em que os filhos de Deus se reuniram, e Satanás estava entre eles nas duas ocasiões. Ele parece ter sido um frequentador muito regular, estando constantemente entre eles. E, no entanto, que utilidade isso teria para Satanás? E que utilidade isso teria para alguém, a menos que haja adoração espiritual, e a menos que o coração seja dado a Deus? "Quando vindes comparecer diante de mim, quem vos pediu que pisásseis nos meus átrios?" (Isaías 1.12).

Não há valor algum em uma mera assiduidade corporal aos meios da graça;[3] pois, em primeiro lugar, é certo que a presença de Satanás na adoração divina não poderia ser aceitável para Deus. Poderia ser aceitável alguma coisa que aquele espírito enganador fizesse? Sua natureza poluída não profanou o todo? Portanto, no caso de homens ímpios, sua presença com o povo de Deus

---

[2] Era costume nas igrejas da Inglaterra entre os séculos XVI e XIX a compra de assentos próprios.

[3] Termo usado em teologia para designar ações e/ou objetos e estruturas (os *meios*) pelos quais Deus concede uma virtude sobrenatural (*graça*) aos cristãos. Cada igreja afirma certos meios como sendo os corretos. No caso de Spurgeon, por ser um reformado, ele entendia o principal desses meios ser a palavra de Deus pregada (e a Bíblia em segundo lugar), o batismo e a Ceia do Senhor.

não pode ser aceita por Deus. Eles inclinam a cabeça em oração? Se você não orar com o coração, estará apenas zombando de Deus; ou se você oferece a oração do fariseu e diz: "Ó Deus, graças te dou porque não sou como os outros homens", você apenas provoca o Altíssimo. Você não trouxe nada que Ele pudesse receber. E quando a música sobe ao céu, sem dúvida alguns pensam que é bom cantar, que isso soa bem e segue o melhor estilo de arte — Oh! Com Deus, no entanto, não é assim. Ele se importa com seus acordes e harmonias, como tais que agradam os ouvidos humanos? Ele vê o coração, e a menos que a alma bendiga aquele cuja misericórdia dura para sempre, a menos que o coração adore o Criador e o Benfeitor, não há música que Ele possa receber. "Hosanas" ficam aquém do céu se não surgem de nossos corações. Somente o louvor que vem do nosso coração chegará ao ouvido de Deus. Se não o bendizermos por dentro, Ele também não nos receberá.

I

Eu gostaria que alguns de vocês pensassem nisto — vocês têm vinte ou trinta anos, talvez, possivelmente quarenta ou cinquenta, comparecendo regularmente diante de Deus, mas nunca oferecem algum sacrifício que Ele possa aceitar, pois até que vocês creiam em seu Filho, não há nada sobre vocês que Ele possa contemplar com prazer. Até que vocês se arrependam de seus pecados, até que vocês confiem em Jesus, até que vocês nasçam de novo, vocês já estão condenados, e a condenação que está sobre vocês individualmente está sobre tudo o que vocês fazem. Até sua oração se torna uma abominação a Deus, vista como vinda de alguém cujo coração não está bem com Deus. Oh, pensem nisso, eu lhes rogo! E de agora em diante, nunca confiem no uso externo dos meios da graça. Vão além disso, caso contrário vocês ficarão aquém da aceitação e da salvação.

Além disso, é certo que, por não ser aceitável, a presença de Satanás ali não lhe trazia benefício algum. Ele nunca se arrependeu de qualquer mal que tenha feito e nunca arrefeceu sua rebelião diligente contra Deus. Seu coração orgulhoso jamais se humilhou; sua mente luxuriosa nunca foi purificada. Depois de se misturar com os filhos de Deus, ele permaneceu o mesmo diabo que sempre

204   FÉ, O ALIMENTO DA ALMA

foi. E lembre-se, eu rogo a você, que no mero exercício de sentar-se em um banco e ouvir um sermão, ou juntar-se em oração, não há nada que possa beneficiá-lo. "Necessário vos é nascer de novo" (João 3.7). Se não chegar a esse ponto, nenhuma mudança foi feita. Toda pregação do mundo não será eficaz até que o Espírito de Deus a aplique ao coração, até que o poder divino gere fé na alma. Lembre-se disso. Tenho certeza de que há alguns que se orgulham de frequentar a igreja que acreditam ser a única autorizada por Deus. Bem, Satanás estava em uma reunião bastante autorizada, mas continuou sendo Satanás.

Alguns, por outro lado, se gabarão de pertencer à denominação mais simples do mundo, na qual a adoração não contém absolutamente adorno algum. É a mais simples possível. Talvez sejam batistas, talvez pertençam à Sociedade de Amigos.[4] Podemos ser hipócritas tanto em um culto informal como em um formal. Temos tantos motivos para nos resguardar de confiar em nossa simplicidade, como os outros têm de se proteger de confiar em formalidades, pois se descansarmos em algo que não seja a obra do Espírito na alma e uma reconciliação real com Deus pelo sangue da expiação — de fato, uma nova criação em nosso coração e uma fé salvadora em Jesus —, não seremos mais beneficiados por ouvir e nos reunir na casa de Deus do que Satanás foi ao se juntar aos filhos de Deus. É algo espiritual. Oh, que tudo nos lembre disso! São em vão seus sacramentos e suas reuniões de qualquer tipo. Se Deus, o Espírito Santo, não está em você, todas essas coisas caem por terra. E observe, mais uma vez, que a presença de Satanás com os filhos de Deus deu a ele a oportunidade de cometer pecados maiores. Tão longe de ser aceito por Deus, ou de ser beneficiado por sua presença, Satanás foi de mal a pior, pois foi aí que ele ousou desafiar a Deus com respeito a seu servo Jó, como também ousou sair pelo mundo para fazer mais mal do que já tinha feito antes.

Temo que haja alguns que se endurecem ao evangelho! Eles ouviram o evangelho até que não se importassem mais. Eles ouviram a pregação da lei

---

[4] Organização cristã iniciada no século XVII. São também denominados Quakers. Apesar de haver hoje várias vertentes, eram conhecidos, principalmente nos primórdios, pela total simplicidade de vida e de seus cultos, os quais eram reuniões sem um dirigente específico em que ficavam em silêncio, buscando e esperando um contato íntimo com a "luz interior" e um direcionamento de Deus.

até que não houvesse mais terror nela. O bom Rowland Hill[5] costumava dizer que eles são como o cachorro do ferreiro que vai dormir sob a bigorna de seu mestre, embora as faíscas voem sobre ele. Eles aprenderam a dormir quando as próprias faíscas da perdição caem sobre si. Não importa como o evangelho seja apresentado, eles não podem ser despertados. E você sabe que essas pessoas muitas vezes se tornam a matéria-prima para fazer a pior das pessoas. Quando o diabo quis fazer um Judas, ele foi obrigado a tomar um apóstolo como matéria-prima, pois você sempre pode fazer o pior daquilo que é semelhante ao melhor. Aqueles homens que não possuem nem mesmo um centímetro de virtude, por assim dizer, estão preparados para ir cada vez mais longe em todos os tipos de vícios. Eu acho que alguns não conseguiriam pecar como pecam se não estivessem bem familiarizados com sua obrigação; mas eles conseguem agora, tendo uma consciência sensível, pecar muito contra a consciência. Tendo luz, eles pecam muito contra a luz. Sabendo muito de Deus, eles são capazes de enfrentar esse conhecimento e desafiar Deus mais do que outros.

Ó queridos ouvintes, alguns de vocês estão se tornando piores? Estou pregando para alguns de vocês que já estão no inferno? Estou balançando seus berços a fim de embalá-los no sono eterno? É assim depois de todo o cuidado que tomamos para tornar o discurso acessível ao seu entendimento? Depois de tudo, só os tornamos herdeiros mais aptos da ira porque continuam a desprezar a mensagem? Hesito em vir e falar neste púlpito quando penso em alguns de vocês, pois estou desesperado com vocês. Temo que, afinal, vocês nunca sejam levados a Cristo. Vocês permanecerão como estão, e tudo o que poderei fazer será aumentar sua condenação. Deus os livre por sua infinita misericórdia! Contudo tenho certeza de que se houver qualquer pessoa contra quem as desgraças que nosso Senhor pronunciou sobre Cafarnaum e Betsaida cairão com uma vingança sete vezes pior, serão essas pessoas que foram claramente avisadas de seus pecados com palavras que nunca foram moderadas, e foram sinceramente direcionadas a Cristo, e foram novamente ordenadas em nome de Deus a se arrependerem e a se voltarem para o Salvador para que possam encontrar a salvação. Bem, esse primeiro ponto está solenemente claro. Isso prova que,

---

[5] Professor e reformista britânico do início do século XIX.

mesmo que Satanás acompanhasse a reunião, o mero ajuntamento com o povo de Deus não era nada; mas como sua adoração não foi aceita, visto que não o beneficiou, e até lhe deu a oportunidade de ser ainda um transgressor maior, assim pode ser com alguns que frequentam os pátios da casa do Senhor.

II

Agora, em segundo lugar, um outro tópico. Nosso texto nos ensina que as melhores reuniões dos santos não estão livres de pessoas más. Os filhos de Deus reuniram-se, "e Satanás também veio com eles". O que isso nos ensina?

Primeiro, que não devemos deixar a reunião dos santos só porque pessoas indignas estão ali. Acredito que seja uma observação prática que pode ser útil para alguns presentes. Por exemplo, eu soube que uma pessoa disse na Ceia do Senhor: "Eu não posso me sentar ali, porque, em meu julgamento, permitiram a tal pessoa sentar-se quando ela não é digna". Agora, caro amigo, seu procedimento está claro. Se você está ciente de algo errado com um membro da igreja — lastimavelmente errado —, existem as autoridades eclesiásticas adequadas a quem, não em espírito de fofoca, mas em um espírito de amor justo pela pureza da congregação, você deve comunicar esse fato. Contudo você mesmo não é infalível e, portanto, pode acontecer que tenha julgado mal essa pessoa, e sua responsabilidade cessará quando você fizer o que acredita ser seu dever nessa questão. Se, então, para aqueles que estão à frente da igreja parecer que não se trata de uma falta como você pensa que é, ou que não está provada, ou se eles pensam que não é uma falta pela qual deveriam excluir a pessoa, você não tem mais nada a ver com isso. É sua função vir à Ceia do Senhor e observar seu mandamento, não importando quem esteja lá; pois, acredite em mim, se você nunca vem a uma Ceia do Senhor a menos que tenha certeza de que todos lá são perfeitos, acho que você deveria parar de vir, se não por outra razão, a não ser por esta: você mesmo não é perfeito. Você será uma pessoa indigna e, portanto, não conseguirá cumprir essa regra. Lembre-se da última ceia. Nosso Senhor estava lá com os doze apóstolos, mas um deles era um demônio. Não me atrevo a esperar que tenhamos uma proporção maior de verdadeiros santos do que a que Cristo teve entre seus apóstolos. Não gostaria de dizer que acredito que um em cada doze pessoas que professam ser cristãs se tornará como Judas, mas eu ficaria muito feliz se não pensasse que seria mais de uma em doze. Não cabe a nós julgar, mas há muitas coisas que nos levam a suspeitar com justiça; e, portanto, visto que Pedro, Tiago e João não se levantaram da mesa e disseram: "Mestre, tu disseste que um de nós aqui é um demônio, então não vamos mais nos sentar com ele", mas como eles continuaram lá, e utilizando o aviso que Ele lhes tinha dado de outra maneira, eu diria a você, querido irmão, querida irmã: venha e encontre-se com seu Mestre e celebre a festa, mesmo que você sinta que há alguém que não deveria estar ali.

E então, novamente, vendo que em cada reunião há alguma pessoa indigna, use o relato de como os apóstolos fizeram. Examine-se para ver se você é uma pessoa indigna. Se um de vocês for um demônio, todos devem dizer: "Sou eu, Senhor?"; pois não há nada melhor do que sempre pegar os pontos de censura e cautela e usá-los para nós mesmos. Oh! E pensar que deveria haver aqui uma confraria do povo de Deus; porém, alguns de nós devem ser hipócritas! Não podemos olhar para a tribuna e dizer: "Vejo alguém lá que penso ser assim". Olhe para si mesmo e diga: "Senhor, sou eu?" Pense que devemos nos reunir ao redor da mesa para comemorar a morte de nosso Salvador, e que deve ser moralmente certo que haja algumas pessoas que são como o diabo é! Eu imploro que você não comece a dizer: "Temo que meu próximo, fulano de tal, possa ser uma dessas pessoas". Como está sua alma? Experimente o seu próprio ouro. Teste sua própria prata; e mesmo que você tenha certeza disso, pode muito bem deixar esses assuntos para seu Mestre.

E você não acha, mais uma vez, que o fato de que em cada santa reunião haverá alguma pessoa má deveria nos fazer ansiar por aquelas reuniões abençoadas lá em cima, nas quais Satanás não pode ir, e as quais qualquer pessoa má jamais invadirá? Temos de andar com cautela aqui, pois pode haver algum olhar maldoso fixo em nós, até mesmo nestes recintos sagrados da casa de Deus, onde agimos como filhos conhecidos e não nos protegemos; mas lá em cima não haverá um olho de Judas para detectar nossas inconsistências, e não teremos inconsistências a serem detectadas. Não haverá ninguém para suspeitar e imputar motivos errados; não haverá ninguém para nos acusar de pecados dos quais não temos culpa. Estaremos verdadeiramente livres e limpos de toda contaminação quando formos autorizados a esticar nossas asas e voar para aquelas abençoadas reuniões, onde nos sentiremos eternamente em casa.

Só isso sobre o segundo tópico.

III

Agora um terceiro e mais importante ponto: você descobrirá que sempre que os filhos de Deus desejam se aproximar de Deus, Satanás estará entre eles. Acredito que seja assim com cada indivíduo. Minha experiência me leva a observar que, se algum dia eu desejar orar com mais fervor do que em outras ocasiões, sinto a tentação ser mais forte naquela época específica. Estou moralmente certo de que, se eu quiser ficar sozinho, o diabo mandará alguém bater à minha porta, a quem devo ver; ou se ele não fizer isso, e eu conseguir um tempo para mim, então ele entrará sem bater, trazendo todos os tipos de pensamentos à minha mente, fazendo-me inseguro com lembranças de alguns pecados antigos; trazendo diante de mim, talvez, episódios curiosos e incisivos dos quais eu preferiria não me lembrar de forma alguma, pois são injustos e me fazem lembrar o que eu gostaria de esquecer e esquecer o que desejo lembrar. Você nunca sentiu, quando estava voando para o Trono da Graça, seu rosto totalmente irradiado pelo Sol Eterno, desejando apenas ver a luz divina e voar direto para a plenitude de seu resplendor, e como se tivesse ouvido um murmúrio ao seu lado, virou-se e viu algo como o ruflo das asas de um dragão em pleno voo? Parece que irá perturbá-lo e vir bem diante de você, e apagar a visão da presença de Deus de seus olhos, e, quando você estiver mais perto de Deus, entrará em conflito com você ali? Quando o povo de Deus — os filhos de Deus — veio perante o Senhor, Satanás veio também entre eles.

E essa é uma lição para aqueles que estão procurando se chegar a Deus pela primeira vez — vocês com as consciências perturbadas que desejam a reconciliação —, pecadores despertos que desejam que seu Pai se prenda em seus pescoços, e os beije, e apague seus pecados. Agora que você está tentando se aproximar de Deus, é muito provável que esteja sujeito a tentações que nunca conheceu antes. Possivelmente você será atormentado por pensamentos blasfemos. Muitos são. E você descobrirá que o pecado está mais ativo em você do que nunca. Satanás sabe que é "agora ou nunca" em relação a você. Ele tem medo de perdê-lo e por isso mobiliza todas as suas forças. Acho que ouço o Príncipe da Trevas dizer aos espíritos que o cercam: "Esvaziem suas aljavas sobre aquele homem. Não o poupem. Ele começa a nos abandonar. Ele nos deixará e se desviará dos prazeres do pecado para seguir nosso inimigo, Cristo. Agora, digam a ele que Cristo não o receberá. Digam a ele que seus pecados são muitos. Lembrem-no de suas antigas transgressões; perfurem-no com suas lanças farpadas; coloquem veneno em todo o seu sangue. Atormentem-no; façam-no, se puderem, suicidar-se ou abster-se de ouvir o evangelho. Não deixem Cristo possui-lo. Mantenham-no longe de Deus". Quando o povo do Senhor vai a Ele com penitência, buscando misericórdia, então Satanás se apresenta e fica à espreita a fim de destruir o povo de Deus.

Mantendo, entretanto, estritamente o assunto: sempre que nossas reuniões acontecem, irmãos, vocês não percebem que Satanás também vem entre nós? Ele virá com o ministro; entrará no escritório dele, irá como ministro ao púlpito e o incitará a dizer aquelas coisas que impressionam — a colocá-las em uma linguagem muito bonita; e Satanás insinuará, assim que as palavras forem ditas: "Quão bem você colocou esse ponto — incomumente bem!" Ou ele dirá: "Você foi muito fiel às pessoas sobre aquele tópico, agora. Você está fazendo seu trabalho extremamente bem". Raramente o pregador quer realmente ouvir que fez bem seu trabalho. Se há alguém que, estando atrás dele, lhe dê tapinhas nas costas com condescendência e diga a ele: "Muito bem! Muito bem!", é uma outra voz, diferente daquela que dirá "Muito bem!" no final. Enquanto isso, se Satanás está ocupado no púlpito, ele também está ocupado no banco. Ele não fez um de vocês se lembrar daquela criança doente em casa? Quando havia algo que poderia ser benéfico para você, ele trouxe à sua mente onde você deixou as chaves quando veio à igreja. Mil pequenas coisas virão exatamente quando você não as quiser.

Não posso, é claro, deixar de mencionar que Satanás é um especialista em conduzir as pessoas a pensamentos perturbadores que as impedem de adorar a Deus. E eu soube que ele vai e fica à porta da frente, e, se ele puder, cria alguns problemas para você chegar ao assento e quando você chegar lá, acontece algo que o deixará desconfortável e irritado. E então, quando a palavra estiver sendo pregada, ele virá e insinuará dúvidas sobre isso e sobre aquilo. Se houver uma promessa excelente, no momento em que você espera saboreá-la, ele a arrancará de entre seus dentes e a tirará antes que você possa se alimentar dela. E se acontecer de haver uma palavra de repreensão, ele lhe dirá que ela não se refere a você, pois você está acima de tudo isso e não necessita receber uma palavra como essa; ou ele vai até mesmo fazer você se rebelar contra a Palavra quando ela entrar em você, como se, no final das contas, o pregador não devesse se intrometer na sua vida e falar abertamente à sua consciência.

Oh, essas são as maneiras pelas quais Satanás estragará nossos melhores cultos! Ele está sempre ocupado, e eu acredito que onde há o melhor alimento espiritual e Deus alimenta melhor seus filhos, aí o diabo será mais ativo. Quando há um sermão muito agradável, formal e elegante, que é muito bem recebido pelas pessoas, ainda que o diabo esteja descendo a rua, ele nunca vai até lá. Ele sabe que não haverá dano causado por aquilo. Contudo se há um pregador fervoroso, o Diabo diz: "Eu devo parar minha carruagem aqui", em seguida ele empenha todas as suas forças para ver se de alguma forma pode estragar a adoração do povo de Deus e impedir a vinda do evangelho com poder aos corações. Vigiem, queridos irmãos, vigiem e orem e resistam a ele, pois ele fugirá de vocês. E que nos empenhemos em nunca vir a esta igreja, o Tabernáculo Metropolitano, por uma questão de formalidade, em nunca ir embora satisfeitos a menos que tenhamos visto Jesus, a menos que tenhamos banhado nossas almas no céu e o orvalho do Senhor esteja em nossas testas.

Deve ser uma péssima noite de domingo para nós quando sentimos que não adoramos e não nos alimentamos do alimento espiritual; e se houver um domingo em que você não se tornou bom e também não se comportou bem, você deve sentir: "Bem, eu poderia lamentar ter perdido não um dia como Fulano perdeu, mas um dia de *shabbat*, o que é dez vezes pior". Que coisa terrível é ter *shabbats* estéreis, formais. Que o Senhor nos salve desse grande desastre! Satanás virá e fará todas essas coisas se puder; mas que o Espírito de Deus venha também, e Ele em breve colocará Satanás em fuga, e nós adoraremos a Deus em sua força.

Agora, se Satanás entra em uma reunião de santos, podemos esperar que ele venha a uma reunião mista como esta, na qual há santos e pecadores também;

e se houver uma palavra no sermão que provavelmente será benção para um pecador, Satanás certamente distrairá sua atenção se puder. Já lhes contei várias vezes sobre aquele garotinho simples que costumava se inclinar para a frente e colocar a mão no ouvido para captar cada palavra que o ministro dizia. Sua mãe lhe disse: "Por que você é tão atencioso?" "Porque, mamãe", disse ele, "o ministro uma vez disse que se houvesse uma frase no sermão que tivesse uma bênção para nós, Satanás certamente, se pudesse, impediria que prestássemos atenção nela; e estou ansioso para não perder uma frase, para que Deus me abençoe".

Oh, que haja ouvintes assim! Amados, não haveria medo de conversões se nossas congregações fossem compostas por pessoas que buscassem a bênção, que pegassem cada frase como um cacho da videira e pisasse nela com os pés ansiosos para obter o vinho e pudessem bebê-lo e ficar satisfeitas. O Senhor nos dê a sensação de que, visto que o inimigo desviará a nossa atenção se puder, nós ouviremos e prestaremos atenção em como ouvimos.

Então, eu sei que ele comete muitos males ao insinuar críticas ao pregador. Muitos vêm apenas por esse mesmo motivo. Bem, eles vão comparar um pregador com outro pregador. "Paulo, veja, ele é muito argumentativo, mas não tem a genialidade de Apolo; e Apolo, bem, ele é um retórico. Cefas é de quem eu gosto, o rude, simples e direto Cefas." E outro diz: "Olha, Cefas é quase grosseiro. Prefiro Apolo. Ele é o homem em quem confio". Contudo é assim que devemos ouvir a Palavra de Deus?

Bem, como George Herbert[6] disse: "Não julgue o pregador; ele é o seu juiz". Se há algo no ministério de Deus, não deve ser olhado, examinado e virado como se fosse uma obra de arte. Senhores, não me importo com o que vocês pensam sobre o cabo da minha espada. Eu quero golpear suas almas, cortar e ferir com ela; e certamente falhei totalmente em fazer isso quando você é capaz de pensar sobre o estilo do sermão. Quando alguém diz: "Esse foi um sermão notável", o pregador pode concluir que foi um sermão perdido; foi um sermão inútil; pois só será notável para Deus o que afetar as consciências dos homens. Oh! Quão ocupado Satanás está em envolver os homens com as

---

[6] Poeta e ministro galês da Igreja Anglicana do início do século XVII. (N. do T)

sutilezas de frases, quando, em vez disso, deveriam estar olhando para o sentido espiritual e recebendo mansamente a Palavra de Deus.

Assim, Satanás domina a grande arte de desviar a atenção das pessoas da Palavra de Deus quando ela é pregada. Quando a semente foi espalhada no solo pedregoso, as aves do céu a encontraram e levaram embora. Oh, aves do céu! Sim, quando você descer os degraus do Tabernáculo, haverá uma dessas aves do céu esperando por você. Você fará uma caminhada noturna e, em seguida, o bate-papo tirará qualquer impressão que possa ter sido produzida em sua mente. Muitas vezes, assim que alguém cruza a soleira da porta, são sugeridos tópicos para uma conversa que efetivamente tira da memória qualquer coisa boa que possa ter sido ouvida. Eu acredito que esse seja um dos artifícios de Satanás, e que ele vem às nossas reuniões para ver de que maneira ele pode destruir com mais eficiência o poder da Palavra nos corações dos homens.

Irmãos e irmãs, orem por nós. Se este inimigo está tão empenhado, mais ainda precisamos do espírito gracioso para estar sempre trabalhando para tornar a verdade "o poder de Deus para a salvação".

IV

E agora, por último, Satanás veio com o povo de Deus, mas ele nunca foi mais semelhante a Satanás do que era até então; e assim encerramos com esta observação: existe a possibilidade de haver no meio do povo de Deus aqueles que desenvolverão sua índole maligna tanto mais terrivelmente por causa de sua associação com o culto e com o evangelho. Satanás imediatamente começou a criticar um dos melhores servos de Deus; e muitos que se juntam à reunião dos santos se divertem destruindo a índole do povo de Deus, e se não conseguem encontrar na índole algo que possa atacar, geralmente atribuem motivos ou fazem suposições sobre o que essas pessoas seriam se estivessem em uma posição diferente. Oh, não se reúna com o povo de Deus apenas para se opor a ele! Aquele que toca nele, toca na menina dos olhos de Deus. Se aquele for um homem mau, é preferível deixá-lo em paz a prejudicar a índole de um verdadeiro filho de Deus. Toque no filho de alguém e você verá a ira surgindo no rosto dele. Ele poderia ter perdoado um golpe em si mesmo, mas não um golpe em seu filho — sua ira será dura contra você, se você o provocar.

Nunca, eu lhe peço, venha ao meio da reunião e, sentado ali, entregue-se a pensamentos duros, amargos e cruéis contra aqueles que buscam seguir seu Mestre. Satanás era terrivelmente maldoso, pois mesmo depois de acusar Jó, saiu para persegui-lo e atormentá-lo. Oro para que o marido não volte para casa esta noite para ridicularizar a esposa, como sempre fez. Você pode ir para o inferno muito bem e com muita certeza, sem pressa, por causa da sua persegui-ção; pois se qualquer homem deseja tornar sua destruição infalivelmente certa, e ser expulso da presença de Deus sem sombra de dúvida, ele só precisa come-çar a perseguir seus filhos ou sua esposa, ou seu amigo, porque eles seguem ao Senhor. Ora, se você não quer ir para o céu, deixe as outras pessoas ir. De que adianta ser um estraga prazeres? Deixe que eles ajam como quiser, e você aja como quiser também. Por conseguinte, você, como um homem de formali-dades, deve opor-se à liberdade deles? E como um homem de bom senso e um homem de decência, por que você deveria tentar persegui-los? Falo assim porque sei que há alguns que têm de lidar muito severamente com as coisas cruéis que são ditas sobre eles e contra eles quando chegam a suas casas. Satanás também veio entre os santos e veio para lhes fazer o mal. Fazer isso é o sufi-ciente para Satanás. Que nenhum de nós imite Satanás, a fim de não cair em sua condenação eterna.

E agora eu os despeço, mas não antes de declarar novamente, pela milésima vez, o caminho simples da salvação. Quem nesta audiência deseja ser recon-ciliado com Deus, quem deseja o perdão de seus pecados, este é o caminho da salvação para que você encerre sua carreira de pecado, se arrependa de sua transgressão e então ouça esta palavra, que é a palavra do evangelho de Deus — "Quem crer e for batizado será salvo". Acreditar é confiar; e se você quer saber em que confiar, ouça estas palavras. "Ouvi, e a vossa alma viverá." Cristo, o Filho de Deus, tornou-se homem, e como homem sofreu e morreu na cruz. Nele foram colocados os pecados de todos os que creem nele, e Ele foi punido pelos pecados deles, para que Deus fosse justo e ainda pudesse receber aque-les por quem Jesus morreu — todos os que acreditam em Jesus, o Salvador; "Porque Deus amou tanto o mundo, que deu o seu Filho unigênito, para que todo aquele que nele crê não pereça, mas tenha a vida eterna" (João 3.16). Se você confia em Cristo, então saiba que seu pecado está perdoado, pois foi colocado em Cristo; sua iniquidade foi eliminada, pois Cristo a eliminou por meio de sua morte. Você está perdoado e salvo. Siga seu caminho e alegre-se com esse evangelho.

Queira o Senhor que muitos de vocês esta noite busquem misericórdia por meio de Jesus; não demorem ou procrastinem, mas busquem e encontrem agora perdão por meio do precioso sangue de nosso Senhor redentor! Amém!

17

FAZER-SE DE TOLO

*Enquanto o teu servo estava ocupado de uma e
de outra parte, o homem desapareceu.*
(1Reis 20.40)

FOI a desculpa que o homem nessa parábola profética deu. Foi-lhe confiado um prisioneiro de grande importância. Disseram-lhe para cuidar dele e que, se permitisse que o prisioneiro morresse, o homem pagaria com sua vida. Ele aceitou a responsabilidade, foi colocado na comitiva do rei para cuidar do prisioneiro, mas, com a desculpa de que tinha outras coisas para fazer, permitiu que ele escapasse. Ele estava ocupado de uma e de outra parte, e eis que o prisioneiro desapareceu.

Suponho que alguém deva ter um motivo muito forte para não ter uma desculpa. Somos, a maioria de nós, especialistas em criar desculpas e levamos isso para a religião. Ali, se acontecer de estarmos sem Deus e sem Cristo, criamos em nosso próprio favor uma estratégia vital. Muitas pessoas se desculpam com a mesma alegação obsoleta que temos agora diante de nós — eles estão tão ocupados, eles têm muito o que fazer; e um dia desses, quando vierem a falecer, espero que digam que estiveram ocupados aqui e ali, e enquanto se ocupavam, de um jeito ou de outro perderam a alma. Bem, essa desculpa é muito comum, e pretendo, brevemente, tentar lidar com ela esta noite.

I

Em primeiro lugar, observemos que dizer-se ocupado é uma desculpa que um certo tipo de pessoas não poderia dar em sã consciência. Os jovens, por exemplo, não podem dizer que estão pressionados com o trabalho e, portanto, não podem pensar em uma eternidade ou buscar a reconciliação com Deus. Você ainda não tem trabalho; você não está cercado pelas mil preocupações que seus pais declaram ter; tudo o que você deseja lhe é fornecido. Você tem certas atividades que ocupam uma parte do seu tempo — pelo menos eu espero que sim —, pois seria uma situação muito infeliz para você ficar sem nada para fazer, e seus amigos devem ser muito imprudentes se eles estão expondo você a essa tentação; mas ainda assim, você não tem tanto a fazer que possa, mesmo de modo descarado, dizer que você não tem tempo para orar, não tem tempo para ler a Palavra de Deus, não tem tempo para uma reflexão séria, não tem tempo para arrependimento nem tempo para a fé.

Queridos jovens amigos, vocês estarão ocupados daqui a pouco. Talvez alguns de vocês estejam prestes a iniciar um negócio por conta própria. Não é uma sugestão que o seu bom senso confirme que agora, agora, o grande negócio da vida deve ser resolvido? Você não tem uma promessa especial de que aqueles que buscam a Deus com persistência o encontrarão? Não perca isso ao adiar a busca de seu Salvador. Não é a manhã frequentemente o melhor momento para reflexões sérias, quando o orvalho, ainda, não foi varrido do gramado, e a fumaça ainda não se acumulou no céu? E assim é a manhã da vida uma época doce e justa para vir e se entregar ao Salvador. Ouvimos muitos lamentos de que as pessoas vieram a Cristo muito tarde, mas nenhuma vez ouvimos dizer que alguém se lamentou de ter vindo a Ele muito cedo.

> Salvar-nos-á de mil armadilhas
> Ocuparmo-nos da religião ainda jovens.

Falo aqui por experiência própria, por isso espero ter ainda mais peso em minhas súplicas com vocês. Apenas quando eu tinha cerca de dezesseis anos de idade, comecei a pregar a Cristo Jesus, mas antes disso confessei minha fé nele por meio do batismo — exatamente quando eu tinha quinze anos de idade. Eu gostaria que pudesse ter sido muitos anos antes; mas presto meu testemunho de que Ele é um bom Mestre, que seu serviço é bom e seu salário é bom, e Ele é o melhor de tudo. Posso ter o privilégio de, esta noite, ser o instrumento para persuadir alguns jovens corações a dizer: "Nós, também, daremos nossa alma a Jesus, com receio de que, na vida após a morte, nossos pensamentos sejam sufocados em meio a mil cuidados indesejáveis e preocupações mundanas. Nós daremos nossos corações a Jesus agora mesmo".Veja, se não fizerem isso, vocês não podem alegar a desculpa de que estavam tão ocupados, pois por enquanto, pelo menos, vocês têm tempo.

Nem mesmo alguns, cujas atividades são leves, podem dizer isso. Existem pessoas que se encontram em tal condição agora — não tantas quanto eu poderia desejar —, pessoas cujas horas de trabalho não são terrivelmente longas, e cujas atividades em si não absorvem tanto suas mentes a ponto de que não possam pensar. Há muitos homens que podem realizar seu comércio com suas mãos, e ainda assim seu coração pode estar no céu. Nós conhecemos muitos deles. Existem trabalhos manuais que deixam a alma livre enquanto as mãos estão ocupadas. Eu garanto a vocês que há cada vez menos destes.A corrida pelos negócios do mundo se torna cada vez mais forte dia após dia e, como uma catarata poderosa, carrega as mentes dos homens com ela; mas alguns de vocês têm boas pausas, intervalos e períodos de reflexão. Principalmente, vocês têm seus *shabbats*, seus dias descanso; e aquelas doces noites de descanso que alguns de vocês têm quando deveriam se preparar para o dia sagrado; e, em seguida, o longo *shabbat*, desde o primeiro amanhecer até depois que o sol se põe. Oh, estes são os momentos em que o mundo está fechado, silencioso, parado, quando certamente o seu espírito deveria dizer: "Eu me levantarei e irei ao meu Pai". Deus nos deu essa pausa do trabalho para que não possamos dizer que nunca temos um intervalo para pensar nele. Ele marca e separa esses dias de descanso não somente para si, mas para nós mesmos, para que neles possamos encontrar nosso bem mais rico, possamos negociar com os céus e fazer o grande negócio que nos tornará ricos para a eternidade. Alguns de vocês, então, não poderiam dizer que estão tão ocupados que não têm tempo para pensar em suas almas.

E me dirijo esta noite, eu sei, a algumas pessoas que ainda não são convertidas e que não poderiam dizer isso por outro motivo. Deus os poupou até uma idade considerável, e eles largaram os negócios e se aposentaram. Amados amigos, vocês costumavam reconhecer que, quando chegassem a esse momento, vocês o separariam para uma reflexão séria.Vocês têm de ser muito gratos por terem sido poupados para ver esse tempo, pois poderiam ter sido eliminados como muitos outros. Quantas vezes, agora, nestes últimos trinta anos, enquanto estavam trabalhando, vocês ouviram dizer: "Fulano se foi" e "Sicrano se foi"? Por que, se vocês pensarem por um minuto, as pessoas com quem vocês negociavam, quando começaram no princípio, onde estão agora? Com exceção de alguns poucos como vocês que foram poupados, elas se foram e agora há novos nomes em seu livro-razão[1] e em seu livro diário.[2] Bem, vocês foram poupados pela misericórdia de Deus para se aposentar e se livrar da maior parte de sua labuta e turbulência; e ainda assim, vocês estão vivendo uma vida sem oração e sem reflexão. Oh! Eu poderia chorar por alguém como vocês, porque vocês realmente viram uma misericórdia tão maravilhosa. Quando vocês refletem sobre como foram poupados e sobre a maneira notável com que Deus os favoreceu nos negócios e agora lhes deu esta oportunidade tranquila naquele seu retiro para pensar nele, ainda assim estão decididos a perecer? Estão determinados a se perderem? Acaso fizeram uma aliança com a morte e com Satanás de que você perecerá, apesar de tudo o que a providência de Deus pode fazer por vocês? Oh! Espero que não seja assim. E se for assim, minha oração será que o Espírito de Deus venha e anule sua aliança com a morte e quebre sua aliança com o inferno; caso contrário não poderão dizer na eternidade: "Bom Mestre, eu estava tão apressado que não conseguia me arrepender; fui tão levado a isso que não pude buscar tua face; não tive tempo de conhecer o evangelho, porque tive que me dedicar muito ao meu trabalho com muita fadiga. Eu nunca descansei". Ora, aquela sua pequena casa de campo se levantará contra você, e estes dias calmos no outono de sua vida o acusarão por ter sido um transgressor intencional contra o amor infinito e a misericórdia soberana de seu Deus. Assim, os jovens, os velhos e as pessoas que se encontram em circunstâncias nas quais estão livres do trabalho árduo serão totalmente incapazes de dar uma desculpa como essa, embora eu não deva me admirar, tal é a impudência do coração humano, para que até mesmo eles possam se arriscar nisso.

---

[1] Registros de uma empresa com todas as contas contábeis e suas movimentações como um índice.

[2] Registros contabilísticos de uma empresa de modo cronológico.

II

Agora eu passo para a segunda observação — aqueles que apresentam essa desculpa, e pensam que podem muito bem fazê-lo, devem lembrar que ela não é válida. Vou tentar mostrar isso. Você diz que está muito ocupado. Minha primeira resposta é: Por que você estava tão ocupado? Qual foi a razão disso? Você estava tão ocupado porque tinha tal e tal quantidade de dinheiro para ganhar; mas por que você precisava ganhar tanto dinheiro? Não entendo que seja uma questão muito importante, já que deve haver uma enorme quantia de imposto sobre transmissão de seus bens. Não me parece, apesar de que possa parecer para você, que exista um empreendimento tão maravilhoso a ponto de você se perder e ser condenado por ele, e dizerem de você: "Ele morreu valendo uma fortuna incalculável". Para mim, parece uma ninharia, uma coisa ridícula que só mostra o quão tolo o homem deve ter sido para ter jogado fora sua melhor porção e sua felicidade eterna para pagar muito mais para o tesouro público, tirado de seus herdeiros quando ele veio a falecer. Existem outras maneiras de se obter a receita do país sem buscá-la na desgraça das almas imortais, certamente.

Oh! Contudo você diz não estar ocupado em ganhar dinheiro; você está ocupado com estudos científicos. Certamente uma busca um tanto mais nobre; mas é realmente necessário sabermos um pouco mais à custa de sua alma? O que você descobriu? Algo muito notável? Você classificou besouros, não é? Você organizou samambaias; mapeou um rio em algum lugar; estudou a lei das tempestades; criou uma nova máquina, trouxe à tona outra descoberta capaz de economizar trabalho duro e promover a economia doméstica. Muito bem. Somos muito gratos a você; mas foi para isso que você foi enviado ao mundo? Você foi criado com esse propósito? E, tendo feito isso, se sua alma está perdida, havia absolutamente alguma necessidade de o mundo obter uma nova máquina que deveria ser manchada de vermelho vivo do sangue de uma alma para sempre? Poderíamos ter esperado um pouco. Se isso tivesse sido colocado na parte humanista da humanidade, ela não gostaria de ter a melhor invenção às custas de um único espírito imortal. Não havia necessidade, então — e eu acredito nisso —, de você ter estado tão ocupado, mesmo que a desculpa seja verdadeira.

Contudo você diz: "Ah! Mas no meu caso, era absolutamente necessário que eu lutasse por isso, para sustentar a mim mesmo e a um pequeno grupo de crianças". Oh! Eu sei como alguns são pressionados; e é doloroso quando vemos homens trabalhando desde manhã cedo até tarde da noite, sem nenhum tempo para o aperfeiçoamento mental ou para o pensamento espiritual. Eu costumava ser assim. Não acho que seja tanto agora, nem nunca mais será assim. Espero que não, mas pode haver casos em que ainda seja assim e, em caso afirmativo, deixe-me lembrá-lo de que ter encontrado um Salvador não teria tornado mais difícil encontrar o pão que perece. O fato de você ter entregado seu coração a Cristo, de fato, teria o aliviado muito de tanta preocupação. Você então sentiria que tinha um Pai para cuidar de você — um Pai cujo cuidado com pardais e corvos seria uma garantia de que Ele também cuidaria de você. Ora, sua labuta teria sido mais leve. Pode ter lhe custado tantos músculos, mas não teria lhe custado tanto descontentamento e desgaste do coração; e esta é a principal coisa que exaure o homem — o desgaste de sua alma. Ó você, homem trabalhador! Se você tivesse amado seu Deus, você teria trabalhado com música em vez de com gemidos. Se você tivesse pensado que Cristo era seu amigo, você teria labutado alegremente, como Ele, e, portanto, o jugo teria sido mais leve em seu pescoço. Desse modo, não é uma desculpa, mas antes um apelo a você, por causa de seu trabalho, para vir a Ele, pois Ele disse: "Vinde a mim, todos os que estais cansados e sobrecarregados, e eu vos aliviarei" (Mateus 11.28).

Agora deixe-me dizer isso: você diz que estava tão ocupado que não conseguia se dedicar à religião. Você não teve tempo para cuidar das outras coisas necessárias? Não vejo muitos de vocês nas ruas normalmente sem seus casacos ou sem seus vestidos. Você tem tempo para se vestir. Então, tenho certeza de que Deus também lhe deu tempo para vestir o manto de justiça. Às vezes você come rápido suas refeições, mas ainda assim as faz. Há o desjejum e o jantar; e não posso acreditar que Deus nos deu tempo para comer o pão que perece, mas não nos deu tempo para comer o pão da vida. Todos vocês geralmente vão para suas camas em algum momento ou outro, e dormem; alguns dormem até que bastante, e se cortassem um pouco do sono pela sua consagração, seria bom para vocês; não ficariam mais cansados por isso. Mas vocês realmente dormem, e aqueles que têm tanto tempo para dormir, certamente terão tempo para as coisas de Deus. Permita-me ainda acrescentar: acho que, neste país e nesta cidade, a maioria das pessoas tem tempo para o lazer. De uma forma ou de outra, elas sairão para passear de vez em quando — e eu não tiraria isso delas; elas têm momentos em que se divertem —, eu não as culpo; mas não dizem que não têm tempo e estão muito ocupados para pensar em Deus e em suas próprias almas? É uma mentira descarada quando alguém diz que encontra tempo para se divertir e se alegrar, mas não pode encontrar tempo para orar e buscar o Senhor.

Além disso, embora alguns de vocês não podem seus próprios jardins, ocasionalmente vocês encontram tempo para podar de seus vizinhos, sim, e para podar as flores, bem como as ervas daninhas deles. Encontramos pessoas que estão ocupadas demais para serem salvas, mas não estão ocupadas demais para detectar falhas no caráter dos cristãos. Elas quebram suas cabeças sobre predestinação e livre-arbítrio; elas não se importam de ficar tentando solucionar algum problema que o arcanjo Gabriel não poderia resolver e conjecturam sobre isso; mas para a simples verdade — "Creia e viva" —, elas não têm tempo; elas estão ocupadas demais para abandonar seus pecados e se voltar para Cristo; mas não estão muito ocupadas para formular especulações políticas, teorias radicais e não sei o que mais. Ó senhores! Acho que essa desculpa não tem o menor fundamento. Ela não se sustenta; portanto, vamos desconsiderá-la. Dificilmente vale a pena lutar contra a desculpa. Ela se rende assim que damos meio golpe. Vou deixá-la. É algo inútil.

III

Vou lembrá-lo agora, em terceiro lugar, que essa é uma desculpa que acusa. É um objeto com lâmina que corta os que que se defendem com ele; pois quando dizem que trabalharam muito e não tiveram tempo para pensar em suas almas, então fica claro que, se trabalharam muito, obtiveram muita misericórdia. Você já deve ter visto uma boa dose da bondade de Deus no decorrer desses muitos anos. Outros foram à falência; você viu muitos náufragos no mar da vida; contudo você escapou. Homem, você já recebeu todas essas misericórdias e nunca agradeceu a Deus por elas? Você diz que está ocupado. Isso significa que Deus lhe deu muito, enviou muito de sua bondade à sua porta. E você nunca retribuiu em louvor ao grande Doador de tudo de bom? "Ah!", você diz, "mas eu também tive muitos problemas". Lá vem você com outro argumento. Você teve tantos problemas e nunca procurou Deus neles? Sim, talvez você o tenha procurado quando estava em apuros; mas, então, por que você se esqueceu dele quando o problema foi resolvido? Como foi que você juntou suas mãos com força em desespero e disse: "Ó Deus! Ajuda-me a sair disso" e, quando foi ajudado, você ainda permaneceu um estranho para Ele? Suas muitas misericórdias e seus muitos problemas estão clamando contra você. Ora, certamente eles deveriam ter atraído ou conduzido você para o seu Deus. Com um vento favorável e uma vela adequada você deveria ter chegado àquele porto, ou, com um vento forte, você deveria ter trabalhado e labutado com todas as suas forças a fim de alcançá-lo. Você tem tido muitos negócios, você diz, e tem estado muito ocupado aqui e ali. Então isso faz parecer que você não é um tolo — parece que você possui um cérebro dentro da sua cabeça e é capaz de pensar. Agora, se você fosse completamente simplório e perdesse sua alma, alguns poderiam dizer: "Pobre tolo, ele não tem juízo"; mas você, senhor, ocupa um lugar de destaque na cidade e investe na bolsa de valores; você sempre se manteve, e sua opinião sempre vale a pena ser ouvida; você é sábio quanto a tudo isso, exceto quanto a sua alma e eternidade? Você é sábio em tudo, exceto no que diz respeito ao julgamento? Você guarda sua tolice para o seu Deus? Você é um homem sábio em todos os lugares, mas se faz de idiota diante da face do Senhor? Se você vive com a porta do céu escancarada diante de você, e não procura entrar por ela, se você tem as feridas expostas de Jesus fluindo com sangue expiatório, e ainda assim nunca busca uma parte na eficácia do perdão que vem delas, você está se fazendo de tolo com a própria negligência — e essa situação culminará em tragédia, a menos que a graça de Deus o impeça de prosseguir com isso. O próprio fato, então, de que você tem estado ocupado aqui e ali é uma desculpa que o acusa. Não mencionarei mais isso para que não aumente sua condenação.

De novo, essa desculpa de que estivemos ocupados demais para pensar nas coisas divinas nos custará terríveis feridas em nossa memória quando morrermos. Não devo nem ao menos tentar, pois sei que nunca teria sucesso em retratar o leito de morte de alguém que com boa saúde, bom julgamento, grandes oportunidades, educação, e assim por diante, gastou todo o seu tempo simplesmente nas coisas que lhe dizem respeito, e então morre sem qualquer preparação para o mundo eterno. De todas as coisas abaixo do céu, essa parece-me a mais monstruosa. Ora, preparar-se para a morada eterna pode muito bem se tornar uma busca tão cativante que podemos esquecer os negócios urgentes. Eu poderia compreender uma divagação da mente capaz de nos tornar absolutamente tolos quanto aos assuntos comuns do dia a dia se a mente estivesse voltada para algo superior e para preocupações espirituais; mas não consigo compreender essa loucura delirante da humanidade na qual as pessoas parecem estar totalmente abstraídas das coisas espirituais, e extasiadas, e arrebatadas por causa dessas bolhinhas, dessas ninharias, desses brinquedos infantis.

Passei pelo lago Trasimeno uma noite, viajando de Roma, e marquei bem o local, pois é dito que lá, quando os romanos e os cartagineses estavam envolvidos em uma guerra mortal, houve um terremoto terrível que sacudiu o solo sob seus pés, e ergueu o lago em ondas, e agitou as montanhas de ambos os lados, mas os combatentes estavam tão desesperadamente decididos a massacrar uns aos outros que nunca notaram o terremoto e não acreditaram quando foram informados dele no dia seguinte. Parece tão estranho que eles estivessem tão preocupados com isso, não é? E os homens parecem estar tão ocupados com as preocupações desta vida que mesmo que Deus estabelecesse seu trono de julgamento — e isso não interferisse na bolsa de valores, e no mercado de grãos, e no mercado de carvão —, acredito que eles ainda assim continuariam comprando, vendendo e obtendo ganhos; e mesmo que o último raio cruzasse o céu, ainda assim eles estariam tão ocupados com os negócios do momento e da razão que não se assustariam, até que o raio chegasse mais perto de suas próprias almas. Oh, que perversidade da mente é essa! Que Deus nos livre disso. Quando um homem chega a ver como, durante toda a sua vida, ele esteve ocupado com essas coisas e perdeu sua alma, que aparência terá ao olhar para trás! "Eu ganhei algum dinheiro e fiz economias; pelos meus herdeiros, usei o ancinho e a pá. Eu me coloquei em dificuldades financeiras; que tolo eu fui! Por que eu fiz isso? Eu me sacrifiquei financeiramente em favor de ninguém. Lá estava eu acordado de manhã cedo e tarde da noite ainda trabalhando, minha Bíblia coberta de poeira, a Casa de Deus abandonada ou, se eu fosse até ela, ia com muito sono para prestar atenção ao que eu deveria ter ouvido; enquanto isso, nenhuma oração particular, nenhuma limpeza pessoal no sangue de Cristo, nenhuma busca de reconciliação com Deus; e tudo para quê? Apenas para que eu pudesse deixar este monte de dinheiro para aqueles que se esquecerão de mim e provavelmente ficarão felizes com minha morte, já que poderão herdar o que eu juntei com dificuldade. Que tolo fui por viver por aquilo que devo abandonar e por juntar algo inútil que devo renunciar para sempre".

Se eu vivo para Deus, existe algo pelo qual vale a pena viver. Se ilumino um lugar de tristeza, se encorajo o enlutado, se ajudo o órfão e alegro a viúva, se sou o instrumento nas mãos de Deus para ensinar aos jovens o caminho para o céu e guiar errantes ao Salvador, e se minha mão está unida à mão do Eterno, e eu estou descansando no sangue precioso, então o que importa se a morte vier? Contudo se eu vivo apenas para essas coisas que perecem pelo uso...

Ó Morte, ó Morte!
Você sacudirá meus palácios e derrubará minhas torres.
Ó Morte!
Você desceu destruidora, me destruiu, e eu estou destruído,
e isso para todo o sempre.

Senhores, acordem, eu lhes rogo! Que Deus os desperte! Não deem mais essa desculpa, ela certamente rasgará seu coração como uma serpente mordendo seus próprios órgãos vitais. Eu lhes rogo, nunca mais a deem novamente.

IV

E agora, por último, é uma desculpa que não pode, mesmo que pudesse ser provada válida, devolver ao homem aquilo que ele já perdeu. Posso dizer que estava ocupado; posso reclamar enquanto agarro os lençóis do meu leito de morte: "Eu estava ocupado, estava muito ocupado. Deus sabe que estive ocupado da manhã até a noite. Não pude ir à casa de Deus; eu fazia meu livro-razão em um domingo. Eu não conseguia ler minha Bíblia. Eu estava muito ocupado com o livro diário. Eu não podia orar: já tinha de pensar muito em como deveria pagar minhas contas e o que deveria fazer para conseguir um cliente e fazer negócios. Eu era totalmente a favor do que dizia respeito a colocar meu filho em um comércio ou tentar estabelecer um empreendimento juntos. Ó Deus, tu sabes que eu estava tão ocupado!" Sim, mas embora o pobre desgraçado possa expressar essas coisas, isso não lhe devolverá a alma; e quando estiver no inferno, banido da presença de Deus, isso não abrirá os ferrolhos que fecham a porta de ferro; isso não dará uma gota d'água à sua língua ressecada; isso não encurtará a eternidade; isso não matará o verme que nunca morre nem apagará o fogo inextinguível. Não, mas este pensamento — "Eu estava ocupado", "Eu estava ocupado" — só aumentará a inquietação eterna do espírito que não pode conhecer repouso.

Existem certos pássaros em Constantinopla que, dizem, nunca descansam. Eles parecem estar sempre voando, coitadinhos, e o nome comum pelo qual são conhecidos — receio que seja profanamente — por muitos é o de "almas condenadas". E, realmente, se os homens fossem sábios, eles olhariam para a metáfora dos pássaros que nunca descansam. Esses pássaros não devem pousar no mar: mesmo lá, não encontrarão chance de repouso; nem na terra, nem na árvore, nem em qualquer lugar; mas voam sempre em frente, com asas para sempre cansadas, e nunca descansarão. Este me parece o destino das almas ocupadas demais para encontrar descanso em Deus — voar para sempre e sempre, e não descansar, sem ter onde pousar. A pobre pomba de Noé foi puxada por ele para dentro da arca quando ela estava fraca; mas assim que esta vida tiver passado, ó almas que não descansam em Cristo agora, vocês nunca descansarão. Vocês terão apetites que não poderão satisfazer, desejos que não poderão saciar, ambições que nunca poderão atingir. Vocês blasfemarão contra Deus, mas Ele não será blasfemado por vocês; nem seu santo nome será maculado por suas maldições. Vocês desejarão a própria morte, e ela lhes será negada.

Oh, portanto, portanto, herdareis isso? Por que você vai correr esses riscos e se lançar nessa desgraça? "Convertei-vos, convertei-vos dos vossos maus caminhos; por que morreríeis, ó casa de Israel?" (Ezequiel 33.11). Esta noite, seja qual for o seu trabalho, deixe-o de lado até que sua alma seja salva. Eu diria que o compromisso mais urgente deve dar lugar a isso. Devo me tornar um amigo de Deus; devo ser lavado do pecado; devo ser livrado de descer ao poço. Oh! Não importa quais são meus compromissos: se estou escorregando em um precipício e há uma chance de escapar, devo escapar, com compromisso ou sem compromisso. Se eu acidentalmente tomei veneno, não importa se me convocam para o trabalho naquele momento. Eu não posso ir. Devo tomar o antídoto primeiro e ter minha vida preservada. A necessidade não tem lei, e a severa necessidade de almas serem salvas exige que tudo e qualquer coisa seja posta de lado e seja tirada da sua frente para dar lugar à solene consideração e ao fervoroso pensamento a respeito das coisas de Deus.

Eu já fiz isso, mas eu gostaria de ter a oportunidade de falar essas palavras cara a cara e no coração de cada pessoa não convertida. É um dos meus pesares não poder falar individualmente a tantos; ainda assim, de bom grado, me colocaria em cada uma das portas mais longínquas, se eu fosse divisível, e diria a cada homem negligente atarefado, a cada dona de casa imprudente: eu imploro que você deixe outras coisas terem seu lugar — seu lugar certo; mas deixe Deus ter o primeiro lugar; deixe Cristo ter o primeiro lugar; deixe sua alma ter o primeiro lugar; e não terás de dizer: "Enquanto eu estava ocupado aqui e ali, minha alma se foi e eu me perdi".

Deus os salve! Amém!

18

ABRINDO OS DEPÓSITOS DA GRAÇA

José abriu todos os depósitos.
(Gênesis 41.56)

TALVEZ a história de José seja, para muitas pessoas, a narrativa mais interessante de todo o Antigo Testamento.

A história de José está cheia de imagens atraentes. Poetas, pintores, escritores de todos os tipos se deleitaram com as cenas incomparáveis que ela apresenta. Talvez ela seja especialmente encantadora para nós, cristãos, porque José é um tipo proeminente de nosso Senhor Jesus Cristo. Vemos ao longo da vida de José traços que lembram a história de Jesus de Nazaré, seja no calabouço ou no trono, seja rejeitado por seus irmãos ou recebendo-os em seu coração, ou reinando no Egito para o bem deles e provendo todas as suas necessidades. Não é preciso engenhosidade — na verdade, é uma questão muito simples — para se dizer: "Nisso José é semelhante a Jesus, e nisto, e naquilo; e em centenas de pontos ele se torna um dos principais tipos do Velho Testamento: o tipo de nosso divino Mestre".

Agora você vê no presente texto que José foi corretamente feito um tipo de Jesus Cristo. Há fome em toda a terra — fome de pão, não vinda do corpo, mas da alma; e eis que Jesus providenciou o necessário para saciar essa fome; e, nestes últimos dias, é uma verdade especial e notável que, assim como José abriu todos os depósitos, Jesus também abriu os ricos tesouros da graça para que as almas famintas de todas as regiões possam vir e comer até se fartar. Este, então, será o tema desta noite — desenvolver um paralelo entre José do Egito abrindo os depósitos, e Jesus, entregando todas as coisas à sua igreja, abrindo seus depósitos para as almas que perecem.

Haverá quatro ou cinco pontos que abordaremos brevemente.

I

O primeiro ponto é este: José foi autorizado pelo rei a fazer o que fez. Quando viu a extraordinária sabedoria do jovem José e o evidente favor de Deus que repousava sobre ele, Faraó o escolheu para realizar seu próprio projeto; e para capacitá-lo a fazê-lo, ele nomeou José vice-rei. José tornou-se o grão-vizir do Egito — devia representar o rei e cuidar de todos os negócios da terra para que, em primeiro lugar, ninguém pudesse se aproximar do Faraó a não ser por José. Quando o povo fazia uma petição ao rei, ele dizia: "Vá a José. O que ele disser a você, faça-o". Não havia como se chegar ao trono, exceto por meio da mediação do primeiro-ministro do rei, o próprio José. Bem, nos dias de hoje, o Senhor Deus não deve ser abordado por nós, exceto por meio de Jesus Cristo. Orações dirigidas imediatamente a Deus, sem o mediador, serão inaceitáveis. Só podemos esperar ter sucesso com o Altíssimo invocando o nome que Ele deu para ser um passe para as cortes da glória, que Ele deu para ser o selo de nossas orações e o compromisso com Ele de que elas são aceitáveis.

Caro amigo, você está começando a desejar paz com Deus? Você só pode obtê-la por meio do sangue de Jesus Cristo. Você quer se reconciliar com o Pai? Isso deve acontecer por meio do Filho. Não se entregue a nenhum sentimento que o leve a menosprezar o Senhor Jesus Cristo, pois Deus não receberá quem não recebe seu Filho. "Ninguém chega ao Pai, a não ser por mim" (João 14.6) é a própria Palavra de Cristo; e assim deve ser. Se você não for a Jesus, o Pai não pode — e não irá — aceitar você. Essa é a única forma de acesso. Não há outra. Venha então, eu rogo a você, se você deseja se aproximar do grande Deus e encontrar misericórdia em suas mãos, venha com o nome de Jesus em sua língua e em seu coração.

A ordem do rei, da mesma forma, era que José fosse obedecido em todas as coisas. "Fazei o que ele vos disser" (Gênesis 41.55), diz ele. Agora, é a ordem do grande Rei dos reis que Jesus seja obedecido em todos os aspectos. "Para que ao nome de Jesus se dobre todo joelho dos que estão nos céus, na terra e debaixo da terra, e toda língua confesse que Jesus Cristo é o Senhor, para glória de Deus Pai" (Filipenses 2.10). Gostaria que todo pecador que deseja ter paz com Deus se submetesse ao domínio de Jesus e dissesse em seu coração:

"O que Ele me mandar fazer, pela sua graça capacitadora, estou preparado para fazer. Qualquer que seja a abnegação que Ele rogar de minhas mãos, isso eu me esforçarei por entregar, pois anseio pela salvação por meio do Mediador".

Contudo observe que, no Egito, não havia mais ninguém no poder, exceto o rei e José; assim, não há ninguém designado para interceder entre Deus e o homem, exceto Cristo Jesus, o Homem. Não se deixe enganar por alguém que busca outro mediador. As virgens e os santos não podem ter poder com Deus, pois Ele colocou todo o poder em Cristo. Se Cristo rogar, a intercessão terá sucesso, mas não busque outro meio. E lembre-se de que você não quer mediador algum entre você e Cristo. Por mais simples que seja esta afirmação, muitas vezes é necessário repeti-la: você pode vir a Jesus assim como você é, quem quer que você seja. Os egípcios pobres, necessitados, sedentos e famintos deveriam ir a José. Eles não queriam que nenhum grande homem os apresentasse a José, mas se eles fossem até José, então eles estariam verdadeiramente diante de Faraó. Você deve desejar um mediador entre você e Deus, mas nenhum mediador entre você e Cristo. Sacerdotes, clérigos, ministros — todos eles são totalmente desnecessários quando a questão é se aproximar de Jesus Cristo. Venha a Ele de maneira simples e humilde, assim como você é, e Ele o aceitará, pois Deus o designou para ser uma escada entre a terra e o céu. Ele é o elo secreto entre um pecador necessitado e a total suficiência de Deus. Eis o primeiro paralelo. Assim como José, o Senhor Jesus Cristo, Rei dos reis e Senhor dos senhores, também foi colocado no poder.

II

Em segundo lugar, o texto diz: "José abriu todos os depósitos". O fato é que José havia enchido os depósitos. Ele era o responsável por abri-los, pois tinha sido ele quem os havia enchido.

E José havia enchido todos os depósitos antes de a fome chegar. Glória ao Senhor Jesus! Pois antes da queda de Adão, Ele já havia preparado o caminho para reparar a queda. Antes que o pecado nascesse, ou o Éden tivesse sido destruído pelo sopro da traição, o Senhor Jesus Cristo fez uma aliança com o Pai eterno de que redimiria seu povo da queda, o que não havia acontecido até

230   FÉ, O ALIMENTO DA ALMA

aquele momento. Nessa aliança, por sua promessa, Ele encheu os depósitos. Então veio a plenitude dos tempos, e embora você e eu ainda não tivéssemos nascido, e nosso tempo de fome não tivesse chegado, o Senhor Jesus, por sua vida e morte, encheu todos os depósitos. Que pilhas de graça, que provisões de alimento celestial! Ele reuniu, colhendo não com o suor de seu rosto como nós, mas com o suor de sua própria alma, suando "como gotas de sangue, que caíam no chão" (Lucas 22.44).Vastos celeiros de graça poderosa Ele encheu com cada angústia que seu corpo e sua alma suportaram. O Getsêmani amontoou o pão do céu: o lagar estava cheio. E o calvário pode contar como o corpo que Ele deu para sangrar e morrer se tornou o alimento do mundo, do qual, se um homem comer, viverá para sempre. José encheu os depósitos antes da chegada da fome, e Jesus fez provisão da graça antes de você e eu nascermos — certamente muito antes de termos qualquer ideia de que havia fome na terra.

E então observe que José encheu os depósitos o suficiente para durar sete anos. Ele colheu tanto trigo que deixou de prestar contas dele. Alguns dos vastos depósitos ainda permanecem no Egito, e temos nos túmulos do Egito representações dos grandes celeiros subterrâneos que José construiu. Eram tão numerosos que José não conseguia contar. Ó amado! Jesus concedeu aos filhos dos homens tal provisão que está além de qualquer cálculo. Seus celeiros são tão profundos como nossas pobres misérias e ilimitados como nossos pecados. Não apenas há suficiência em Cristo, mas toda suficiência. Não há medição, pois não há limite. Quando o próprio Deus assume a carne humana, sangra e morre, o mérito dessa paixão santa não deve ser registrado em números ou concebido pela razão. Portanto, pobres almas necessitadas, por mais vorazes que sejam seus apetites, vocês nunca esgotarão o estoque de graça soberana que Cristo reservou para vocês.

Só Ele fez isso. Quando a fome chegou de forma plena, não havia ninguém em todo o mundo que pudesse alimentar os homens, exceto Jesus. Ele havia enchido os depósitos, e lá estavam eles. E José os mantinha guardados com sua própria chave e tranca. E, observe, há salvação em Cristo, mas não há salvação em nenhum outro. O evangelho de Jesus é divinamente intolerante. Ele não diz:"Há salvação aqui, também ali e ali, pois não almeja a aprovação de ser bondosamente falso". Ele fala a verdade e declara que "ninguém pode lançar outro alicerce, além do que já está posto" (1Coríntios 3.11), Jesus Cristo, o justo. "Quem crer e for batizado será salvo, mas quem não crer será condenado" (Marcos 16.16). Isso é imutável. José sabia que eles deveriam vir e comprar grãos dele, ou morreriam de fome. Eles podiam trabalhar tanto quanto quisessem, mas não adiantava trabalhar onde os salários em dinheiro não compravam um pedaço de pão. Eles podiam cavar, trabalhar e cultivar o solo, mas, como o tempo da fome havia chegado, a terra não lhes renderia nada. Não havia nada para ninguém no mundo conhecido fazer, a não ser descer ao Egito para encontrar José e comprar grãos. E tal é a fome que se abateu sobre toda a humanidade, que não havia nenhuma possibilidade de obter sua salvação de forma alguma por seus próprios atos, por seus próprios sentimentos, pela ajuda de sacerdotes, pela realização de várias cerimônias e coisas assim. Você deve ir a Cristo e obter dele o pão ou morrerá tão certo como nasceu. Que o Espírito Santo faça com que as pessoas saibam disso e assim decidam ir a José — a Jesus imediatamente.

III

Isso me leva à terceira observação: José abriu aqueles depósitos que ele havia enchido em tempo oportuno. E aqui vamos notar que Ele havia enchido os depósitos com o propósito de abri-los. Ele não colocou ali uns quilos de trigo para seu próprio sustento e os trancou. Qual era a utilidade de tê-lo velho e mofado para os camundongos e ratos? Ele colocou o trigo com o propósito de retirá-lo novamente. Quando o Senhor Jesus reuniu todos os méritos de sua vida e morte, Ele não o fez para mantê-los sem utilidade. Ele os reuniu com o propósito de salvar pecadores com eles, com o propósito de dá-los. Sempre que você pensar em Jesus Cristo e tiver alta consideração por Ele, querido coração, diga a si mesmo: "Tudo isso é para pecadores necessitados". Não há nada em Cristo para Ele mesmo. É tudo para você e para mim e outros como nós. Se formos culpados, a fonte que Ele encheu é para nos lavar. Se estivermos nus, esse manto de justiça foi criado para nos vestir. Vou ser muito claro: não há nenhum quilo de trigo no celeiro de Cristo que não seja destinado para as almas famintas comerem. Você só tem de vir buscá-lo e pegá-lo, pois Ele o colocou ali com o propósito de dá-lo para pessoas como você.

Agora, se José tivesse ficado com os grãos, não teria sido mérito dele. Seu lucro e sua honra consistiam em pôr fora o trigo que ele havia recolhido. Se o tivesse guardado nos celeiros, de que adiantaria recolhê-lo senão para zombar e insultar o povo? A honra e a glória de Jesus Cristo nunca residem em negar a misericórdia aos pecadores, mas em dá-la aos que precisam. Como você deve entender isso, você que percebe sua necessidade de Cristo! Acho que isso deve animá-lo muito. "Ó Senhor Jesus! Se tu me negares a tua graça, isso não te fará mais feliz, nem mais rico, nem mais honrado. Pelo contrário, se me deres a tua graça, serei grandemente beneficiado, mas tu serás honrado. Será para tua glória distribuir o que reuniste com o propósito de nos dar". Esse não é um bom raciocínio — um argumento sólido? Esteja certo de que alguém como José pretende distribuir o que recolhe, e esteja certo de que alguém como Jesus pretende distribuir entre as almas pobres e necessitadas aquela graça rica e gratuita que por sua vida e morte Ele armazenou com tal propósito para eles. Paralelamente há muito encorajamento para aqueles que buscam o Senhor.

Observe novamente que José abriu os depósitos quando a fome era forte na terra. Ele não os abriu durante os sete anos de abundância. Se as pessoas pudessem vir e ter o trigo, então elas o teriam desperdiçado. Ele manteve a porta fechada até que houvesse necessidade de abri-la e então a abriu. Se houver alguém aqui que é extremamente bom, justo, excelente e pode chegar ao céu por suas próprias obras, o celeiro não está aberto. Não há nada para você. Mas se houver uma pobre alma aqui que não tem nada em que confiar — nem boas obras, nem bom ânimo —, se você sentir que está totalmente perdido, por sua natureza e por sua conduta, então os celeiros estão abertos. A fome está em sua terra. E assim como José, Jesus Cristo também abriu todos os depósitos. Alma faminta, as promessas e as bênção da aliança são para você. Apenas comprove sua necessidade, e você comprovará seu direito, pois não pode haver nenhuma outra necessidade, nenhum outro direito para a pobre alma, exceto sua própria e terrível necessidade. Os avisos de José não foram dados até que todos os grãos tivessem sido comidos. Então ele fez o povo saber que eles poderiam vir e comprar dele. Jesus Cristo anuncia seu evangelho para todas as criaturas, e o assunto é: "Vinde a mim, todos os que estais cansados e sobrecarregados, e eu vos aliviarei" (Mateus 11.28). Vocês que conhecem a sua necessidade — vocês pecadores, vocês perdidos, vocês arruinados —, é a vocês que o convite mais urgente é feito. Venham e sejam aceitos por Jesus Cristo!

Agora, quando José abriu os depósitos, ele os manteve abertos. Enquanto duraram os sete anos, também duraram os celeiros; eles nunca se esgotaram. Que misericórdia para os filhos de Deus os quais têm sido seu povo por vinte anos! Os celeiros ainda estão abertos. Você tem graça? Ele dá mais graça — graça sobre graça. Ele o abençoou? Ele o abençoará duas vezes mais. Você foi capacitado para ser forte? Ele o tornará mais forte. Ele nunca fecha o celeiro enquanto há uma alma faminta para alimentar. Queridos santos, se algum de vocês esta noite está sem recursos, vocês não estão sem recursos nele. Venham e sejam aceitos; venham e tirem tudo o que puder dos grandes armazéns da graça.

Mais uma vez: esses celeiros estavam por todo o Egito. Nilo acima, Nilo abaixo, em todo lugar onde havia uma cidade, havia celeiros. Onde as pessoas moravam, havia depósitos. Que bênção é essa que, onde quer que haja um pecador, Cristo está acessível? Você vai encontrá-lo. Você, trabalhador, o encontrará se levantar os olhos para Ele no escritório. Você vai encontrá-lo, pobre doente, quando estiver no hospital; quando estiver deitado na cama na qual espera deitar em breve. Você o encontrará, querida mãe, em casa com os pequeninos. Cristo está perto de você. Você pode encontrá-lo ali. E vocês que andam pelas ruas, vocês que são vigias da noite, vocês que mal têm uma casa para chamar de sua, aonde quer que vocês vão, vocês o encontrarão lá. E eu diria ao prisioneiro que está deitado em sua cela na prisão — sim, e àquele que está na cela do condenado: Jesus pode ser encontrado até mesmo aí. Onde há fome, há celeiro; e onde quer que você esteja necessitado e faminto, não diga: "Quem subirá ao céu? (isto é, para fazer Cristo descer) ou: Quem descerá ao abismo? (isto é, para fazer Cristo subir dentre os mortos)". Ele está "perto de ti, na tua boca e no teu coração" (Romanos 10.6). Porque, se com a tua boca confessar Jesus como Senhor, e em seu coração crer que Deus o ressuscitou dentre os mortos, será salvo. Assim, José abriu todos os depósitos.

Contudo não me surpreenderia, queridos amigos, se o tipo falhasse se olhássemos de perto, porque José, muito provavelmente, só abria os celeiros durante algumas horas do dia; e se você se atrasasse, ficaria sem refeição. Agora, nosso Senhor abre todos os depósitos em todos os momentos. De manhã à noite — quando você é jovem e quando você é velho — não há um único minuto da existência de uma pessoa no qual, caso busque ao Senhor, Ele não será encontrado. Os depósitos estão sempre abertos até o último instante. Sim, e se uma alma buscar ao Senhor no final — buscando-o sinceramente —, Ele ainda será encontrado.

> Enquanto a lâmpada permanece a queimar,
> O pecador mais vil pode retornar.

E, retornando, ele ainda encontrará o bom Deus pronto para recebê-lo. José abriu todos os depósitos, mas não conseguia mantê-los sempre abertos. Ele tinha seus horários; e se os mantivesse sempre abertos, suponho que, quando a multidão se reunisse para fazer a refeição matinal (se fosse algo como as lojas de Paris), quando as pessoas fossem ser servidas, cada uma com sua porção, haveria bastante empurra-empurra e aperto, e muitas pobres mulheres seriam empurradas contra a parede e voltariam para casa sem nada; mas não é assim com Jesus. Ele abriu todos os depósitos para que os mais pobres, os mais fracos, os mais trêmulos e desconhecidos sejam servidos assim que Ele chegasse. Sem medo de uma multidão muito grande. Ele tem o suficiente para todos os que vierem e tem um caminho aberto desde os confins da terra para todos os que se aproximam dele.

IV

Isso me leva a fazer a quarta observação: "José abriu todos os depósitos"; isto é, ele os abriu para todos os que viessem. José estava de olho em seus irmãos. Ele disse: "Deus enviou-me adiante de vós, para vos conservar" (Genesis 45.7). Sim, existe uma eleição da graça, mas, ao mesmo tempo, José serviu a todos que vieram, pois assim lemos: "Vinha ao Egito gente de todas as terras para comprar de José, porque a fome prevalecia em todas as terras" (Gênesis 41.57). E o Senhor Jesus tem um povo por quem derramou seu precioso sangue, por quem toda a obra da graça é realizada por completo; mas, apesar de tudo, é igualmente verdade que todo aquele que vier será recebido, não importa a terra de onde venha. Aqui há duas verdades. Nem todo mundo vai acreditar em duas verdades que parecem um pouco diferentes, mas aqui estão as duas na Bíblia: "Todo aquele que o Pai me dá virá a mim". Aí está a graça soberana. "De modo algum rejeitarei quem vem a mim" (João 6.37). Aí estão a liberdade e a riqueza da Palavra de Deus dirigida a cada um que vem a Ele. Agora, alguns chegaram a José depois de muitos quilômetros pelos desertos, além do mar; José, no entanto, não perguntou de onde eles vieram. Eles podem ter os grãos. Comércio livre. E então alguns de vocês podem vir de lugares muito distantes para Cristo. Possivelmente você tem uma índole vil. Possivelmente você pode ter pecado de tal forma que, se sua história fosse escrita, seus próprios amigos ficariam envergonhados de tê-lo como amigo. Mas se você quiser achegar-se a Cristo, Ele não fará perguntas, mas "[apagará] as tuas transgressões como a névoa, e os teus pecados, como a nuvem" (Isaías 44.22), e os alimentará com o pão do céu.

Alguns, entretanto, chegaram a José vindos das redondezas. Sem dúvida, eles tinham, comparativamente, um curto caminho pela frente, mas, se eles não tivessem vindo por aquele curto caminho, teriam perecido. Portanto, vocês que estão perto do reino, cuidado para não morrerem perto do reino. O povo do Egito precisava obter os grãos de José, assim como o povo de Canaã e da Arábia. Teria sido uma coisa horrível para eles morrer de fome com todos aqueles grandes depósitos repletos de grãos; e ainda assim teriam feito isso se tivessem se recusado a ir até José. Vocês, pessoas nesta igreja, no Tabernáculo Metropolitano, que ouvem o evangelho continuamente, se morrerem, serão como os egípcios que viviam ao lado de um celeiro, mas estavam famintos, se é que existiam. Eu deveria supor que não haveria tal, mas existem tais espiritualmente. O pão da vida está na mesa perante eles todos os dias, e ainda assim eles estão morrendo de fome porque rejeitam os desígnios do Senhor. Repito, José abriu os celeiros para todos os que chegavam; e Cristo abriu as portas da salvação para todos os tipos de pessoas, de todas as cores, idiomas e índoles.

Nenhum é excluído daqui senão aqueles
que se autoexcluem.
Bem-vindo, ao erudito e ao educado,
ao ignorante e ao rude.

Enquanto a graça é oferecida ao príncipe,
os pobres podem ficar com sua parte.
Nenhum mortal tem a justa pretensão
de perecer em desespero.

José abriu todos os depósitos, e Cristo também. Nunca lemos sobre alguém que José tenha mandado embora de mãos vazias; e você certamente nunca ouvirá falar de alguém que Cristo tenha dispensado de mãos vazias.

No entanto, o paralelo não é completo, porque José, embora abrisse os depósitos, não doou seu trigo. Não. Aqueles que desejam obter trigo devem trazer dinheiro consigo. Eles não poderiam obtê-lo sem dinheiro; e você sabe que, depois que todo o dinheiro foi gasto, eles ofereceram suas terras; e quando o penhor foi totalmente consumido, os egípcios pobres se ofereceram para se tornarem escravos de Faraó. Assim, eles tiveram de ser alimentados durante o resto do tempo.

Agora, nosso Senhor Jesus Cristo não faz negociações como o filho de Jacó fez, mas Ele dá sem dinheiro e sem preço. Não posso culpar José, porque muito provavelmente se ele tivesse continuado a alimentar as pessoas sem que pagassem pela comida, elas nunca mais teriam trabalhado. Ao final dos sete anos, eles ainda desejariam ser alimentados da mesma maneira. José teria corrompido todas as pessoas. Como foi feito, eles estavam prontos para trabalhar, pois uma parte do acordo era que teriam sementes de grãos assim que os anos de fome terminassem, cada homem pretendendo voltar para sua terra e trabalhar como os egípcios fariam. Bem, o Senhor Jesus age com outro princípio. Rowland Hill costumava dizer: "Sabe, nós, ministros que temos Cristo para apresentar a vocês, somos muito diferentes dos outros negociantes, os quais têm dificuldade em fazer as pessoas chegarem ao preço exigido. Nosso problema é fazer vocês descerem ao nosso preço, pois nossa oferta é 'sem dinheiro e sem custo'". No momento em que você prega Jesus Cristo, o pecador começa a se apalpar para ver se ele não tem dez centavos de mérito em algum lugar, e quando descobre que não tem, coloca a mão no outro bolso para ver se não consegue encontrar pelo menos cinco centavos de boas impressões. Quando ele não tateia nada parecido ali, ele começa a remexer no colete para ver se não tem pelo menos um centavo de alguma coisa ou outra que possa recomendá-lo. Agora, enquanto ele fizer isso, não poderá negociar com Cristo. As exigências de Cristo são não ter nenhuma exigência: tudo por nada. Esta é a negociação de Cristo: todas as coisas são dadas gratuitamente à pessoa que, com uma mão vazia e um coração humilde, simplesmente as aceitará. Ó alma! Não lhe pediram para ser, fazer ou sentir nada, mas simplesmente para deixar Jesus ser, fazer e sentir tudo, e ser para você tudo em tudo, seu Alfa e seu Ômega, sua completa salvação. O que você diz? Você está disposto? Se disser: "Sim, de bom grado ficarei feliz em tê-lo assim"; confie nele, e assim será.

V

Agora, o último ponto de tudo é este: embora José e Jesus, ao distribuírem o pão, agissem de acordo com princípios diferentes, Jesus leva a questão ao mesmo resultado. Antes de José terminar, o faraó tinha tudo em suas mãos — pessoas, terras, casas, tudo. Foi uma jogada comercial fantástica na negociação de grãos, de fato, e ele havia se tornado o dono — o proprietário absoluto — de todo o país. Provavelmente, isso foi bom para as pessoas; elas tinham apenas um proprietário — o próprio rei, a pessoa mais importante; e os pequenos proprietários insignificantes em todo o país, que costumavam explorar o povo até matá-lo, não tinham mais nada para vender. Tudo agora era mantido como terra da coroa por meio de um arrendamento, e o pagamento não era de forma alguma injusto; embora um tanto rigoroso, não era nada próximo ao que se paga em aluguel e impostos naquele país atualmente.

Bem, o Senhor Jesus Cristo age de acordo com um princípio totalmente diferente, mas Ele traz o mesmo resultado. Neste momento, é a alegria de muitos de nós aqui presentes dizer que pertencemos ao Senhor — nosso dinheiro, nossas terras, se as tivermos, e nossa pessoa. Oh! É para nós um intenso deleite que corpo, alma e espírito agora pertençam a Deus. Não desejamos de agora em diante ter um pensamento por nós mesmos, ou dizer uma palavra que não seja para a glória Deus, ou dar um respiro que não seja para Ele; nem desejaríamos ter um fio de cabelo em nossa cabeça que não pertença ao Senhor. "Leva minhas mercadorias, meus talentos, minha pessoa, meu tempo — leva tudo o que eu tenho. Eu os entrego a ti." Não digo que todos os cristãos façam isso. Temo que muitos deles não o façam, mas deveriam; e é a esse ponto que o cristão genuíno deseja chegar. Ele diz:

> Se eu pudesse guardar algum dinheiro,
> E o dever não me chamasse,
> Amo meu Deus com tanto zelo
> Que daria tudo a Ele.

Como chegamos a este ponto, então? Jesus negociou conosco? Amado, nós nos entregamos a Ele porque Ele não negociou — porque Ele disse que seu amor não cobraria nada, pois não tinha preço; porque Ele foi tão generoso e gracioso; porque, da parte dele, Ele deu tudo e nada recebeu. Sentimos que devemos pertencer a Ele, pois o amamos tanto. Oh, aquelas preciosas feridas!

Lembro-me de ter visto certa vez uma pintura de Madalena beijando as feridas sangrentas de Cristo na cruz; e, embora fosse algo medonho, pensei que, se estivesse lá, teria executado a estranha ideia do pintor. Ó pessoa bendita, a própria pessoa do Salvador agonizante! Oh, quão bendito Ele é em Sua glória! E que alegria será vê-lo quando Ele vier; e Ele virá em breve, e todos os olhos o verão. Ó amados, seus corações não queimam dentro de vocês só de pensar em vê-lo? Se de repente Ele aparecesse neste púlpito, haveria algo que você negaria a Ele? Se Ele olhasse para qualquer um de vocês e dissesse: "Com amor eterno te amei" (Jeremias 33.1), haveria alguma dor que você não suportaria? Existe algum sacrifício que você se recusaria a fazer por Ele? Vocês não serão colocados à prova, mas tenho certeza de que muitos de vocês suportariam, fosse o que fosse. Se Ele dissesse: "Minha irmã, esposa, eu pego você pela mão, e assim, eu e você, devemos caminhar para sermos queimados na estaca de Smithfield",[1] você iria com prazer se soubesse que Ele pegou sua mão. "Ó querido, querido Salvador! Tu vales dez mil de nós, e nos entregamos totalmente a ti, de agora em diante, para sempre, pois tu salvaste nossas vidas e nos

---

[1] Lugar de execuções em Londres no período medieval, principalmente de hereges e traidores.

alimentaste com o pão do céu; e a partir de agora não somos de nós mesmos, mas 'fomos comprados por preço' (1Coríntios 6.20).

Esse foi o desenlace da abertura dos depósitos de José. Esse é o desenlace da abertura dos depósitos de Jesus Cristo para você e para mim.

O Senhor abençoe esta palavra por amor de Cristo. Amém!

19

ENQUANTO A LÂMPADA CONTINUA A QUEIMAR

Se pequei, o que devo fazer para ti, ó guarda dos homens?[1]
(Jó 7.20)

PARA defender seu caráter, Jó lutou bem contra as observações injustas de seus amigos. Quando o chamaram de hipócrita, ele não aceitou. Quando o acusaram de estar cometendo algum pecado secreto, ele foi um pouco incisivo em sua própria defesa (como ele, de fato, poderia ser, pois o próprio testemunho de Deus foi que Jó era um homem perfeito e justo).

E como deveria aquele que possuía tal caráter tolerar de bom grado ser despedaçado por seus amigos invejosos? Mas, observe você, quem podia se dar ao luxo de ser tão bravo diante de seus semelhantes e defender seu caráter quando julgado por eles, adotou um tom muito diferente quando veio a tratar com Deus. Então ele foi todo humilde, colocou sua boca no pó e não apresentou autodefesas, mas se apresentou a Deus com uma linguagem de coração quebrantado e com toques de contrição. "Se pequei", disse ele, "o que devo fazer para ti, ó guarda dos homens?"

Não pretendemos, entretanto, falar sobre Jó esta noite. "Mostra-me por que estás em disputa comigo", essas palavras podem muito bem sair da boca de qualquer cristão muito aflito que esteja rogando a Deus, e também da boca de quem, pela luz do Espírito de Deus, começa a descobrir que havia males que desconhecia em seu coração, os quais, pela aflição, pretendia revelá-los para que assim fossem abandonados.

Amados, muitas vezes na vida alguns de nós tiveram de clamar: "Se pequei, o que devo fazer para ti, ó guarda dos homens?"; mas esta manhã eu

---

[1] Seguindo a tradução da Bíblia King James usada por Spurgeon.

transformei meu texto em um sermão para buscar almas, e eu sinto que tenho o mesmo sentimento novamente esta noite, como se eu pudesse deixar os santos para cuidar dos ímpios, deixar as noventa e nove no deserto para ir atrás daquela que se extraviou, esquecer as moedas que estão no cofre para acender a vela e varrer a casa mais uma vez a fim de encontrar a moeda que fora perdida. Orem por mim, meus irmãos, para que, se não tive sucesso esta manhã, embora eu tenha certeza de que tive, ainda assim possamos ser duplamente bem-sucedidos esta noite, e que alguns sejam reconciliados com Deus hoje. Não posso suportar a ideia de você indo e vindo continuamente a esta casa em meio a tantas multidões — a menos que se converta; e quando, de vez em quando, sou posto de lado e compelido a ficar em silêncio por um momento, oh, como eu mordo minha língua para não poder pregar a você, e sinto que meu espírito se aflige porque jamais deveria ter desperdiçado qualquer oportunidade. De fato seria um desperdício, a menos que eu me dirigisse aos não convertidos e os advertisse a se apoderarem da vida eterna e escaparem a fim de que não morram para sempre.

Pode ser que não demore muito até que sejamos desobrigados de nos dirigirmos a vocês, e pode ser que não demore muito até que vocês vivam para que alguém se dirija a vocês. Portanto, com profunda preocupação por suas almas, eu falaria novamente para os perdidos. Vamos entregar o sábado a vocês, e considerá-lo bem usado se alguns de vocês forem levados a se curvar diante do Salvador e nele encontrar vida. Nosso texto contém três coisas muito claras: uma confissão — "Se pequei"; uma pergunta — "o que devo fazer para ti"; e um título — "ó guarda dos homens."

I

Há, primeiro, uma confissão — "Pequei".

Agora, observe, quando eu retomo essa confissão, não há nada muito particular nelas. "Pequei." É apenas uma palavra. Qualquer um pode usá-la. O pior dos homens a usou. Saul, o rei que foi rejeitado por Deus para sempre, disse uma vez, sem sinceridade: "Pequei". E você lembra que Judas, o filho da perdição, pegou as moedas pelas quais havia vendido seu Mestre e as jogou no templo e

ENQUANTO A LÂMPADA CONTINUA A QUEIMAR

disse: "Pequei", e foi se enforcar. São só palavras.Você pode se lembrar da oração do publicano, mas não ser justificado como ele. A escrita mais elevada, ou o discurso improvisado mais eloquente que já foi proferido pelos lábios, pode não conter absolutamente nada. Há muitas coisas neste mundo que são como sacos etiquetados, mas que não contêm os produtos que pretendiam conter; e qual é o valor deles? Há muitos manequins nas lojas, e talvez ninguém perceba que são apenas bonecos; mas, oh, existem milhares de orações que são apenas aparência! Os manequins são exatamente como essas orações — são as mesmas palavras, palavra por palavra, que o melhor dos homens usaria nas orações mais aceitáveis; mas, apesar de tudo, são apenas aparência. Não conseguimos aprender muito, então, com a única palavra desta confissão, a menos que você olhe mais profundamente e observe o sentido espiritual dela; isso eu pude aprender com ela. "Pequei." Foi uma confissão aceitável, mas muito curta. Portanto, deduzo que o comprimento das palavras nunca será o necessário para uma verdadeira confissão de pecado. Dizemos "curto e grosso", mas deixe-me alterar esse ditado: "curta e amarga seja a confissão" — amarga com verdadeiro arrependimento e tão curta quanto você quiser que seja. Muitas palavras raramente estão ligadas a muito sentimento.As orações muitas vezes podem ser medidas, mas devem ser medidas ao contrário. Quanto mais longas, frequentemente, piores, e quanto mais verdadeiras, frequentemente, mais breves. "Pequei."

Agora, não há ninguém aqui que possa justificar-se dizendo: "Não posso ir a Deus e orar; não posso ir e me confessar porque não sou um orador". Orar não requer oratória. Ora, senhores, se ninguém além de oradores pudess ser salvo, onde muitos estariam? Para onde iriam os membros da Câmara dos Comuns?[2] Aonde muitos daqueles homens iriam, os que falam, mas não têm o poder de fazer nada além de cansar pessoas com suas longas sentenças? Não, Deus não quer retórica. Ele quer apenas que você diga o que sente e abra seu coração assim como as pessoas derramam água. Como ela borbulha e gorgoleja enquanto avança! Bem, deixe que seja assim; deixe-a fazer muito barulho, ou nenhum barulho: não importa. E então deixe o coração sair pela boca dessa

---

[2] Designação da Câmara dos Deputados da Inglaterra. É formada por políticos do povo eleitos, em contraste com a Câmara dos Lordes, que possui membros da realeza não eleitos.

maneira: essa é a melhor oração em todo o mundo. Grite, se quiser. Ninguém, portanto, pode ser desculpado por falta de expressão.

Agora, vamos pensar sobre essa oração de Jó; e a primeira observação sobre ela será que era muito pessoal. "Pequei." Oh, como é fácil participar de uma "confissão geral"[3] e, então, sentir: "Oh, sim, eu acabei de confessar agora o que todos os outros na igreja confessaram também, então não sou particularmente ruim". Contudo a pessoa que realmente confessa é a que diz: "Não importa o que os outros possam ter feito, eu pequei". O amor dá desculpas para os outros, mas a sinceridade não dá desculpas para si mesma. Posso ver as imperfeições do meu próximo, mas fecharei meus olhos para elas o máximo que puder. Desejo contemplar minhas próprias imperfeições com ambos os olhos firmemente, de modo a vê-las e poder dizer de minha própria alma com ênfase: "Pequei", quer outra pessoa no mundo tenha pecado ou não. "Pequei." Oh! Eu espero que haja algumas pessoas neste Tabernáculo esta noite que, sem serem notadas por ninguém, estejam dizendo em seus corações: "Ah, é verdade! Eu pequei. Se não há mais ninguém na galeria superior que tenha pecado, eu sim. Se não há mais ninguém em qualquer lugar deste prédio que seja transgressor, eu sou um. Eu pequei. Eu pequei". A confissão pessoal é aquela que Deus aceita.

No caso de Jó, novamente, foi uma confissão feita ao Senhor. "Pequei", disse ele àquele Deus a quem chamava de "guarda dos homens". O ponto principal da confissão é sentir que você pecou contra Deus. Muitos homens lamentam por ter ofendido seu vizinho, mas nunca se arrependeram por ter ofendido seu Deus. É curioso que, se eu chamo um homem de pecador, ele não fica zangado, mas ele estaria pronto para me derrubar se eu o chamasse de criminoso, porque crime é um delito contra o meu próximo, e nós pensamos muito nisso; mas um pecado é uma ofensa a Deus e, portanto, pensamos muito pouco nele, comparativamente. Não deveria ser assim. Devemos considerar o pecado contra Deus como a forma mais elevada de criminalidade, pois, de fato, o é, e em toda desobediência há um ataque direto à pessoa de Deus. Ouça como Davi diz: "Pequei contra ti, e contra ti somente, e fiz o que é mau diante dos teus olhos" — como

---

[3] Momento em que algumas igrejas (como a Católica e a Anglicana) fazem uma oração comunitária pedindo perdão pelos pecados.

se o pecado, embora fira a outros, ele só atinge o seu pleno veneno ao se converter em uma ofensa ao próprio Deus. Ó pecador, você pode dizer isso? Você negligenciou seu Deus e tem vivido como se Ele não existisse; você desprezou o reinado dele e se esqueceu de sua vontade, violou a sua lei e recusou a sua misericórdia; e é isso que condenará sua alma, a menos você que se arrependa disso. Portanto, em sua confissão, certifique-se de ir a Deus e dizer: "Meu Deus, meu Pai, pequei contra o céu e contra ti".

Em seguida, a confissão de Jó foi forjada nele pelo Espírito Santo. E isso é necessário à toda confissão verdadeira. "Ninguém pode dizer: Jesus é Senhor! a não ser pelo Espírito Santo" (1Coríntios 12.3). Assim diz a Escritura. E direi uma frase que é tão verdadeira quanto aquela: ninguém pode verdadeiramente dizer "Pequei", a não ser pelo Espírito Santo. A confissão de pecado é tão certamente obra de Deus quanto a criação do mundo. O homem não reconhecerá sua culpa. Ele é orgulhoso, hipócrita. Ele diz: "Quem é o Senhor? E o que é que eu fiz que violei a sua lei? Eu não me importo com Ele". Contudo dizer de dentro da alma: "Eu errei; eu me desencaminhei, meu Deus, eu confesso" — isso é algo que só o Espírito de Deus pode realizar. Oh! Que o Espírito de Deus conceda isso a cada um de vocês! Será um sinal seguro de vida eterna em sua alma.

A confissão de Jó, portanto, foi profundamente sincera e acompanhada de muito sentimento. Acho que posso ver o rosto do patriarca agora. Ele não derramou uma lágrima por todas as suas perdas. Do rosto daquele homem valente, nem uma única lágrima escorrera, embora ele tivesse visto toda a sua riqueza derreter de repente; mas acho que vejo uma grande lágrima em ambos os olhos quando ele se vira para Deus e diz: "Se pequei, o que devo fazer para ti, ó guarda dos homens?" John Bunyan apropriadamente coloca o Sr. Olhos Úmidos como aquele que levou as petições ao Rei Shaddai quando a cidade de Alma Humana foi sitiada;[4] e embora eu não esteja aqui para falar de lágrimas reais e literais, pois alguns olhos careçam delas, ainda assim, posso supor que não há vida naquele em cuja confissão não há sentimento algum. Se Deus me vivificou, posso pensar que consigo pecar sem me entristecer? Deus me livre de fazer isso. Eu detesto ouvir algumas pessoas falarem sobre seus pecados. Ora, acho que conheci até mesmo

---

[4] Lugares e personagens do livro *A guerra santa*, de John Bunyan.

alguns evangelistas que, falando aos outros sobre seus pecados, falavam do que costumavam fazer como se estivessem quase orgulhosos de terem sido os canalhas que diziam ser antes de se converterem; e falavam sobre seus pecados como os pensionistas de Chelsea[5] podem falar sobre suas batalhas. Oh, Deus nos livre de fazer isso! Sempre que pensarmos no que fomos, coremos, ou então Satanás nos tirou uma coisa muito preciosa, que não é a graça, mas é metade dela, ou seja, a vergonha. Deve haver uma santa vergonha nos cristãos quando eles confessam seus pecados. E se você não cobrir seu rosto e tremer quando você diz a Deus: "Pequei", então certamente sua testa de bronze é marcada para ser um alvo para os raios eternos naquele dia em que Deus virá para vingar a si mesmo de todos os orgulhosos e os de corações resolutos entre os humanos. Sim, a confissão de Jó foi sincera e sentimental.

E vou encerrar dizendo que foi uma confissão de fé, pois, observe, ele diz: "ó guarda dos homens", e, como terei de mostrar a você, esse foi o brilho de luz que veio à mente de Jó. O querido mestre Wilcox[6] diz: "Sempre que você tiver um senso de pecado, olhe para a cruz; e se você vê o seu pecado, mas não vê o seu Salvador, livre-se dessa visão do pecado!" E eu também digo isso. Oh! A coisa certa como pecador é ver Jesus, mas só vê-lo, pode levá-lo ao desespero e ao suicídio, como outro Judas. Ver o pecado e ver o seu Salvador — esse é o verdadeiro arrependimento, o arrependimento evangélico, para o qual não há necessidade de arrependimento. Já ouvi dizer que a música nunca soa tão doce como quando vem sobre a água; e certamente as notas do perdão nunca soam tão doces para uma alma como quando passam pelas torrentes de profunda tristeza da alma. Jesus é precioso quando você o vê através de suas lágrimas. Não conheço nada que dê tanta beleza a Cristo, ou melhor, que dê tanta nitidez aos olhos ao ponto de poder ver a beleza de Cristo, a não ser as lágrimas nos olhos — as lágrimas da confissão do pecado.

Oh! Que façamos, então, esta noite, tal confissão! Alguém diz: "Bem, gostaria de poder confessar meu pecado; isso aliviaria muito meu espírito". Caro

---

[5] Militares reformados que recebem pensão do governo e/ou moram em uma casa de repouso do governo em Chelsea, Londres.

[6] John Wilcox, antigo diretor da faculdade Clare College, da Universidade de Cambridge, Inglaterra. Foi teólogo e sacerdote da Igreja Anglicana.

amigo, vá e confesse seu pecado. "A quem?", você pergunta. Bem, não a mim. Eu tenho mal o suficiente em meu próprio coração, e não preciso acrescentar o seu. Não, a mim não: eu não aguentaria. Não consigo entender como um padre pode fazer de seu ouvido a fossa comum para a paróquia; pois é isso que ele deve fazer. Ele simplesmente absorve em sua própria alma toda a correnteza e esgoto de toda a sua congregação, e, se por causa disso ele não se torna a criatura mais poluída do mundo, é porque ele era assim desde o começo. Deus nos livre de fazer tais confissões. Se você tem algo a confessar sobre o mal que fez aos seus semelhantes, vá e confesse. E, além disso, vá e faça restituição.

Ouvi falar de um ministro do interior que pregou em um celeiro certa noite e, no caminho para casa, alcançou um homem que, aparentemente, não queria a sua companhia; mas ele o fez, e percebeu que o homem tinha algo sob o casaco. Logo eles chegaram a um chalé; o pregador teve de ir por outro caminho, e por fim o homem disse: "Senhor, a verdade é que estou carregando uma pá que peguei emprestada de um vizinho e nunca mais retornei a fim de devolvê-la, e, portanto, praticamente a roubei; mas quando ouvi seu sermão, decidi devolvê-la. Não conseguirei dormir até que ela seja devolvida".

Agora, você deve fazer o mesmo aos seus semelhantes. Se você ofendeu alguém e espera misericórdia, vá e conserte isso. Contudo a confissão do seu coração ainda deve ser feita a Deus. Entre em seu quarto e despeje seus pecados diante de Deus, no ouvido daquele Sumo Sacerdote que não pode ser contaminado pelo que ouve, porque Ele não pode ser contaminado. Ele ouvirá e, mais ainda, lhe dará uma absolvição que vale a pena ter. Ele o purificará efetivamente de todo traço de pecado.

Só isso sobre a confissão.

II

Agora, a segunda parte do nosso tema é um questionamento. Quando uma alma sente seu pecado, ela naturalmente é levada a dizer: "O que devo fazer para ser salvo?"

O texto diz: "O que devo fazer para ti, ó guarda dos homens?" Essas palavras revelam que o questionador estava disposto a fazer qualquer coisa que pudesse. No entanto ele mostrou-se confuso, pois perguntou: "O que devo fazer?", como se ele não soubesse fazer outra coisa a não ser olhar para um lado ou para outro. "O que devo fazer?" Ó alma, se Deus a despertou, mas você não conhece o evangelho, não é de se admirar que esteja como alguém em um labirinto, sem saber para onde ir; e você chorará como aqueles que disseram: "Irmãos, o que faremos para ser salvos?" O texto também sugere que aquele que faz essa pergunta se rendeu à prudência, pois diz: "O que devo fazer?"; isso é a mesma coisa que dizer: "Senhor, não te faço exigências, nem estipulações, nem barganhas. Apenas me salva. Eu pequei. Faz o que quiseres comigo, apenas tem piedade de mim. Senhor, eu desisto. Eu parei de lutar contra ti agora. Diz-me apenas como posso ser reconciliado, e aqui está teu servo. Faz o que quiseres comigo, mas tem piedade da minha alma. O que devo fazer para ti, ó guarda dos homens?"

Agora, tal pergunta pode ser respondida desta forma: "Você não pode fazer nada". É dessa forma que ela pode ser respondida. Não é a resposta completa. Pode e deve ser respondida assim se o significado dela for: "O que devo fazer para escapar de Deus? Eu pequei: para onde devo fugir? Devo me jogar na sepultura e esperar que as insondáveis minas da sombra da morte me escondam? Devo voar além do mar, sobre ondas incontáveis, ou devo, a fim de me esconder, mergulhar no inferno mais profundo, esperando lá escapar de tua ira?" Em vão, em vão, em vão. Você não pode escapar de Deus. Dizia-se dos antigos césares que o mundo todo era apenas uma grande prisão e todos eram prisioneiros de César — pois ele sempre poderia descobrir quem o ofendia. E então todo o universo é apenas uma grande prisão para os pecadores. Deus pode achar você e o fará. Você não pode escapar dele. Oh! Então, deixe a pergunta ficar assim: "O que devo fazer como expiação por meu pecado? Eu devo sofrer para expiá-lo?" Anos de sofrimento não farão expiação por seus pecados. Você pode ficar deitado na cama dura, no hospital, por vinte anos: nenhum pecado será eliminado dessa maneira. Você pode se flagelar, usar cilício[7] e se submeter a inúmeros tormentos, mas nenhum pecado desaparecerá assim. Sua mancha de sangue

---

[7] Vestimenta incômoda feita de material grosso e áspero, usada como forma de penitência.

não sai com lavagem humana alguma. Há apenas um sangue que pode tirar a mancha de sangue do pecado, e é o sangue de Cristo. "O que devo fazer?", pergunta a alma. "Devo guardar os mandamentos?" Se você fizer isso, você só fará o que é seu dever fazer. Pague o que puder, pois tudo é devido; de resto, você não conseguirá cumprir todos os mandamentos; continuará sendo imperfeito e pecador. Com as melhores intenções do mundo, você ainda se perderá. É inútil, portanto, tentar saldar suas dívidas diante de Deus dessa forma. Quando Thomas Oliver, o famoso pregador wesleyano, converteu-se, ele havia sido, anteriormente, um homem muito mau, e muitas vezes roubou seus credores, mas ao se converter, ele começou a trabalhar para pagar a cada um. E ele o fez. Pagou integralmente todas as suas dívidas e viajou muitos quilômetros para pagar, ainda que a quantia fosse mínima, a quem ele devia, só para ficarem quites. Você, no entanto, jamais poderá pagar suas dívidas diante de Deus. Elas são altas demais para qualquer pagamento humano. Lá estão elas; e se você perguntar: "O que posso fazer para livrar-me do meu pecado?", nossa resposta é: "Nada; você não pode fazer nada". E, o melhor de tudo, não há necessidade de você fazê-lo, pois alguém já pagou a dívida; alguém quitou as suas dívidas antes mesmo de você nascer. Cada pessoa que confia em Jesus teve suas dívidas pagas no madeiro ensanguentado do calvário, e o recibo, a fatura da dívida, foi pregada naquela cruz, e está lá agora; pois Cristo, "apagando a escrita de dívida, que nos era contrária e constava contra nós em seus mandamentos, removeu-a do nosso meio, cravando-a na cruz" (Colossenses 2.14); e lá está, libertando seu povo de todas as acusações para sempre. Feliz é o homem que crê em Cristo.

Veja, no entanto, esta pergunta de novo: "O que devo fazer?" Não acho que seja uma resposta completa dizer: "Você não pode fazer nada". O que Pedro disse? "Irmãos, que faremos?" (Atos 2.37), foi a pergunta feita a Pedro. Ele disse, "Pecador, não há nada a fazer, seja o pecado grande ou pequeno"? Não, ele não disse isso. E, no sentido de que já falamos, ele não teria falado uma inverdade se tivesse dito isso; mas ainda assim essa não é a resposta certa. Quando o carcereiro filipense disse a Paulo: "Que preciso fazer para ser salvo?" (Atos 16.30), Paulo não disse: "Absolutamente nada". Não. Havia algo que o homem tinha de fazer, e era isto: "Crê no Senhor Jesus, e tu serás salvo". E Pedro teve uma resposta para a multidão nas ruas. Foi: "Arrependei-vos, e cada um de vós seja batizado" (v. 31). Acho que Pedro deve ter sido um batista. Certamente ele falou de forma mais clara do que alguns que professam pregar o evangelho poderiam fazer.

Então, em resposta à pergunta do pecador: "O que devo fazer para Deus?", nós respondemos: "Vá ao seu Pai e confesse seu pecado. Você não pode fazer menos. Diga que você merece a ira dele. Você sente que merece? Se não, não seja hipócrita. Vá e confesse que violou a lei dele, especialmente por atos de omissão. Abra seu coração. Declare-se culpado. Ponha-se no lugar de réu e diga: "Culpado!" E quando você tiver feito isso, será convidado a se arrepender. Ou seja, deve haver uma total mudança de mentalidade quanto a tudo isso. O pecado que você amou deve ser odiado. Aquilo que lhe deu prazer, agora, deve lhe causar dor; e você deve, pela força de Deus, afastar--se desses pecados e acabar com eles. "Arrependei-vos", disse o apóstolo. E então Paulo disse: "Crê"; e isso, que você já ouviu milhares de vezes, significa "confiar". Confie sua pessoa às mãos de Jesus; confie em Cristo, que foi o sacrifício substituto pelo pecado. Dependa de Cristo. Em seguida é acrescentado: "seja batizado", pois isto, veja bem, é o evangelho: "Pois com o coração é que se crê para a justiça, e com a boca se faz confissão para a salvação" (Romanos 10.10). Você deve confessar Cristo, bem como crer nele. E é dito assim, novamente, "Quem crer e for batizado será salvo". É necessário que haja perante os homens uma declaração pública daquela fé que você tem em seu coração para com Deus. E é algo simples a se fazer, afinal, embora haja alguns que não se interessem em fazê-lo. Sem dúvida, alguns cristãos aqui me dirão para omitir isso; e devo omiti-lo para lhes agradar? Deus me livre! Respondo a alguém superior a vocês; e como Pedro disse: "Arrependei-vos, e cada um de vós seja batizado" (Atos 2.38), também digo o mesmo a cada alma aqui que pergunta pelo caminho da salvação. O Mestre já havia dito: "Quem crer e for batizado será salvo"; portanto, omitir uma única cláusula disso custa a minha alma. Vou expressar isso conforme Ele me ordenou que fosse feito, e pregarei a você assim: "Creia no Senhor Jesus Cristo e seja batizado em reconhecimento desta sua fé, pois deve haver a confissão pública, bem como a confiança secreta em Jesus Cristo".

Agora, isso é o que você deve fazer; mas, de qualquer modo, não há mérito nisso. Não há mérito em crer nem em se arrepender. O mérito está em Jesus. O poder para salvar está na obra do Espírito Santo em sua alma. Mesmo assim, o Espírito Santo não salva ninguém que ainda esteja dormindo, e ninguém é levado ao céu puxado pelas orelhas. Nós nos apresentaremos de livre vontade no dia da batalha do Senhor (Salmos 110.3). O Espírito Santo não se arrepende por nós: Ele não tem nada do que se arrepender. Nós nos arrependemos e Ele nos conduz ao arrependimento. O Espírito Santo não crê em nosso lugar. Por que ele deveria crer? Somos nós que devemos crer; mas Ele opera o ato de crer em nós.

Então, a resposta a esta pergunta, "Pequei. O que devo fazer para ti?", deve ser: "Creia no Senhor Jesus Cristo, e você será salvo".

III

Mas agora, finalmente, temos em nosso texto um título: "ó guarda dos homens."

Os santos anciões estavam acostumados a se dirigir ao Senhor com títulos diferentes e geralmente selecionavam nomes adequados à condição dele. Agora, quando alguém está triste, ele olha para Deus para ver se há algo no caráter ou no proceder dele que lhe dê esperança; e Jó ilumina isto: "Deus é o guarda dos homens".

> Isso quer dizer: "Eu sou um pecador, mas ainda estou vivo".
> Senhor, eu ainda estou vivo?
> Não em tormentos, não no inferno?
> Ainda assim o teu bom Espírito se esforça
> em o principal dos pecadores habitar?

Então, veja, há uma esperança. "Ó tu, que me guardas até hoje, por que tens feito isso? Eu pequei, mas, oh! Eu te suplico, salva-me, pois não me mantiveste vivo para este mesmo propósito? Não está escrito: 'Porque a longanimidade de Deus é a salvação'? Senhor, por tua longanimidade, olha para mim."

Agora, eu sei que estou falando com alguém aqui que naufragou. Por que você não se afogou como os outros? Lembro-me de falar um dia com um oficial que cavalgava no famoso ataque de Balaclava;[8] e depois que ele me falou sobre seus sentimentos enquanto cavalgava até a Boca do Canhão, não pude deixar de dizer a ele: "Meu caro senhor, certamente Deus o salvou, quando as selas foram esvaziadas, porque Ele tinha um olhar de graça soberana sobre você". Ouvi falar de um homem não convertido que viveu nos Estados Unidos até a idade de 93 anos. Ele então se lembrou de um sermão que tinha ouvido cinquenta anos antes; e nesse tempo Deus o abençoou, e ele viveu mais três anos para se regozijar na graça soberana de Deus. Por que ele não morreu antes dos 93 anos? Porque Deus pretendia salvá-lo e o manteve vivo até que o salvou. Deus o manteve vivo, querido amigo. Você escapou da febre. A febre amarela não conseguiu abatê-lo. Naquele hospital, no exterior, você não podia morrer porque o Senhor queria salvá-lo. E Ele o trouxe aqui esta noite, espero, porque, como o guarda dos homens, Ele pretende ouvir suas orações e dar-lhe sua graça em sua alma. Deus conceda que assim seja! De qualquer forma, o homem que foi poupado de muitos perigos tem boas razões para declarar essas palavras, "guarda dos homens", e tirar delas esperança, apelando para a longanimidade de Deus.

E então, você não acha que Jó quis com isso, além do mais, falar da maneira como Deus supre as necessidades diárias da humanidade? Não poderíamos viver sem pão. Não poderíamos existir a menos que tivéssemos nutrientes para nossos corpos. E quem provê essas coisas? Isso é enviado a toda a multidão da raça humana pela boa providência de Deus. Nesse sentido, Deus nos alimenta a todos literalmente, fazendo com que a terra produza suas colheitas. "Ó tu, que alimentas toda a humanidade, e assim a guardas, não darás migalhas de misericórdia a uma pobre alma faminta como eu? Isso não é uma boa súplica? Ó tu, guarda dos homens, tem piedade de mim. Se tu és tão bom até para os ingratos, eu também, uma pobre alma que tem sido ingrata, oro a ti para que me guardes; e eu serei grato a ti para todo o sempre."

E será que Jó não queria dizer que é Deus quem guarda seus santos de irem para a cova e, portanto, ele diz: "Ó tu, Salvador dos homens"? (entenda

---

[8] A batalha de Balaclava foi travada entre o Império Russo e a coligação anglo-franco-otomana em 25 de outubro de 1854, como parte da Guerra da Crimeia.

assim por um momento, pois o sentido será sinônimo). "Eu imploro , tem piedade de mim e me guarda." Nós falamos esta manhã de um homem que disse que, se algum dia fosse salvo, ele seria a maior maravilha em todo o céu, e os anjos marchando até as portas para contemplá-lo viriam e diriam: "Aqui está o homem mais peculiar que já foi salvo". E dissemos que isso traria ainda mais glória a Deus; e nós dizemos isso agora. Se você é um pecador fora do caminho, longe da esperança, e se o Senhor salvá-lo, tanto mais seu nome será famoso por toda a eternidade. E já que Ele salvou dezenas de milhares e milhões de almas que antes estavam tão perdidas quanto você, ora, recorra a Ele como o guarda ou Salvador dos homens, e implore a Ele que o salve.

E agora chego à triste conclusão de que, embora eu tenha tentado apresentar o caminho da salvação diante de vocês, em poucos minutos esta plateia estará toda espalhada ao norte e ao sul, ao leste e ao oeste, e com ela cada palavra que eu disse será dispersa e esquecida também, exceto onde, aqui e ali, o Espírito de Deus terá o prazer de causar uma impressão duradoura. Oro para que seja assim para muitas de suas almas. Ora, há alguns de vocês para os quais estou olhando agora que foram esperançosos dezenas de vezes. Ouvimos sobre o seu despertar; nós o vimos em nossas várias reuniões; ou, se não ouvimos falar, tem sido assim. Você foi agitado repetidas vezes e disse: "Pequei"; mas você nunca foi mais longe. É uma coisa horrível estar no portão do céu e não entrar por ele. Acredito que todas as vezes que alguém quase é levado pela correnteza à costa do mar Morto do pecado, se ele não chegar à costa, humanamente falando, será cada vez menos provável que o faça. Oh! Felizes são os corações que cedo se rendem ao chamado divino; você permanecerá infeliz, no entanto, se ouvir os chamados do amor de Deus esta noite e ainda assim não vier ao seu encontro. Oh! Que Ele o atraia poderosamente, que Ele o leve agora a clamar com um grito extremamente amargo: "Meu Deus! Devo reconciliar-me contigo; eu não posso viver sob a sombra de tua ira. Não posso suportar que tua espada polida paire para sempre sobre minha cabeça. Ó Deus! Perdoa-me antes que eu durma esta noite. Lança sobre mim a palavra de misericórdia. Tem piedade da minha alma culpada".

Ah, querida alma, se você anseia por Deus, pela salvação, você a terá; você a terá; você a terá! Os portões do céu estão sempre abertos para quem sabe bater com força. Se você puder, bata com força, implore e chore. "O reino do céu é tomado à força, e os que se utilizam da força apoderam-se dele" (Mateus 11.12). Deus lhe dê essa força esta noite; e que você possa dizer esta noite: "Pequei, mas estou perdoado. Não posso fazer nada para ti, ó guarda dos homens, mas tu me capacitaste a trazer teu querido Filho diante de ti, e eu faço isso agora, crendo nele, e eu estou salvo". Amém!

20

OS CHAMADOS DO MESTRE

Levantai-vos, vamos sair daqui!
(João 14.31)

VOCÊS hão de lembrar que o Salvador estava sentado à mesa da Páscoa quando celebrou pela primeira vez a ordenança de que, em todos os tempos, devemos nos lembrar dele. Depois da ceia, Ele abriu o coração para o seu povo naquele capítulo memorável que começa com estas palavras consoladoras: "Não se perturbe o vosso coração" (João 14.1); e Ele continuava em um esforço consolador — muito agradável deve ter sido para ao apóstolos, e eu imagino que não menos agradável para o próprio Jesus; pois aquele que faz os outros felizes geralmente gosta de fazê-lo — até que, por assim dizer, tendo falado sobre sua própria obediência a seu Pai, Ele parece interromper seu discurso e dizer: "Vamos imediatamente. Uma grande obra deve ser realizada e um grande sofrimento suportado. Não nos demoremos. Levantem-se, vamos sair daqui".

Se Ele se levantou da mesa ou não, não sabemos. Alguns acham que sim, e que os dois capítulos seguintes retratam o que foi falado no caminho para o jardim do Getsêmani. Mas eu acho isso difícil e, embora não se possa dizer com certeza, a partir do capítulo 18, no primeiro versículo, parece que Ele ainda não havia partido. "Tendo dito isso, Jesus saiu com seus discípulos para o outro lado do ribeiro de Cedrom, onde havia um jardim, e entrou ali com eles."

Além disso, embora tenha sido dito que o capítulo sobre a videira e os ramos (João 15) pode ter sido sugerido pelas vinhas pelas quais o Salvador passou no caminho para o Getsêmani, não me parece que os capítulos que sucedem o capítulo 14 se assemelhem a uma conversa na estrada. Há uma solenidade tão profunda neles, um ar quieto e suave sobre eles, e, além disso, eles são tão profundos e cheios de mistério. Existem frases tão carregadas de significado que não me parecem ser os discursos de alguém que fala enquanto caminha, mas sim as declarações deliberadas que seriam proferidas em um recinto de silêncio e paz. Talvez você nunca tenha experimentado, mas eu já tentei, e sei que pregar ao ar livre é algo bastante diferente de pregar em ambientes fechados; também sei que o que você diria a uma congregação fora do templo ou em uma conversa com amigos na estrada nunca é tão profundo quanto o que você diria a seus próprios conhecidos no silêncio de uma sala. Parece-me que a conjectura de muitos comentadores e expositores está correta. O Salvador aqui parece que vai interromper seu discurso, dizendo: "Vamos sair daqui!" E então, levantando-se, talvez, do lugar de onde tinha falado, Ele sente que ainda há mais a dizer, e, mantendo-se em pé, prossegue dizendo um pouco mais daquelas últimas palavras impressionantes que Ele pretendia proferir antes que fosse tirado dos apóstolos.

No entanto, não é muito importante saber se Ele partiu ou não — qualquer que tenha sido a situação, pouco importa. Essa é uma discussão que já foi abandonada, a propósito; é uma espécie de alternância sagrada de sentido que indica — assim como uma palavra casual às vezes o faz — o que estava acontecendo em seu espírito. Parece muito natural. É a melhor narrativa das inquietações que aconteciam na alma do Salvador.

Parece-me que estas palavras, "Levantai-vos, vamos sair daqui!" (João 14.31), que, no grego original, eram apenas três palavras, podem, em primeiro lugar, ser vistas como a destemida palavra de ordem de nosso Mestre e, em segundo lugar, elas podem ser aceitas como o lema inspirador para seus servos agirem sempre: "Levantai-vos, vamos sair daqui!"

I

Em primeiro lugar, então, elas são a destemida palavra de ordem do Salvador. Nessas palavras, Ele expressou quatro coisas.

Primeiro, Ele expressou seu desejo de obedecer a seu Pai. A sentença anterior a "Levantai-vos, vamos sair daqui!" é: "Mas faço aquilo que o Pai me ordenou, para que o mundo saiba que eu amo o Pai". Ele estava ansioso para fazer a vontade de Seu Pai; mas essa vontade estava para lhe ser revelada no sofrimento. Ó irmãos! Alguns de nós poderiam ir de boa vontade para servir ao Senhor com vitalidade, mas quando se trata de ir e servi-lo com sofrimento, paramos, hesitamos, deliberamos. No entanto não é assim com o Salvador, embora seus sofrimentos devessem ser infinitamente maiores do que qualquer sofrimento que nos sobrevenha.

No jardim, seus sofrimentos extrairiam de seu corpo inteiro um suor de sangue; depois, eles iriam consistir em vergonha, cusparada, crueldade, reprovação, dores da crucificação e na própria morte. Ele sabia, sabia por completo, o que tudo isso significava e, por tudo isso, sem a menor hesitação, Ele diz: "Vamos em frente! Se meu Pai preparou para mim um cálice cheio de amargura e fel, não o beberei?"

E ele não fica sentado até que o cálice seja passado para Ele; antes, Ele vai em direção a ele. Ele não espera até que o cálice seja colocado em seus lábios e os sedimentos sejam drenados à força para sua garganta. Ele não faz isso! Em vez disso Ele se levanta, como se estivesse indo para um triunfo. Ele vai com alegria e boa vontade, para ser obediente até a morte, a morte de cruz, para que possa fazer a vontade de seu Pai. Ó lição incomparável de paciência! Senhor, ajuda-nos a aprender essa lição: "O espírito está pronto, mas a carne é fraca" (Marcos 14.38). Orem a Deus para que ajude até mesmo esta pobre carne a glorificá-lo, se necessário, no caminho do sofrimento.

E por favor, lembrem-se, queridos amigos, de que neste sofrimento, o qual o Salvador estava tão disposto a suportar, por obediência a seu Pai, havia um amargor peculiar. E foi este: seu Pai o abandonaria. Podemos suportar a dor se formos apoiados pela presença de Deus. Mesmo a própria morte não é mais terrível quando Jesus a suaviza com sua presença. Mas, ó amado! Saber que uma parte de nossa provação consistirá em um sentimento de abandono na alma — isso é terrível! Deve ser uma renúncia solene do amor-próprio, uma verdadeira crucificação do espírito, quando podemos abdicar por um tempo não apenas de todas as alegrias terrenas, mas também de todas as alegrias celestiais, se pudermos apenas perseverar até o fim em obediência, sofrendo e realizando toda a justa vontade de Deus. Filho de Deus, se Deus o abençoasse para salvar outros, você estaria disposto a abrir mão do olhar acolhedor de Deus por um mês todo? Você ficaria feliz, se fosse necessário capacitá-lo para instruir outros santos, de ser arrastado pelo mais profundo lodo, ser feito escória de todas as coisas, e durante isso ficasse sem qualquer consolo de Deus? Talvez você possa dizer "sim"; mas se chegasse a esse ponto, você agiria como o Mestre? Você poderia se levantar da ceia e dizer, com serena deliberação: "Vamos para este sofrimento, seja ele qual for. Se o Senhor é glorificado por isso, então 'Marchem em frente!' é a palavra que ouvimos, e para a frente iremos marchar, não importando quão acidentada a estrada possa ser"?

Lembre-se de que está dito no texto que nosso Senhor passou por esses sofrimentos, e especialmente pelo sofrimento específico de ser abandonado por seu Pai, com esta razão: "para que o mundo saiba que eu amo o Pai" (João 14.31). O Homem-Cristo desejava que, sem qualquer dúvida, todos soubessem que Ele amava o Pai. E todo mundo que conhece a história da cruz certamente sabe disso. Nós, amados, sabemos que Ele nos ama; mas, por favor, veja como Ele amava o Pai. Não foi apenas por amor ao homem que Jesus morreu, mas por amor a Deus, para cumprir o propósito do Pai, para satisfazer os anseios do Pai, para honrar a lei do Pai que foi quebrada, para cumprir a justiça do Pai e canalizar plenamente o amor do Pai. Foi por isso que Jesus foi à cruz, e isto o sustentou: "Farei com que todos os homens, anjos e demônios saibam que amo o Pai". Oh! Que possamos ter alguma razão como essa em nosso serviço, que possamos dizer: "O mundo não questionará se eu amo Cristo ou não. Eles o desprezam, mas devem saber que eu o adoro. Eles rejeitaram o seu nome como mau, mas saberão que há alguém que ama cada letra desse nome e está disposto a sacrificar todas as coisas por amor a Cristo". Amados, essa é uma razão gloriosa. Ela sustentou o Salvador: que a mesma razão nos constranja a prosseguir no caminho do sacrifício, para que obedeçamos a Deus e façamos com que todos os homens, sejam santos ou pecadores, saibam que amamos o Pai. A primeira coisa, então, que vemos nesta destemida palavra de ordem de nosso Salvador é seu desejo de obedecer a Deus.

A segunda coisa que vejo é esta — sua prontidão para encontrar o arqui-inimigo. Veja o versículo 30: "Já não falarei muito convosco, porque o príncipe deste mundo está chegando, e ele nada tem em comum comigo". Então, logo depois vem, "Levantai-vos, vamos sair daqui!" O conflito de nosso Senhor com

Satanás no jardim foi muito doloroso. Quem pode se esquecer quão pesada estava sua alma até a morte? E as tentações com as quais Ele foi atacado eram particularmente difíceis. Contudo, visto que sabia que deveria lutar em nosso lugar contra Satanás e vencê-lo, Nosso Senhor não hesitou em lutar. Antigamente, havia soldados, como os soldados persas, que tinham de ser conduzidos para a batalha com chicotes. Eles nunca conquistaram a vitória. Já os bravos soldados espartanos colocavam cada homem em seu lugar nas fileiras com tanto entusiasmo que pareciam estar se preparando para uma cerimônia de casamento. Eles se alegravam em lutar por seu país. Agora, nosso Senhor e Mestre não foi levado ao último conflito, mas veio à frente, como um voluntário, por nossa causa, dizendo: "Levantai-vos, vamos sair daqui!" Só posso compará-lo àquele antigo nazireu, o antigo herói, o filho de Manoá, que, ao atravessar a vinha, ouviu um leão, que rugiu contra ele; e afastando-se de seu pai e de sua mãe, agarrou o leão que pulava e o matou como se o animal fosse um cabrito; e, jogando a carcaça no chão, deixou-a ali cheio de mel, que logo seria o seu deleite. Assim, nosso Salvador deu um passo para dentro daquele jardim do Getsêmani, e lá, em conflito desesperado com o leão da cova, Ele o matou e o deixou vencido ali; e dessa vitória, você e eu, esta noite, colhemos um doce refrigério: do devorador, derrotado e morto, vêm mel e doçura para nossa alma.

E pareceu tão corajoso da parte de nosso Mestre dizer: "Levantai-vos, vamos sair daqui!", como se Ele desse um ou dois passos à frente para encontrar seu adversário. O Filho do Homem não tinha medo do leão da cova. "Levantai-vos, vamos sair daqui!", disse Ele.

Além disso e em terceiro lugar, acho que essa palavra de ordem revelou um desejo intenso de ação no coração do Salvador. Você percebe que Ele está falando àqueles a quem mais amou na terra. Os Onze estavam sentados ao redor dele. Sua grande alma está crescendo dentro de si. Ele tem uma obra a fazer e deseja realizá-la. Então, Ele interrompe a conversa por um momento e diz a eles: "Vamos lá! Levantai-vos, vamos sair daqui!" Ele havia acabado de discorrer sobre o mais doce de todos os assuntos, o dom inestimável do Paráclito, o Consolador prometido. Ele interrompe isso e sente que não é hora de conversar. Disse Ele, "Já não falarei muito convosco, porque o príncipe deste mundo está chegando". Ele queria agir, pois sente a pressão dos eventos sobre ele. Chegou o tempo em que Ele não pode mais usar delicadas palavras de amor, mas deve partir a fim de deter atos de conflito. E Ele também deixou a mesa da comunhão, aquela mesma mesa da qual Ele disse: "Tenho desejado muito comer esta Páscoa convosco, antes do meu sofrimento" (Lucas 22.15). Ele deixou para trás isso e todas as solenidades e relacionamentos. "Levantai-vos", disse Ele, "vamos sair daqui!"

Você já viu alguém que poderia deixar de lado as responsabilidades das ordenanças cristãs e abrir mão dos doces meios de benefícios espirituais abrir mão de tudo para fazer o bem aos outros? Essas pessoas têm algo daquele ânimo que incita o soldado na guerra quando a batalha se aproxima; ao sentir o cheiro da batalha ao longe e ouvir o som das trombetas, ele se agita e espera pelo conflito, com sua alma inquieta dentro dele. Foi assim com Jesus. Com "aquela alegria intransigente que os guerreiros sentem" quando se encontram com "adversários dignos de suas armas",[1] Ele ansiava pela luta e poderia desistir da alegria da comunhão para que pudesse entrar em ação, pois sua alma ardia por dentro quando Ele disse: " Levantai-vos, vamos sair daqui!"

Contudo, mais uma vez, essas palavras indicam um quarto elemento, a saber: seu intenso desejo de realizar nossa redenção. Esse é o ponto que mais nos toca fundo. E se eu disser que até aquele momento seus eleitos não tinham sido redimidos? Muitos deles haviam entrado no céu, mas fora em virtude da previsão do sacrifício que Ele ofereceu; mas suponha que Ele nunca tivesse realizado esse sacrifício? A suposição não ousa ser pensada nem mesmo por um único momento; mas onde estaria a aliança se nunca tivesse sido ratificada? Onde estariam as promessas se os desígnios do Autor da aliança nunca tivessem sido cumpridos? Onde estaria sua esperança e a minha, queridos irmãos e irmãs? Se não tivesse havido sacrifício de sangue, como os pobres pecadores poderiam ter sido purificados do pecado? Onde estaria a expiação para a ira do Todo-poderoso por nossa tremenda culpa? Se me permitem falar, tudo estava em perigo até aquela hora. "Ele fará isso? Ele irá suportar? Será que Ele irá esperar até que possa dizer: 'Está consumado'? Ele suportará a tensão? Ele terá força suficiente? Quando passar entre

---

[1] Citação do poema *The Lady of the Lake* [A dama do lago], de Sir Walter Scott.

as pedras do moinho da ira eterna, Ele sairá como grão puro, a farinha mais fina? Quando Ele for provado e testado, sim, consumido pelo fogo, Ele resistirá até o fim até que toda a sua obra esteja concluída?"

Oh! O Salvador ansiava passar por isso. Ele queria poder dizer de seus queridos filhos: "Eu os redimi das mãos do inimigo". Ele queria poder dizer a respeito de sua esposa: "Paguei suas dívidas como seu remidor; eu resgatei sua herança e a libertei"; e o Homem Jesus, assim como o homem Boaz em Rute, não poderia descansar até que sua esposa fosse toda sua e não houvesse ninguém para reclamá-la, pois Ele a redimiu totalmente. "Levantai-vos", disse Ele, "vamos sair daqui!", como se Ele tivesse dito às ovelhas: "O pastor irá e pagará o preço do resgate por vocês. Deixe-me ir e deixe a espada ser embainhada em meu peito, para que vocês, as ovelhas sob meu cuidado, nunca sejam tocadas por ela. Deixe-me ir e sofrer, para que vocês nunca sofram toda a ira que é devida pelo seu pecado."

Oh! É um grande amor, um grande amor, um amor maravilhoso, que o faz dar um passo à frente com tanto entusiasmo e dizer: "Vamos sair daqui! Vamos redimir meu povo e terminar a obra que Deus Me deu para fazer".

II

Agora, reflitam sobre isso, queridos irmãos e irmãs, quando tiverem tempo; e agora siga-me por um ou dois minutos enquanto uso esta expressão curta como lema inspirador para a igreja em todos os tempos: "Levantai-vos, vamos sair daqui!"

Esse deve ser o lema de todo novo convertido. Dirijo-me a alguns que foram salvos recentemente? Você passou por uma mudança no coração nas últimas semanas. Agora, a primeira coisa que você precisa fazer é deixar o mundo. Em seu ouvido, Cristo fala isso: "Levantai-vos, vamos sair daqui! Saí do meio deles e separai-vos. Não toqueis em nenhuma coisa impura." Isso não significa que você deve sair do mundo, ou que você realmente deve deixar amigos e parentes, mas para se afastar de todos os seus costumes ociosos e pecaminosos, de todas as suas atividades e prazeres — saia deles. Você é um filho de Deus: não aja como os filhos de Satanás agem. Se você seguiu um mau ofício, abandone-o; se você for membro de uma igreja corrupta, deixe-a. Seu procedimento é claro: afaste-se deles e venha imediatamente e siga seu Senhor Cristo fora do acampamento, suportando sua reprovação: "Levantai-vos, vamos sair daqui!", disse Ele.

Mas você já se converteu há algum tempo? Você já trilhou o caminho onde os cristãos caminham com Cristo? Carregue sua cruz ainda. O Salvador disse: "Levantai-vos, vamos sair daqui!" Você tem uma medida de fé; não sente e diga: "Tenho fé suficiente". Não. Busque o dobro de fé. Você ama Jesus; não diga: "Eu o amo o suficiente"; saia e ame-o mais. Você tem uma esperança que resplandece; não diga: "É o suficiente para mim", mas procure tê-la mais resplandecente ainda. Lembre-se, assim que estiver satisfeito consigo mesmo, você nunca mais crescerá até que essa satisfação vá embora. Livre-se disso; que esta seja constantemente a sua ideia: "Não que eu já o tenha alcançado, ou que eu seja perfeito; mas prossigo para o alvo, pelo prêmio do chamado celestial de Deus e Cristo Jesus". Ó amado, esse é o objetivo ao qual devemos almejar. "Vamos sair daqui!", ainda mais longe. Progrida em tudo o que você fez e em tudo o que você tem sido, de força em força, continue e lute, resista e ore,

Pise em todos os poderes das trevas,
E ganhe o dia bem lutado.

O mesmo lema pode ser usado pelos cristãos quando eles sentirem grande alegria. Talvez você tenha sido favorecido ultimamente para se alimentar do evangelho mais plenamente do que nunca. Você veio aqui esta noite e está muito grato porque o Senhor falou ao seu coração, e você se sente muito feliz. Caro irmão, se você aprecia a presença de Deus à mesa da Ceia (o que será o melhor de tudo), espero que ouça como o som de uma trombeta atrás de você: "Levantai-vos, vamos sair daqui!" Para onde? Ora, de volta àquela igreja fria da qual você é membro. Tente jogar uma brasa viva no meio deles e aqueça-os; de volta para sua família, onde há tão poucos que conhecem o Senhor. Diga a eles o que você sabe e busque a conversão deles. Levante-se daqui, Levante-se da igreja e da Ceia de Deus e ponha-se entre os ímpios. Vá e chore por eles;

ore por eles e busque a salvação deles. Oh! É tão fácil sentar-se à mesa da Ceia, sentar-se e ouvir sermões do evangelho, cantar doces hinos e ouvir doces reuniões de oração e dizer: "É glorioso

Minha alma desejosa ficaria
em uma disposição tal como esta!

Ah, isso é muito preguiçoso e muito egoísta. Cada bocado que um homem come — a força dele deve ser usada depois para algum bom propósito; e cada bocado de refrigério espiritual que um cristão recebe deve ser gasto na paciência do sofrimento ou então na perseverança do serviço; e se Deus lhe dá uma refeição especialmente boa como fez com seu servo Elias, é porque você deve fazer uma viagem especialmente longa. Ele passou quarenta dias na força daquela refeição. Eu digo que se você recebe comida especial de Deus, você deve realizar algum serviço especial. Vá e faça mais do que você jamais pensou em fazer antes. Se Deus o fez forte, não continue com o trabalho de meninos: realize um trabalho de homem. Se você chegou à idade adulta, faça o trabalho de homem. Queremos que alguns possam ser líderes, sargentos no exército de Cristo, e se o Senhor o fez apto para isso, não tenha vergonha de assumir essa posição, mas venha para a linha de frente no serviço de seu Senhor e Mestre. "Levantai-vos, vamos sair daqui!"

Não consigo resistir à sensação de que alguns de meus irmãos deveriam ouvir isso de maneira leve enquanto estão sentados aqui, se é que se lembram que um terço da população deste mundo vive na China, e de todos os milhões da China, existem muito poucos — dá quase para se contar nos dedos — que já ouviram falar de Cristo. Homens são procurados para falar a essas pessoas sobre a salvação. Ouvimos um querido amigo dizer outra noite que eles não queriam tanto dinheiro quanto pessoas, e que pessoas de coração simples que amam a Cristo eram exatamente o que eles queriam. Certamente, deveria haver uma agitação em toda a igreja de jovens zelosos que diriam: "Levantai-vos, vamos sair daqui!"

Então, há outros sentados aqui — homens de negócios que amam seu Senhor, e eles podem fazer algo pela nação às vezes; mas aqui estão pecadores morrendo e esses homens nunca pensam em fazer nada por eles. Eu gostaria que o Senhor dissesse em seus corações: "Levantai-vos, vamos sair daqui!"

Entrou no Tabernáculo alguns anos atrás um jovem cristão que era tudo o que se poderia desejar, mas ele não se importava muito com Cristo. O sermão tocou seu coração e ele voltou para a cidade onde morava; começou a pregar na rua, e hoje tem uma das maiores congregações em uma certa cidade, e construiu um grande tabernáculo que ele mantém cheio. Espero que ele ocupe este púlpito nos próximos dois ou três sábados, e você verá o que alguém pode fazer em serviço quando Deus apenas o aviva na obra.

III

"Levantai-vos, vamos sair daqui!" Não é esse uma recomendação aos cristãos que comem e bebem, gordura e doçura, mas não enviam algo às almas famintas? "Levantai-vos, vamos sair daqui!" Eu gostaria de fazer isso soar em muitas capelas de vilarejos, onde algumas poucas pessoas se encontram durante todo o ano para se sentirem confortáveis com um pequenino e confortável evangelho. Por que não sair para os campos em um dia de verão e pregar lá, ou fazer como os metodistas fazem, subindo e descendo as ruas cantando — qualquer coisa para atrair as pessoas? Se as capelas estão vazias, os ministros devem resignar-se e dizer: "Não podemos evitar"? Não. Se as pessoas não querem nos ouvir nas capelas, vamos pregar nos teatros ou em qualquer lugar. O povo deve ouvir o evangelho. "Ide e pregai o evangelho a toda criatura" (Marcos 16.15) é um mandamento que não pode ser cumprido pregando bons sermões para bancos vazios. Se vocês entrarem aqui, eu lhes agradeço por isso. Isso me poupa de muitos problemas, pois não tenho de ir atrás de vocês; mas se não quisesem vir atrás de mim, preferiria ir atrás de vocês, de um modo ou de outro, para conseguir os ouvidos do povo, para que ouçam a Palavra, pois este é o lema da igreja: "Levantai-vos, vamos sair" de nossas capelas, de nossas igrejas, de nossos pequenos lugares aconchegantes, em becos escuros e em pequenas casas de reunião, e vamos percorrer toda a Inglaterra e os Estados Unidos, e alastrar nossas tropas como nos velhos tempos das Cruzadas, quando o Ocidente espalhou sua cavalaria pelo Oriente para quebrar o jugo muçulmano e libertar o evangelho.

Quando os homens podem ganhar dinheiro, mas dizem: "Eu irei e pregarei o evangelho em países estrangeiros" — quando os homens se apresentarem e disserem: "Poderíamos ganhar boas posições no Exército, Marinha ou na Justiça, mas assumiremos as mais baixas posições na igreja para a glória do nome de Cristo" —, então os tempos das Cruzadas voltarão com verdadeiro esplendor. "Ó Senhor dos Exércitos! Que o Santo Consolador entre nos corações de todos os teus que foram comprados com sangue, e assim será"; e um ímpeto inexplicável percorrerá a igreja como aquele que percorreu o mundo nos tempos antigos quando eles disseram: "Deus vult", isto é, "é a vontade de Deus"; e então a igreja dirá: "Levantai-vos, vamos sair para longe daqui, aos pagãos".

Quanto a nós como igreja, que possamos estar sempre saindo; vamos avançar à direita e à esquerda; que nossas forças sejam distribuídas para que se multipliquem; vamos inventar todas as estratégias de trabalho que a engenhosidade possa conceber e usar antigas táticas com o maior índice de proveito possível. Vamos partir daqui e de tudo o que fizemos para fazer algo mais. Vamos nos levantar — isso significa para cima. Vamos — isso significa seguir em frente. Vamos sair daqui, vamos deixar para trás tudo o que já fizemos e ir para algo mais.

Creio que chegará o dia em que esta palavra, que toquei como uma nota de trombeta, chegará muito baixinho, como se jorrasse da harpa ou do saltério, aos ouvidos de cada um de nós. Pode ser que seja em nosso quarto solitário, ou pode ser enquanto caminhamos pelas ruas — mas não importa onde — Jesus virá e falará conosco muito docemente, e enquanto fala conosco, dirá: "Levantai-vos, vamos sair daqui!"; e em um momento deixaremos esse barro pesado para trás e nos encontraremos na glória. Que não fiquemos desejosos daquele sussurro — "Levantai-vos!" —, não para irmos sozinho, mas antes "vá comigo" — meu amado, meu Salvador, meu doce companheiro —, "iremos subir juntos!" Ah, vejo alguns de meus queridos amigos mais velhos ansiosos por esse tempo, e aqueles de nós mais jovens irão talvez antes dos mais velhos. Quem pode dizer? Eu nunca oro "Da morte repentina, bom Deus, livra-me". Acaso existe para o cristão uma bênção maior do que a morte repentina — fechar os olhos na terra e abri-los no céu e não saber nada sobre isso —, apenas acordar na glória e perguntar: "Onde estou?", e encontrar, em vez de esposa e filhos ao seu redor, serafins e querubins com quem você possa juntar sua canção eterna? Oh! É uma bênção! Você quase pode dizer: "Bom Mestre, diga a palavra agora!" "Levantai-vos, vamos sair daqui."

Deus o abençoe, pelo amor de Cristo. Amém!

Sua opinião é importante para nós.
Por gentileza, envie-nos seus
comentários pelo e-mail
editorial@hagnos.com.br

Visite nosso site:
www.hagnos.com.br

Esta obra foi impressa na
Imprensa da Fé.
São Paulo, Brasil.
Outono de 2021.